D0199186
BASTEI
LÜBBE

Konsalik
Das Riff
der roten Haie

BASTEI
LÜBBE

BASTEI-LÜBBE-TASCHENBUCH
Band 12002

Erstveröffentlichung

Herausgeber: Gustav Lübbe Verlag GmbH, Bergisch Gladbach
Printed in Great Britain Oktober 1993
Einbandgestaltung: Gisela Kullowatz – Klaus Blumenberg, Bergisch Gladbach
Satz: ProjektText, Düsseldorf
Druck und Bindung: Cox & Wyman, Ltd.
ISBN 3-404-12002-7

1

»Ich gehe«, sagte sie.

»Und ich komme mit, Tama.«

Sie sah ihn nur an. Es wurde ein langer Blick, den er nicht deuten konnte. In den dunklen, mandelförmigen Augen stand etwas, von dem er nicht wußte, was es war – Schmerz, Zorn oder beides zugleich.

Ohne ein weiteres Wort drehte sie sich um.

Sie nahm den Sandweg, der am Garten und am Haus ihrer Schwester vorbei zum Berg führte.

Ron folgte.

Der Wind zerrte an ihrem Kleid, und als sie höher kamen, ließ er Tamas dunkle Haare fliegen. Während der ganzen Zeit warf sie nicht einen einzigen Blick zurück, ging einfach voraus, bergan, mit dieser unglaublich fließenden Geschmeidigkeit, die ihn schon immer fasziniert hatte. Sie war ihm so fremd und entrückt wie nie.

Am Hügeleinschnitt, wo mannshoher Farn wuchs und der Regenwald begann und wo man bereits die Linien der Bucht erkennen konnte, waren zwei Götterköpfe in den Basalt gehauen. Im Grunde waren sie nicht viel mehr als dreieckige Formen, die gerade noch Nase, Kinn und Schädel erkennen ließen. Sand, den der Wind herantrug, und auch die Berührung ungezählter Hände hatten sie glattgeschliffen.

Zur Zeit von Rons Ankunft auf Tonu'Ata hatten hier stets kunstvolle Geschenke gelegen, geflochten aus verschiedenen Pflanzen und geschmückt mit rotem Hibiskus und dem zarten Weiß und Gelb der Frangipani-Blüten. Doch nach dem Tod Nomuka'las, des Medizinmannes des Stammes, waren die Göttergaben verschwunden.

Nun aber – nun leuchteten wieder Blumenornamente vor dem dunklen Lavagrund. Und sie waren mit Vogelfedern geschmückt!

So, als sei der Alte zurückgekehrt, dachte Ron.

Tamas braunrotes Kleid leuchtete schon unten zwischen den Farnen hindurch. Sie hatte den Hang über der Bucht erreicht. Sie wartete auf ihn und blickte ihm entgegen. Es war ein Blick wie zuvor – ein Blick wie eine Schranke.

»Geh nicht weiter, Owaku ... You stay ... Bleib hier.«

Sie deutete auf den Stein, der unterhalb einer kleinen Felswand lag, und sprach weiter englisch: »Yes. Sit down, Owaku.«

Sit down, setz dich! – Es war eine Art Schock, der Schock des totalen Nichtbegreifens. Ron hatte die Unterlippe zwischen die Zähne gezogen, und als er daraufbiß, spürte er es gar nicht. Zorn kroch in ihm hoch, Zorn gegen diesen ewigen, idiotischen Aberglauben, gegen die Ignoranz, die die Tatsachen nicht hinnehmen wollte, aber auch Zorn gegen sich selbst und die Ohnmacht, die er spürte.

Du darfst nicht in die Bucht, Owaku, you know ... Nie mehr, Owaku ... Die Bucht ist tabu, Owaku ...

Er hatte es hingenommen, zu lange wahrscheinlich. Er hatte sich gesagt: Laß sie, sie wissen es nicht besser. Sie haben nun mal ihre Geister, ihre Götter, ihre Dämonen, und die sagen ihnen, was tabu ist und was nicht. Zerbrich dir nicht den Kopf darüber, und wenn Tapana, ihr Chef, sagt: »Es ist so, Owaku», dann ist es auch so. Die Bucht ist tabu, Owaku. – »Jawohl, Tapana.«

Das ist die korrekte Antwort.

Aber nun kam auch Tama mit diesem Unsinn, nun war es auch für sie selbstverständlich geworden. »You must understand, Owaku ...«

You must understand. – Du mußt verstehen.

Und da hatte er sich nun zwei Jahre hindurch abgemüht, ihr nicht nur Englisch beizubringen, sondern ihr auch eine andere Welt zu erschließen, in der es weder Gespenster noch Aberglauben gab. Er hatte daran geglaubt, es erreicht zu haben. Und trotzdem – nie war sie ihm so fremd gewesen, nicht einmal in den ersten Tagen, als sie zu ihm in die Hütte kam und die ganze Verständigung zwischen ihnen darin bestand, sich anzulächeln, anzufassen und Dinge in den Sand zu zeichnen, mit dem Finger darauf zu deuten und sie zu benennen.

Hatte sie alles vergessen? –

You understand, Owaku ...

Das Rauschen des Wassers, das dort unten gegen den schwarzen Fels schlug, schien ihm noch lauter und stärker zu werden. Es war, als dröhne es in seinem Kopf.

»Du bist meine Frau, Tama«, hörte er sich sagen. »Und das war immer unsere Bucht. Deine und meine.«

Sie gab keine Antwort. Ihre Augen schienen fast schwarz. Ein kühles, hartes Schwarz.

»Gut!« Nun schrie er. »Die Bucht ist tabu! Für mich allein. Und wenn ich mich nicht daran halte? Was dann? Dann kommt irgendeiner und knallt mir seinen Knüppel aufs Hirn. Wirst du dann zuschauen? Schaffst du das, Tama?«

»Nein.« Ihr Gesicht war glatt, ausdruckslos und ruhig. »Wenn du stirbst, Owaku, sterbe ich auch. Du bist mein Mann.«

»Na wunderbar. Großartig!« Es sollte ironisch klingen, vielleicht aber war es genau die Antwort, die er sich von ihr erhofft hatte. Vielleicht wäre es das beste, sie an den Schultern zu nehmen und an sich zu ziehen. Ihr Blick hielt ihn davon ab.

»Du sagst, daß Nomuka'la das Tabu ausgesprochen hat, Tama. Doch Nomuka'la ist tot! Es gibt keine Geister. Und es gibt keine Bannflüche. Für mich nicht! Nicht länger. Das ist Unsinn, Aberglaube! Wahnsinn ist das alles, hörst du?!«

Er merkte, daß er weiterschrie und nahm sich zusammen: »Tama, hör zu ... Nein: Wach auf!«

Langsam schüttelte sie den Kopf. »Er ist nicht tot. Nomuka'la war nie tot. Und die anderen auch nicht. Sie sind alle hier. – So wie die Haie.«

Er schloß die Augen. Aus dem Dröhnen in seinem Kopf wurden nun Schmerzen, plötzliche, heftige, hämmernde Schmerzen. Er gab es auf, sich in diese Welt hineinzuversetzen, eine Welt der Dämonen und Geister, der Geister der Toten, der Ahnen, der Vorfahren. Geister, die alles wußten, die einen bei jedem Schritt und jeder Handlung belauerten, Geister, die beschützten – oh ja, – das auch, die Insel, diese Bucht, den Stamm und die Kinder ... Verflucht viel zu tun hatten sie, die Geister.

Und auch jetzt, natürlich, auch jetzt waren sie wieder da: Sie, die Geister der Männer, die dort unten in der Bucht gestorben waren. Aus der Perlenbucht war die Bucht der Toten geworden. Nein, die Bucht der Haie ...

Als er die Augen wieder öffnete, war Tama bereits zwischen den dunklen Felsbrocken verschwunden. Sie ging schnell. Nun war sie bereits unten an der Küste. Ihr rotbraunes Kleid leuchtete zu ihm hoch.

Sehr verloren sah sie aus, wie sie dort kauerte, dicht am Wasser, reglos.

Ron spürte, wie Zärtlichkeit in ihm hochstieg, eine süße und bittere Zärtlichkeit: Zu wem betet sie? Zu den Geistern, zu Onaha, der Göttin der Schildkröten, zu ihrem Bruder G'erenge, dem Gott der Haie und des Sturms? Oder sprach sie mit den Toten?

Warum nur war sie ihm so fremd geworden?

In ohnmächtiger Wut schlug sich Ron die Faust an die Stirn.

Die Sonne, diese riesige, glühende Metallscheibe, begann hinter den Horizont zu versinken, und auch jetzt wieder war das Schauspiel von so grandioser Pracht, daß Ron den Atem anhielt.

Der Himmel – eine Kuppel aus Gold von unerträglichem Glanz. Davor gewaltige, hochgetürmte Wolkenschiffe; purpurfarben, flamingorosa und violett segelten sie langsam nach Westen.

Hoch oben, in den Senken und Tälern, die die drei stumpfen Bergkuppen der Vulkane bildeten, stürzten Wasserfälle in die Tiefe, Schleier umwehten die Baumkronen. Hier unten aber herrschte Fels: Vulkanfels in allen Formen und Farben. Manche Brocken erinnerten an vorzeitliche Götter oder Tierfiguren, andere wiederum an Säulen und Burgzinnen. Schwarz standen sie vor dem funkelnden Meer.

Über dem zirkelklaren, wie mit einem Messer geschnittenen Horizont warf die Sonne ihre rotgoldenen Lanzen und sandte eine breite Lichtstraße zur Bucht, die sich nun mit einem tiefen Rot füllte.

Rot. Purpurrot.

Rot wie Wein. Nein, wie Blut …

Laß es, dachte er. Nicht einmal denken solltest du es. Schalt ab. Vergiß!

Er lehnte den Rücken gegen den harten Vulkanstein.

Doch auch jetzt tauchten die Bilder wieder in ihm auf. Er sah den weißen Steven der »Roi« an den beiden Felsen vor der Buchteinfahrt vorübergleiten, hörte die gedrosselten, schweren Motoren, und neben ihm schrie Nomuka'la: »Da sind sie, die Fremden! – Und du wolltest es so, Owaku …«

Dann fiel der erste Schuß. Und dann schossen alle. Das Inferno begann …

»Sie sind nie fortgegangen«, hatte Tama gesagt.

Eine Stimme in ihm flüsterte wieder einmal die Namen der Toten in sein Bewußtsein: Fai'Fa, Tamas Lieblingsbruder, der stolze, verschlossene Fai'Fa. Von den Haien zerrissen. So wie Nomuka'la. – Jack Willmore, mit dessen Hilfe er ein wenig Zivilisation auf die Insel bringen wollte, obwohl er ihn zuerst wie einen Gefangenen behandelt hatte, Jack, der beste Freund, den es je gab. Piero de Luca, der Pilot des Bord-Hubschraubers der »Roi«, die ganze Besatzung der »Roi de Tahiti« … Pandelli, dem sie das ganze Grauen zu verdanken hatten und den es schon in der Luft erwischte, so daß die Monster-Haie nur noch seinen toten Körper zum Fraß bekamen.

»… du hast es so gewollt …«

Die Fremden, die »Palangi«, starben. Es waren die Haie, die die Macht in der Bucht übernahmen.

Niemals wieder würde er mit Tama die Austernbänke dort unten abschwimmen, niemals wieder eine Perle finden, nie wieder würde ein neugeborenes Kind nach der Perle greifen können, die ihm der Vater aus der Tiefe holte. Das »Mana«, die göttliche Kraft, die alles durchdrang, war erloschen.

Das ist es, dachte Ron. Sie geben dir die Schuld. Nur dir. Deshalb wurde das Tabu ausgesprochen, daher ist für dich die Bucht mit dem Bannfluch belegt. Und vielleicht haben sie damit auch noch recht.

Die Felsen sogen sich mit Schatten voll.

Über ihm, am Weg, kollerte ein Stein. Er hörte Tama näherkommen, doch er blickte nicht hoch. Die Hände hingen zwischen seinen Knien. Er starrte hinunter auf das dunkel werdende Wasser der Bucht. Er sah nichts. Keine Dreiecksflosse. Keinen Schatten. Nur Stille.

»Komm«, bat sie. »Komm, Owaku, laß uns gehen.«

Er bewegte sich nicht. Er gab auch keine Antwort. Aber er wußte jetzt, was er tun würde, nein – was er zu tun hatte ...

Sacht und rasch wie immer kam die Dämmerung. Der Weg war nur noch ein helles Band zwischen den Büschen, doch die ganze Zeit hielt sie seine Hand, so, wie man die Hand eines Kindes hält, das beruhigt und getröstet werden will.

Auch jetzt sprachen sie kaum ein Wort. Da war nur das leise Geräusch ihrer Schritte. Was gab es auch schon zu sagen? Nichts. Aber die Berührung tat ihm gut.

Auch bei den beiden Götterbildern hielt sie nicht an. Sie ging daran vorüber, als existierten sie nicht. Und dann kam die Wegbiegung, von der man das Dorf sehen konnte.

Vor den Häusern und Hütten brannten die Feuerstellen. Rote, blinzelnde Lichtnester im Grau der Schatten. Hundegebell klang zu ihnen hoch und das

Geschrei der Kinder. Die Dorfbewohner waren dabei, das Abendessen zuzubereiten.

Vor zwei Jahren hatte Ron in seinen Anwandlungen von euphorischem technischem Missionarsgeist daran gedacht, das ganze Dorf mit elektrischem Strom zu versorgen. Der Generator, den er den ganzen Weg von Tahiti bis zur Insel gebracht hatte, war schließlich potent genug. Den notwendigen Sprit hätte er bei seinen Fahrten nach Pangai oder Neiafu, den Häfen der nächsten der Tonga-Inseln, besorgen können.

Aber Tapana, Tama's Vater, hatte nur abgewinkt: »Wir wollen das nicht, Owaku.« Und warum sollten sie auch? Die Nacht zum Tag zu machen, wieso? Wer arbeitet schon bei Nacht? »Die Nacht ist zum Schlafen da oder um Liebe zu machen. – Du bist wirklich verrückt, Owaku.«

Und er hatte recht! Seit der französische Händler, der früher, vor Rons Ankunft, gelegentlich die Insel angelaufen hatte, nicht mehr erschien, blieb er der einzige, der wußte, daß Menschen auf Tonu'Ata wohnten. Auf den Seekarten war die Insel nirgends zu finden, sie lag außerhalb aller Seefahrtsrouten in einer ungünstigen Strömungszone. Vermutlich existierte sie auf irgendwelchen Satelliten-Aufnahmen, doch das wußte er nicht. In den Verwaltungen des Insel-Königreichs Tonga jedenfalls, zu dessen Gebiet sie ja eigentlich gehörte, nahm man keine Kenntnis von ihr. Und wann immer ein Linien-oder Privatpilot, den eine Sturmmeldung zum Ausweichen zwang, oder ein Yacht-Skipper, den eine falsche Peilung oder die Strömung vom Kurs brachte, die Insel zu Gesicht bekam, hatte er sie wohl für unbewohnt gehalten – so wie er selbst damals.

Damals ... er war als Schiffbrüchiger nach Tonu'Ata

gekommen, hatte sich in der letzten Sekunde noch ins Schlauchboot retten können, ehe der Sturm die Reste seines Bootes an den Riffkorallen zersäbelte.

Er war glücklich geworden auf dem kleinen Eiland, das ja. Und er hatte sich vorgenommen, das Geheimnis von Tonu'Ata mit allen Mitteln und um jeden Preis zu bewahren und zu verteidigen. Es war ihm gelungen – selbst gegen die Bande, die damals mit der »Roi« in die Bucht gekommen war.

Und ausgerechnet du, dachte er nun, ausgerechnet du Idiot hattest es dir in den Kopf gesetzt, Lichterketten zwischen den Häusern aufzuhängen! Du hast das halbe Dorf verkabelt, damit auch jeder, der zufällig in irgendeiner Mistmaschine darüberkriecht, sofort erkennt: Junge, da unten ist was los!

Die Eingeborenen aber wußten es besser. Und so blieb am Ende die ganze technische Pracht auf sein eigenes Haus, die Werkstatt und die Häuser von Tamas Vater und ihrer Schwester beschränkt. – Und das war gut so ...

In dieser Nacht fand Ron keinen Schlaf. Seine Haut war schweißnaß. Er spürte es, als er schwankend, halb im Bett aufgerichtet, wild um sich griff und dabei das Gleichgewicht zu verlieren drohte.

Mondlicht brach durch den Raum und verwandelte das Moskitonetz über dem Bett in ein weißes, geheimnisvolles Etwas, das ihn zu ersticken drohte.

Er schob es zur Seite.

Vom Nebenbett kam Tamas ruhiger Atem. In den Palmwedellagen des Daches huschten die Geckos, und von draußen, von der Riffbarriere, hörte er das ewige Auf und Ab der Brandung, die gegen die Korallen schlug.

Auch dieses Geräusch war wie Atem. Ron hatte es immer geliebt, heute aber beruhigte es ihn nicht.

Er stand auf, ohne den Lichtschalter zu drücken, und ging in die Küche. Das bläuliche Licht zog breite, klar abgegrenzte Bahnen durch den großen Raum und ließ alle Gegenstände, Schrank, Spiegel und die Rechtecke der Bastmatten, die Tama als Schmuck an die Wand gehängt hatte, fremd, schwarz und streng erscheinen.

In der Küche holte er Ananassaft aus dem Eisschrank und goß ihn aus dem Krug in sein Glas. Dann schaltete er den Weltempfänger an, der auf dem Tisch für die Frühstücks-Nachrichten bereitstand.

»Ob Sie's nun glauben oder nicht«, sagte eine glockenreine, helle Mädchenstimme auf englisch, »aber ich gebe mich nie mit der Hälfte zufrieden, ich verlange hundert Prozent. Deshalb: Wenn schon eine Vitamin-Creme, dann nur ...« Das war's wohl nicht.

Er trug das Glas zum Fenster und blickte hinaus: Das Riff, die Palmen, das Kristallfunkeln der See ... An der linken Seite ragten dunkel die Silhouetten der beiden neuen Gebäude hoch. Solide Basaltblöcke, alle zementverfugt. Der größere beherbergte die Werkstatt mit ihren Maschinen, diente aber auch als Gerätelager für das Dorf. In den anderen würde die neue Krankenstation einziehen, wenn alles fertig war. Aber noch war das Ganze nur ein Rohbau.

Dieses Mal spürte Ron nichts von dem kindlichen Stolz, der ihn bei diesem Anblick immer befiel. Das sonderbare, beklemmende Gefühl, die Ahnung, daß sich bald irgend etwas ändern würde, blieb stärker ...

Als er am nächsten Morgen erwachte, stellte er als erstes fest, daß der Wind fast völlig nachgelassen hatte. Nichts regte sich draußen. Selbst das stete metallene Rascheln der Palmblätter war verstummt.

Er sah auf seine Uhr. Kurz vor acht.

Tama schlief. Sie schlief wie ein Kind, das Gesicht friedlich auf den Händen. Er wollte sie nicht wecken. In der Küche wärmte er Kaffee auf, schaltete »ZAP-Tonga« an, um den Wetterbericht zu hören. Aber ZAP brachte Rockmusik und Werbung. Nicht viel besser ging es ihm mit der UKW-Station von Pangai. Sie hatten einen langatmigen Bericht über australischen Thunfischfang zu bieten. Auf tongaisch.

Der Pazifik dort draußen war nun eine unbewegte, stumpfschimmernde, riesige Zinnscheibe. Selbst der Strand schien grau, und in Rons Schläfen meldete sich ein feiner, schabender Druck, den auch der Kaffee nicht verscheuchen konnte.

Wenn der Passat vollkommen zusammengebrochen war, konnte das nur eines bedeuten: Irgendwo baute sich eine Wetterfront auf. Ein Hurrikan? Ausgeschlossen! Davon hätte er schon gestern im Radio gehört. Hurrikane wurden schon bei ihrem Entstehen beobachtet, und dann gab es pausenlos Nachrichten über sie. Außerdem, es war März und nicht ihre Zeit, wenigstens nicht im Gebiet der Tonga-Gruppe. Gut, manchmal kamen sie auch im März, aber doch nur äußerst selten.

Er lief die Treppe hinab.

Hinter den Bananenstauden, über dem Dach von Lanai'tas Haus, hing ein dünner Rauchfaden in der Luft. Ron war erleichtert, daß sie noch nicht draußen war, um mit ihm zu reden, an diesem Morgen wollte er niemanden sehen, auch nicht Tamas Schwester.

Er warf einen kurzen Blick zu seiner Teleskop-Antenne hoch. Am Gerüst hatte er einen Luftsack angebracht, um jederzeit die Windrichtung feststellen zu können. Tama hatte ihn genäht. Er hing jetzt schlaff herab und rührte sich nicht.

Ron begann zu laufen, rannte den Sandweg hinunter zur Lagune, wich einem kleinen Hund aus, der ihn kläffend verfolgte.

An der Anlegestelle waren ein paar Männer dabei, die Ausleger-Kanus den Strand hochzuziehen. Auch ihnen schien das Wetter nicht zu gefallen.

Ron winkte Afa'Tolou zu, einem der beiden Brüder Tamas. Afa überragte die anderen braunen, muskulösen Männerkörper um einen Kopf. Nun ja, auch seine Schwester war die größte der Frauen und Mädchen des Dorfes.

Ron hatte die kleine Steinmole erreicht, die er im vorigen Jahr mühsam, Basaltbrocken nach Basaltbrocken, in die Lagune hinausgebaut hatte. Da lag sein Beiboot. Es lag völlig still. Die Schale war flach, weiß und ähnelte einer kleinen Badewanne.

Er warf den Johnson an, der Außenborder knatterte auf und trieb das Boot mit schäumender Heckwelle auf die »Paradies« zu, die dort unten, in der Mitte der Lagune, verankert war. Ihr leuchtendes Weiß wirkte vor all dem Grau fast unwirklich.

Er liebte dieses Schiff! Liebte es, wie nur ein Mann sein Boot lieben kann. Er liebte es nicht allein wegen der Vollkommenheit der Linie und der hervorragenden Fahreigenschaften, er liebte es auch, wie ein Gefangener den Gefängnisschlüssel liebt. Die »Paradies« war sein Symbol der Freiheit. Tonu'Ata, die vergessene Insel, mochte hundertmal seine Heimat geworden sein, aber ihr Geheimnis, ihre Verlorenheit, die Tatsache, daß sie auf keiner Karte verzeichnet war, umschloß sie wie die Wasserwüste. Die »Paradies« gab Ron die Möglichkeit, Tonu'Ata zu versorgen – aber auch jederzeit von hier auszubrechen.

Er machte die Leine an der Heckleiter fest und kletterte hoch. Am rechten der beiden Leiterholme hatten sich schon wieder Muscheln angesetzt. Die mußten weg. Aber das hatte Zeit.

Und jetzt, als er oben stand, beide Hände aufs Schanzdeck gestützt, und den vertrauten Geruch in sich einsog, den Geruch des Ozeans und der Mangroven, die dort drüben wuchsen, jetzt wußte Ron Edwards glasklar, daß es gut war, was er vorhatte, und daß es für ihn keinen anderen Weg mehr gab als diesen ...

In einem Stau-Schapp der »Paradies« hatte er zufällig eine alte Ausgabe des National Geographic-Magazins gefunden. Die Werftarbeiter von Henri Latour et fils in Papeete, die das Schiff damals, vor zwei Jahren, für ihn klargemacht hatten, waren wohl zu faul gewesen, das Heft wegzuwerfen.

Ron war froh darüber, denn es brachte eine Reportage über Haie, und unter all den Dingen, die da standen und ihn brennend interessierten, hatte sich vor allem ein Passus in sein Gedächtnis eingegraben:

»Es sind die großen Exemplare der über zweihundertzwanzig Hai-Spezien«, hatte der Verfasser, ein Australier, geschrieben. *»Es sind die Haie, die in der Tiefe leben, der Blau- oder Menschen-Hai, der Grauhai, der »große Weiße« und der Hammerhai, die über einen ausgeprägten Instinkt für das Heraufkommen von Wetterveränderungen verfügen, die ihnen eventuell zusetzen könnten.«* –

Bei Sturmgefahr, las Ron weiter, suchten die großen Raubfische das offene Meer schon deshalb auf, weil sie als Fische ohne Schwimmblase ständig gezwungen seien, sich zu bewegen und daher nicht nur bei Unwetter ihre Manövrierfähigkeit einbüßen könnten, sondern sich dazu dem Risiko aussetzten, von den Wellen gegen die Klippen gedrängt oder auf den Sand gesetzt zu werden ...

An sich war es schon unglaublich, daß sich eine Handvoll von diesen Biestern ausgerechnet die Bucht als Spielplatz ausgesucht hatte und den Menschen das Perltauchen verwehrten. Und was die Tiefe anging – die Bucht war tief, er hatte sie schließlich mit dem Echolot vermessen, und das Gerät hatte ihm in der Buchtmitte tausend Fuß, mehr als dreihundert Meter also, gemeldet. Sie fühlten sich also nicht nur wohl, die Drecksbiester, sie hatten ihm dazu – auch in Tamas Augen – den »Fluch der Götter« an den Hals gehängt: Das Tabu!

Doch selbst Haie haben Schiß.

Zumindest vor einem Sturm in Küstennähe ...

Ron kletterte die schmale Leiter zum Sonnendeck hoch, um zum Steuerstand zu gehen. An der Entlüftungsverkleidung blieb er nochmals stehen.

Drüben, am Ufer, waren die Boote inzwischen fast alle an Land gezogen. Jetzt begannen die Fischer sogar die Netze von den Trockengestellen zu nehmen. Der Himmel zeigte noch immer dasselbe diffuse, diesige Grau. Keine Wolkenformation, die sich abgezeichnet hätte. Passatwinde sind Westwinde, die Stürme wurden meist im Osten geboren, aber auch dies war nichts als eine Faustregel. Die Stürme konnten aus allen Richtungen kommen.

Die Dünung war stärker geworden. Die langen, flachen Täler waren auf der bewegten grauen Oberfläche des Meeres deutlich zu erkennen. Auch der Gischt am Riff stand höher als sonst.

Na und? dachte er, als er im Cockpit den Anlasserknopf der Anker-Winsch drückte. Das Rasseln der Kette begann.

Okay. Jetzt werden wir's ja sehen. Und vielleicht ist die Bucht nicht nur heute frei von Haien, vielleicht ist sie es für lange Zeit wieder. Und genau das wirst du beweisen. Allen! Tama ebenso wie den anderen. – Nun, die wissen es nicht besser. Doch vor allem werde ich es dir zeigen, Nomuka'la, dir oder deinem gottverfluchten Geist oder was immer es auch sein mag, das sie alle verrückt macht. Zum Teufel, jawohl, zum Teufel mit eurem, mit diesem, mit allen Tabus der Welt!

Ron hatte während der Fahrt ein paar Kormorane auf der Riffbarriere gesehen. Und Möwen, die ihren Nistplätzen in den Felsen zuflogen. Eine leichte Brise war achtern aufgekommen, das Meer wurde unruhiger. Dies alles störte ihn nicht. Hatte er den Vorsprung dort umrundet, würde sich die »Paradies« auf der Lee-Seite befinden.

Nur eines machte ihm noch immer zu schaffen: der Gedanke an Tama.

Als er aus der Lagune auslief, hatte er die Maschinen auf Niedrigtouren gehalten, um das Motorengeräusch so weit wie möglich abzudämpfen. Vielleicht hatte sie sein Auslaufen nicht gehört, aber inzwischen war eine Stunde vergangen, nun wußte sie längst Bescheid. Was immer im Dorf geschieht, jeder teilt es dem anderen mit. Selbst ihr Vater würde es wissen. Und wenn Afa auch nicht selbst zu ihr gekommen war, so wußte sie es von ihrer Schwester oder irgendeiner anderen Nachbarin: »Was will Owaku? Wieso fährt er bei diesem Wetter mit dem Boot hinaus?«

Gerade bei dem Wetter, dachte er erbittert. Gerade dann!

Schon sah er auf der Steuerbordseite die beiden Felsen, die er wegen ihrer Form »Schwurfinger« genannt hatte. Steil erhoben sie sich über den Klippen, die die Ostseite der Bucht schützten. Auf der anderen Seite stieg die Bergwand hoch.

Er nahm die Fahrt zurück.

Dann schaltete er das Echolot ein. Die Titanenkräfte, die vor Jahrmillionen den Vulkan aus vielen tausend Metern Meerestiefe in die Höhe geschoben hatten, hatten an dieser Stelle eine steil abstürzende Schräge entstehen lassen. Sie war unter Wasser gleich einer Pyramide stufenförmig gegliedert. Auf der Seeseite, außerhalb der Bucht, hatte sich auf der obersten Stufe eine Austernbank gebildet. Vermutlich wuchs sie auf einer der abgestorbenen Korallenformationen, die die Brecher jedesmal abrasierten, wenn sie sich über die Oberfläche herauswagte. Jedenfalls zog sich die Austernbank bis tief hinein in die Bucht.

Als Tama sie ihm zum ersten Mal gezeigt hatte, damals, vor fast zwei Jahren, war der seeseitige Teil der Bank unterhalb der Wand durch ein verankertes Seil gekennzeichnet gewesen, an dem die Kokosnüsse tanzten, die die Menschen von Tonu'Ata als Bojen benutzten.

Er legte das Ruder nach Backbord. Langsam, ganz langsam glitt die »Paradies« in die Bucht.

Rons Augen versuchten das Wasser zu durchdringen.

Er suchte Schatten. Nichts. Und wie gestern abend war auch keine Rückenflosse zu sehen.

Falls tatsächlich Haie in der Bucht waren, falls ihr Wetterinstinkt versagte und sich das, was im »National Geographic« stand, als Journalisten-Mumpitz herausstellte, waren sie beim Herannahen des Bootes abgetaucht und hatten längst die offene See gesucht. Es war zwecklos, sich nach Flossen umzusehen.

Er drehte den Kopf zum Echolot.

Die grüne Digitalanzeige spulte ihre Zahlen ab. Vierhundert, fünfhundert, sechshundert Fuß ... Die einzige Erhöhung, die der Boden bildete, war die Felsstufe, auf der sich die Bank hinzog. Niemand wußte so genau Bescheid über sie wie Tama und er. Jeden Meter kannte er.

Irgendwo dort unten mußte das Wrack der »Roi de Tahiti« ruhen, doch das graue, neblig-diffuse Licht nahm dem Wasser seine Transparenz. Es war kaum etwas zu erkennen.

Er hielt sich näher an den Felssockel und wartete, bis die Zahlen auf einundzwanzig Fuß geklettert waren, dann ging er mit der Maschine auf Leerlauf und drückte die Ankertaste.

Der Anker fiel.

Eine Austernbank ist zwar kein idealer Grund, und damals, als sie hier tauchten, wäre ihm schon der Gedanke, ein solch tonnenschweres Ding mitten in seine geheiligten Austern, womöglich in ein Vermögen an Perlen zu werfen, als Wahnsinn, schlimmer noch, als wirklicher Frevel erschienen, aber diese Zeiten waren vorüber. Der Anker würde halten. Und darauf allein kam's an.

Er schaltete die Motoren ab. Die »Paradies« schwang in die Strömung.

Das Wasser der Bucht lag dunkel, ruhig und still.

Ron hatte die Tauchausrüstungen in den Spinden des Mannschaftsraums verstaut.

Als er durch den schmalen Mittelgang ging, konnte er der Versuchung nicht widerstehen, öffnete die Tür der Eigner-Kajüte und schaltete die Beleuchtung an. Da war das Rundbett, der Spiegel darüber, den der frühere Besitzer, aus welchen Gründen auch immer, hatte anbringen lassen. In vielen leidenschaftlichen Nächten hatte auch Tama diesen Spiegel zu lieben gelernt. Da waren die Schleiflacktüren, die Schränke, das Schimmern der hellblauen Bespannung und das dunkle, tiefe Blau des Teppichbodens. Und über allem hing ein zarter süßer Duft.

Er sog die Luft ein. Vielleicht das Parfum, das sie in Papeete gekauft hatten, bei Tamas erster und einziger Reise in die große, sonderbare, fremde weite Welt. Vielleicht auch eine Erinnerung an das Blütenöl, das die Soafatine, die alten Frauen von Tonu'Ata, für ihre Töchter mischten.

Tama! – dachte er. Der Spiegel warf sein Ebenbild zurück. Sein Gesicht schien ihm noch knochiger als sonst. Das blonde, ausgebleichte Haar wirkte beinahe weiß.

Hastig schaltete Ron das Licht aus, verließ den Raum, holte Tauchmaske, den Moltopren-Anzug, Messer und schließlich auch die Trägerweste mit der aufgeschnallten Preßluftflasche heraus. Er kontrollierte ihren Druck. Stimmte haargenau. Sie waren vor sechs Wochen zuletzt getaucht, nicht in der Bucht, sondern draußen in der

Lagune. Er hatte die Flaschen anschließend sofort wieder mit dem Kompressor gefüllt.

Er zog die Shorts aus, stieg in den Anzug, zerrte Reißverschlüsse zu und hakte das schwere Gerät auf dem Rücken fest, zog die Handschuhe an, prüfte den Sitz des Messers, nahm dann die Flossen und den Ring der Kopflampe in die Hand und wollte gerade die Kajüte verlassen, als ihm noch etwas einfiel.

Der Hai-Stock! Wo steckt das Ding, verflucht nochmal? Da hast du dir so viel Mühe gegeben, dir in der Werkstatt eine zwanzig Zentimeter lange Stahlspitze zurechtzufeilen, sie dann auf den Stock gesetzt – und jetzt? Wo ist der blöde Stock?

Er fand ihn im rechten Spind unter Tamas Ausrüstung.

Dann ging Ron durch den Salon zurück, öffnete die Schiebetüren und trat hinaus. Die Farben schienen noch düsterer geworden zu sein. Auch das Geräusch der Wellen, die dort drüben gegen Wand und Klippen schlugen, hatte zugenommen. Dunst verbarg den Blick auf Meer und Berge.

Zum Überlegen war's nun zu spät. Und es gab auch nichts zu überlegen. Wie nannten sie auf Tonu'Ata die göttliche Kraft, die einen Mann auszeichnet und die ihm nur der Häuptling oder Priester wieder nehmen konnte? – Mana …

Er würde sich, verdammt nochmal, sein »Mana« wiederholen. Und kein dämliches Tabu, kein Hai oder sonst was würde das verhindern!

Ron zog die Flossen an, streifte sich Maske und Lampe über den Kopf und ließ sich rücklings ins Meer fallen. Jetzt wollen wir mal sehen, was wird, dachte er, als das Wasser über ihm zusammenschlug. Lange genug hab' ich mich unterbuttern lassen. Jetzt ist Schluß! Die Bucht hat mich wieder!

Es war wie immer. Und es war schön.

Er trieb dicht über den dunkel schimmernden Wall der Bank. Im fahlen Strahl der Lampe wurde jede Kontur deutlich und klar. Die Fische stoben auseinander, als er näherglitt. Das dort drüben war ein rosa Steinfisch, dann überraschte er zwei Panther-Flundern. Und nun sah er es auch schon, die schwarzsilbern gewellten Kanten der Perl-Austern. Sie schienen sich ihm zuzuneigen. Er brauchte nur die Hand auszustrecken, das Messer zu ziehen – wie früher.

Doch heute ging es nicht um Austern. Nein, nur um eines ging es, um das: »Du wolltest es doch so, Owaku ...« Es galt, die Stimme eines Toten zum Verstummen zu bringen.

Das Atemventil rasselte. Ron konnte den Schlag seines Herzens daran messen. Und der war ruhig, ganz ruhig.

Okay, da bin ich! Und ihr, ihr Scheiß-Haie, wo steckt ihr?

Er hatte sich in einem engen Bogen von der Bank abgewandt und hing nun über ihrem mit Seegras bewachsenen, breiten Sockel aus abgestorbenen Korallen.

Der Lichtarm der Stirnlampe reichte nicht weit, zehn, zwölf Meter höchstens, schätzte er. Was ihn umschloß, blieb undeutlich. Die Wolken oben über der Wasserfläche mußten noch dichter geworden sein, denn nie hatte er die Bucht in dieser Beleuchtung, in einem derartigen Dunkel, erlebt.

Er ließ die Lampe wandern. Das einzige, was ihr

Lichtstrahl festhielt, waren der dicke Kopf einer Muräne und drei Korallen-Fischchen. Winzige, weißliche Partikel, die die Schwimmflossen aus der Austernbank gerissen hatten, stiegen vor ihm auf.

Wo sind sie, deine Haie, Nomuka'la? Na los schon, zeig sie mir!

Abwegig verrückt, nein, albern mochte es sein, doch er wurde den Namen Nomuka'la nicht los.

Sieh doch, Alter! Hier bin ich!

Und? Wo sind deine Haie?

Aber weder Nomuka'la noch G'erenge, der böse Gott der Haie und des Sturms, gaben eine Antwort.

Ron durchschwamm die ganze Bucht und kehrte zurück, glitt jetzt mit ausgestreckten Händen über die Bank, so dicht, daß seine Knie manchmal die Austern streiften, drehte wieder um und sagte sich: Nichts. Kein einziger Hai. Und das nächste Mal wirst du es Tama beweisen! Was heißt Tama – ihren Brüdern, dem ganzen staunenden Volk ...

Wenn Tama ihm nach seiner Rückkehr entgegenkommen würde – »Ich weiß, wo du warst. Warum hast du das getan?« – dann hatte er eine ebenso einfache wie wichtige Neuigkeit für sie: »Ja, ich war dort. Ich bin getaucht, ich hab' die ganze Bucht abgeschwommen. Und ich stehe vor dir, heil und gesund, wie du siehst. Was sagst du dazu? Was sagst du jetzt?«

Er schob die Faust mit dem Haistock nach vorne. Am liebsten hätte er das blöde Ding in den Gürtel geschoben, aber die Spitze konnte das Moltopren, womöglich ihn selbst verletzen; so wiederum behinderte der Stock ihn beim Schwimmen, warf ihn aus dem Rhythmus, denn jetzt wollte Ron nur eines: Zurück zur

»Paradies«. Und dies so schnell als möglich.

Die Orientierung war einfach. Er brauchte nur der dunklen Linie zu folgen, die die Muschelbank durchs Wasser zog. Er versuchte es, schaltete die Lampe ab – ja, so war es besser. Ganz deutlich konnte er nun den Felseinschnitt erkennen, der die Buchteinfahrt bildete. Er wirkte wie ein gewaltiges, offenstehendes Scheunentor, hinter dem eine geheimnisvolle, graugrüne Helligkeit wartete.

Dann sah er den Schatten.

Schräg kam er aus der Tiefe hochgeschossen, und die flache Zigarrenform erinnerte an einen Torpedo oder ein U-Boot. Aber Torpedos und U-Boote gab es hier nicht. Hier gab es nur eines – Haie!

Es war, als habe eine Faust seinen Kehlkopf getroffen. Sein Puls begann zu hämmern. Er registrierte es am aufgeregten Geräusch des Ventils.

Dies war kein Hai. Ein Riese war das!

Er versuchte sich zur Ruhe zu zwingen.

Was hast du erwartet? Was hast du denn vorhin gedacht, gerufen, geschrien? Und jetzt, jetzt bist du kurz davor, durchzudrehen wie irgendein hysterischer Tourist.

Haie gab es überall im Pazifik. Sie waren in all ihren Arten anzutreffen. Im allgemeinen mieden sie das seichte Wasser der Lagunen, aber auf der Westseite der Insel und auch auf Tonga hatte er die kleineren Glatt-und Hunds-Haie ganz nah am Strand gesehen; in Gruppen, zu dritt und zu viert, ruhig und dicht unter dem Wasserspiegel dösend, so, als wollten sie sich an der Sonne wärmen.

Aber der Schatten dort ... Größe und Länge zu schätzen blieb unter Wasser ein riskantes Unternehmen.

Aber es war ein gewaltiges Exemplar, ein Fisch von mindestens acht oder zehn Metern.

Ron blieb, wo er sich befand. Unentschlossen, ohne sich zu bewegen, schwebte er zwischen Muschelbank und Wasseroberfläche. Was sonst? Der Kerl war verschwunden.

Angetrieben von den Adrenalinstößen, die sein Blut überschwemmten, rotierte in seinem Bewußtsein all das, was er über Haie gehört, erfahren, gelesen und auch selbst erlebt hatte.

Haie greifen selten Menschen an.

Die Angst vor Haien ist schlimmer als die Haie.

Hatte er je Angst vor ihnen gehabt? Nein. – Bis sie dann vor seinen Augen Nomuka'la zerrissen, einen mageren alten Körper, der nur noch aus Knochen und Sehnen zu bestehen schien. Das Schwein Pandelli hatte noch Glück gehabt. Der war schon tot, als er in die schäumende, kochende Hölle fiel, in das die rasenden Tiere die Bucht verwandelt hatten. Und was war von der Besatzung der »Roi« geblieben? Nichts. Nichts als schäumendes, blutgefärbtes Wasser …

Haie können aggressiv werden, wenn sie Blut schmecken … Noch ein kluger Satz. Und aggressiv? Eine Art Killerhysterie hatte die verdammten Monster damals erfaßt.

Vorbei und vergessen? Ja, wie denn?

Seine Augen suchten das Wasser zu durchdringen.

Wo steckte das Biest? Hinter dem Felsen? Kaum … Mit der Wetterfühligkeit der Haie, von der die »National Geographic«-Leute gefaselt hatten, schien es auch nicht weit her zu sein. Aber Felsen und Riffe wurden von Haien gemieden.

Schatten unter Schatten sein, ganz ruhig bleiben, das war es wohl. Vielleicht etwas tiefer gehen. Du bist jetzt auf drei oder vier Meter. Die Bank gibt dir Schutz im Rücken. Haie aber greifen von unten an. Auch dieses Vieh war plötzlich aus der Tiefe hochgekommen …

Und außerdem – noch immer hast du deinen Stock.

Langsam, mit sanften Flossenbewegungen, glitt Rons Körper tiefer. Den Buchteinschnitt ließ er dabei keine Sekunde aus den Augen.

Und dann fuhr es wie ein elektrischer Stromstoß durch seinen ganzen Körper. Die Hand verkrampfte sich um den Stock. Rechts, vor der Passage, das, was er zuvor für einen Teil der Felsformation gehalten hatte, dieser runde Schatten, rund wie eine Scheibe fast – das war er!

Er hatte ihn direkt vor sich! Dieses Teufelsmonster hatte sich in den Eingang der Bucht postiert, um ihn zu erwarten!

Umdrehen. Zum Ufer. Zweihundert Meter waren das. Und er wird dir folgen, dich auf die zweite klassische Hai-Art, nämlich von hinten, attackieren.

Die Bucht war zur Falle geworden!

In Rons Ohren war ein feines, helles Singen. Es war nicht der Druck des Wassers. Es war Panik.

Dann ging alles ganz schnell.

Gerade hatte er sich dazu entschlossen, die Lampe einzuschalten. Wenn er schon angegriffen wurde, dann wollte er den Gegner auch sehen.

Und er sah ihn! Er sah ihn zur selben Sekunde, in der er mit dem linken Daumen den Lampenknopf bewegte. Dann spürte er schon die Druckwelle des heranschießenden Fisches. Es war wie eine Explosion. Das Monster kam so schnell näher, als sei es herankatapultiert worden. Er sah den grauschimmernden, glatten Schädel mit den weit auseinanderstehenden Augen, die schrägen Schnitte der Kiemenöffnungen und die beiden vorderen, muskulösen Leitflossen. Seitlich, wie die Kufen eines Tragflügelboots, standen sie ab.

Und dann dieser schreckliche, wulstige Halbkreis unterhalb seines Schädels: Das Haimaul!

Ganz dicht vor ihm und mit einer geradezu unglaublichen Gewandtheit hatte das riesige Tier eine enge Linkskurve gezogen. Nun leuchtete vor Rons weit aufgerissenen Augen die Unterseite in schmutzigem Weiß. Deutlich konnte er die drei kleinen Pilotfische erkennen, die sich am Haibauch festgesogen hatten. Jetzt der Schatten der Schwanzflosse - vorbei!

So schnell war das geschehen, daß nicht einmal die Angst Zeit hatte, ihn in ihren Griff zu nehmen. Nun mußte er die Zähne zusammenbeißen, um das Beben seines Kiefers zu unterbinden. Der Kerl kommt zurück ...

Das Merkwürdige war, daß er bei diesem Gedanken ganz ruhig wurde.

Er hielt den Haistock mit der langen, scharfgeschliffenen Spitze mit beiden Händen umklammert. Er dachte den Namen Tama. Er dachte ihn nur ein einziges Mal, dachte ihn wie ein Stoßgebet, wie eine Beschwörung - zur selben Sekunde erfaßte der Scheinwerfer wieder das dunkle, bedrohende Oval, das sich näherte, groß und immer größer wurde. Der Haikopf zuckte jetzt hin und her. Es war eine Bewegung, die noch bedrohlicher wirkte als die starre Killerphysiognomie des Raubfisches mit den beiden weit auseinandergesetzten, im Licht schimmernden Augen.

Fest umklammerte Ron den Schaft des Stockes, riß ihn hoch. Der Stoß ging ins Leere.

Wieder zog dicht vor ihm die gewaltige weißfleckige Unterseite des Riesenhais vorüber, wieder warf sich der Fisch zur Seite, schwamm einen Bogen, doch diesmal in der Gegenrichtung. Nun wurde er zu einem Schatten, der kleiner und kleiner wurde.

Dann war der Hai verschwunden ...

Das Warten wurde unerträglich. Zehn, nein, schon fünfzehn Minuten hing er hier. Der Hai tauchte nicht mehr auf.

Ron hatte denselben Weg vor sich, den der Hai genommen hatte: Hinüber zur Buchteinfahrt, wo die »Paradies« vor Anker lag.

Noch immer mit diesem eiskalten Gefühl im Nacken, die Lampe eingeschaltet, den Blick auf das helle Dreieck des Buchteingangs gerichtet, schwamm Ron los. Nichts. Nichts außer den üblichen Klippfischen. Seegurken, die friedlich in der Strömung schwangen. Schließlich der Schatten des Rumpfes, der Chromschimmer der Leiter. Er hatte es geschafft, zog sich hoch, war draußen.

Am liebsten hätte er sich die Flasche vom Rücken geschnitten. Seine Glieder waren schwer, die Muskeln schmerzten, und er hatte das Gefühl, jeden einzelnen Knochen zu spüren – seine Knochen, die Knochen, die heil geblieben waren, die er gerettet hatte ...

Er zog die Flossen aus. Die Luft war drückend. Im Schatten des Berges herrschte fast vollkommene Windstille. Ron warf einen kurzen Blick zum Hang auf der gegenüberliegenden Seite und hatte das Gefühl, daß die Steinköpfe dort oben ihn beobachteten.

Nomuka'la, schrie es in ihm, was immer du jetzt in deinem Götter-und Götzenhimmel treiben magst, warst du es, der mir dieses Vieh auf den Hals geschickt hat? Wir waren nie Freunde. Ein »Palangi«, ein Fremder bin ich dir geblieben, dazu noch ein »Sina«, ein Weißer, – aber nun, verflucht nochmal, pfeif deinen Geist zurück und laß mich in Frieden!

Er hatte das Gefühl, als müsse das elende Moltopren ihn ersticken.

Er riß die Haube vom Kopf, öffnete die Verschlüsse, ließ die Sauerstoffflasche einfach auf den Boden fallen, zog am Reißverschluß und nahm mit allen Poren die feuchte Luft wahr, die jetzt seinen Körper streichelte.

Draußen aber hatte der Wind zugenommen.

Im Osten war der Pazifik mit Schaumkronen gesprenkelt. Doch wie zuvor zeigten sich keine klaren Anzeichen der Wetterfront. Der Himmel blieb diesig und grau.

Na und, dachte Ron, soll doch ein Sturm kommen! Von mir aus ein Hurrikan. Was kann dich heute noch beeindrucken.

Nackt, wie er war, schob er die Salontür auf.

Das rötliche Schimmern der Mahagonitäfelung empfing ihn, die Messinglampen, die Seekarte des Königreiches Tonga an der Wand, auch sie in Messing gerahmt, dann die bequemen Sessel um den Tisch, die Bank, in der Vase auf dem Tisch noch die lachsroten Hibiskusblüten, Tama selbst hatte sie vor ihrer letzten Ausfahrt dort hineingesteckt – alles war wie eine Begrüßung, schien zu sagen: Hör mal, wo hast du die ganze Zeit hindurch gesteckt? Was für einen verdammten Blödsinn hast du dir da wieder einfallen lassen?

Er ging zum Barschrank, riß ihn auf und zog die letzte Flasche Cognac aus der Halterung.

Es war ein Courvoisier. Whisky wäre ihm lieber gewesen, selbst ein Gin, doch was sollte es? Er drehte den Schraubverschluß auf und setzte die Flasche an den Mund. Und dann, als auch das nichts half, ging er hinüber zum Tisch, warf sich in einen der Sessel und trank weiter. Er vernahm das vertraute Knarren der Ankerkette, lehnte den Kopf zurück, schloß die Augen – doch sofort schob sich das starre Mördergesicht des Hais vor die gesenkten Lider.

Er schüttelte den Kopf. Was ist mit dir? Warum läßt du dich so beeindrucken? Vielleicht hatte er genauso viel Angst vor dir wie du vor ihm? Aber wie er den Kopf geschüttelt hat ... Weil er den Sieg schon vorausnahm. Den Biß. Und dann die Tötungsbewegung, die dich zerreißen sollte.

Und du sitzt da, nackt und ohne einen Kratzer. Und was tust du? Säufst Courvoisier und zitterst ...

Er schob sich hoch und ging nach draußen ans Heck. Er legte beide Hände auf die Reling, und die wechselnden Stöße des Windes waren wie die Berührung einer zärtlichen Hand auf seiner Haut, als er hinüber zur Insel sah, die weichen Linien ihrer Berge verfolgte, die im Norden im Dunst verschwanden.

Das Zittern hörte auf, die Unruhe verschwand.

Tonu'Ata, dachte er, mein Tonu'Ata ...

2

Der Pazifik, der »Stille Ozean«, ist die größte Wasserfläche des Erdballs. Von so gewaltigen Ausmaßen ist dieser Ozean, daß in ihm die gesamte Landmasse des Globus Platz hätte. Über die grenzenlose Wasserwüste sind Zehntausende von Inseln verstreut: Vulkaninseln, Korallen-Atolle, Inseln, die nichts als die Spitzen unterseeischer Gebirgsläufe darstellen. Sie alle bilden Archipele, Inselbrücken, ja, ganze Inselketten und sind doch nichts als winzige, verlorene Steinkörner in der Endlosigkeit des Meeres.

Und nur die wenigsten sind bewohnt.

Ein solches Steinkorn war Tonu'Ata.

Beschreiben läßt es sich kaum, denn den Zauber einer Südsee-Insel einzufangen gelingt selbst Malern oder Fotografen nur unvollkommen.

Korallen-Kolonien umschlossen die Insel wie ein Ring. Auf drei Seiten wuchsen sie zu einer gewaltigen Riff-Barriere, in deren Innern sich türkishell eine Lagune zog, deren glasklares Wasser sich am schneeweißen, von Palmen umstandenen Sandstrand verlief. Darüber erhoben sich ein Bergrücken und drei einzelne, dicht mit Regenwäldern bewachsene Vulkankegel. Diese Berge stellten für die tiefhängenden, von den Passatwinden herangetriebenen Wolken zur Regenzeit ein Hindernis dar. Sie schlitzten ihre Bäuche auf, das Wasser brach herab, und so formten sich zwischen den wildbewachsenen Hängen Wasserfälle, ganze Kaskaden von Wasserfällen, die wiederum nicht nur ein unvergleichliches Schauspiel boten, sondern auch Leben und Vegetation auf Tonu'Ata ermöglichten.

Tonu'Ata war das Paradies!

Ron Edwards hatte es sich nicht ausgesucht. Er war auf der Insel gestrandet. Vor zwei Jahren und acht Monaten war er mit einem reichlich vergammelten Boot zwischen den Tonga-Inseln gekreuzt und in die Ausläufer eines Hurrikans geraten. Es half nur eines: Vor den Wellen herzulaufen und zu beten, daß das Museumsstück von Lenzpumpe durchhielt.

Das tat sie achtundvierzig Stunden lang. Dann zerschlugen Brecher die Kajüte, und er mußte umsteigen. Das verrückte war - kaum saß er im Schlauchboot, wurde die See ruhiger, und der Sturm schwächte so schnell ab, wie er gekommen war. In gnadenloser Unschuld brannte ihm die Sonne Löcher in die Haut. Betäubt vor Durst, mit Fieber, Brandblasen auf Schultern, Stirn, Armen und Händen, trieb Ron an ein Riff.

Am Strand der Insel wurde er bereits erwartet. Es waren drei athletisch gebaute Männer, die ihm aus dem Wasser halfen. Die drei trugen die wunderschönen, mit bunten Ornamenten versehenen Tapa-Bastmatten um die Hüften, die Ron bereits von Tongatapu her kannte. Während er noch vor ihren Füßen kauerte, naß, erschöpft, wie eine halbertrunkene Katze, nahmen sie bereits wieder ihre Speere in die Hand. Das war ihm eigentlich ziemlich gleichgültig. Daß er nun auch noch abgestochen werden würde, schien ihm irgendwie das konsequente Ende dieser Höllenfahrt.

Aber sie ließen die gezackten eisernen Spitzen im Sand stecken.

Der Größte von ihnen hatte eisengraue Haare. Auf den mächtigen Brustmuskeln lag eine prächtige Muschelkette, die in einem von Haifischzähnen umrahmten Medaillon endete. Sein Name war Tapana. Ron sollte es erst später erfahren, aber daß er der Häuptling der Insel war und damit über uneingeschränkte Machtbefugnis verfügte, ahnte er sofort.

Die Worte, die der Mann sagte, konnte Ron nicht verstehen, doch das Lächeln verstand er. Und als der Häuptling ihm nun auf die Beine half, ihn festhielt und über sein Haar strich, schien klar: Du hast es wieder einmal geschafft! Vielleicht gibt's doch sowas wie Wunder...

Sie führten ihn durch eine Art Palmen-Hain hindurch auf einen fast kreisrunden Platz. Ein paar Hütten standen im Schatten von großen Palmen. Bei Ankunft der Männer liefen mehrere Dorfbewohner zusammen. Für Ron, der sich vor Erschöpfung und Fieber nicht mehr bewegen konnte, brachten sie eine Trage, die aus Bambusstangen und geflochtenen Palmblättern bestand.

Kinder, Hunde und Schweine rannten umher, Feuer brannten, Hühner machten Lärm, und über die Trage neigten sich in endloser Prozession besorgte Frauengesichter.

Dies alles schien irgendwie vertraut – und doch sehr merkwürdig. Auf den Inseln hatte Ron viele Dörfer besucht, und das ganze Bild entsprach durchaus dieser Erfahrung, doch nirgends war eine Radioantenne oder

Fernsehschüssel zu entdecken. Wo standen die üblichen Yamaha-Scooters, die japanischen Vespas, die auf jeder Insel zu finden sind? Beile, Messer, auch Nylonnetze entdeckte er, das ja, doch nicht ein einziges modernes Gerät …

Wo blieb der Food-Store? Und die Cola-Reklamen? Vor allem: Wo blieb die Kapelle? Alle möglichen Kirchen und christlichen Sekten hatten in ihrem Missions-Drang ganz Tonga überzogen. Hier war nichts davon zu bemerken. Auch die Kleidung der Inselbewohner war anders als gewohnt. Kein T-Shirt. Keine Jeans. Nein, nichts als ihre traditionellen Bastwickelröcke und -kleider trugen sie hier.

Wo war er nur gelandet?

Was war mit dieser Insel?

Sie brachten ihn in eine kleine Hütte …

Ron fühlte sich hundeelend. Sonnenbrand und Erschöpfung hatten ein heftiges Fieber hervorgerufen. Sie gaben ihm zu essen, zu trinken. Er erbrach alles. Und dann erschien eine neue Gestalt an seinem Bett. Der Schädel wurde von einer breiten Stirn und glühenden Augen beherrscht. Das Gesicht darunter war wie mit einem Beil gehauen. Es war ein altes, von tiefen Falten durchzogenes Gesicht. Um das verfilzte Haar zog sich ein Kopfschmuck aus Federn, Muscheln und gefärbtem Bast. Der Medizinmann - was sonst! In einer Trinkschale brachte er bitteren Tee und flößte ihn Ron ein. Dann strich er ihm einen Blätterbrei auf die Brust, und beides half, so scheußlich der Tee auch schmeckte – das Fieber fiel.

Der Stammes-Priester, der aussah wie der Hexenmeister einer mittelalterlichen Schauergeschichte, hieß Nomuka'la.

Das Mädchen aber, das ihm das Essen hereintrug, ihn versorgte und ihm in seinen Fieberträumen nicht nur bildhübsch, sondern geradezu überirdisch schön erschien, war die Tochter Tapanas, des Häuptlings. Sie hieß Tama'Olu, wobei das Olu bedeutete, daß sie noch nicht verheiratet war.

Ihr Vater hatte bestimmt, daß sie ihn betreute. Ron war schließlich ein Palangi, ein weißer Ausländer. Palangis wiederum, auch wenn sie halbtot angeschwemmt werden, sind mächtige Menschen, ausgestattet mit dem Mana der großen Kraft. Und war Onana, die Göttin der Liebe, nicht auch die Göttin der Gastfreundschaft? Der Dienst an ihr aber wurde, wie alle anderen guten Sitten auf Tonu'Ata, sehr ernst genommen ...

Für Ron Edwards waren diese ersten Wochen und Monate auf der Insel die Zeit eines einzigen großen Staunens.

Mühsam gelang es ihm zu begreifen, daß er wie ein Raumfahrer aus einer dieser amerikanischen Weltraum-Serien in einer Welt gelandet war, die es eigentlich gar nicht geben durfte. Und von der er sich nicht mehr lösen konnte. Sein Schlauchboot hatte er gerettet, das schon, aber sollte er versuchen, mit diesem lächerlichen Gummiding loszupaddeln? Und in welcher Richtung?

Zweimal hatte er im Süden, weit draußen im Pazifik, die zarten weißen Kondensstreifen hochfliegender Flugzeuge beobachtet.

Was änderte das schon? Was brachte es, wenn er sich den Kopf zermarterte, wo er sich wohl befand?

Vermutlich hatte der Sturm ihn an der Ha'Apai-Gruppe vorbei weit in den Norden getrieben. Und wie hieß die Hauptinsel der Ha'Apai noch? Richtig. Lifuka. Und Pangai war die Hauptstadt und der Hafen. Seine zerknitterte, vom Seewasser angefressene Karte zeigte es ihm. Weiter im Norden aber durfte und konnte es nur Wasser geben.

Na und, dachte er, was kümmert es mich, ob die Seekarten stimmen!

Er hatte Wichtigeres zu tun. Außerdem: Die anderen ließen ihm keine Zeit, seinen Gedanken nachzuhängen.

Die anderen – die Dörfler, der Stamm, diese sonderbaren, braunen, stets gutgelaunten Menschen, die auf der Insel wohnten. – »Tonu'Ata« war eines der ersten Worte, die sie ihm beibrachten. Wunderschön war es, dieses Tonu'Ata. Wunderschön auch, geradezu unfaßlich, nach welchen einfachen Regeln sie ihr Leben auf Tonu'Ata führten.

Was Ron am meisten beeindruckte, war nicht nur die Selbstverständlichkeit, mit der sie ihn aufgenommen hatten, sondern auch die Hilfsbereitschaft, die sie auszeichnete. Alles schien allen zu gehören. Jeder Fischfang wurde geteilt. Wem Yam-Wurzeln, Bananen, Bambussprossen oder Gemüse fehlte, wandte sich an den Nachbarn.

Ron baute die Hütte aus, die sie ihm zugewiesen hatten. Sofort erschienen ein Dutzend Männer und Frauen, um zu helfen, die morschen Tragbalken auszuwechseln, das Dach aus plattgeschlagenen Palmwedeln wieder zu richten.

In der Hütte hatte er eine verblichene Priestersoutane gefunden, dazu eine stockfleckige Bibel und ein paar Seiten vergilbtes Papier. Darauf standen, in deutlichen, wie gestochen wirkenden Buchstaben, französische Sätze. *»Ich heiße Emanuel Richards«* lautete der erste Satz, den er nie vergessen würde. Und: *»Wer diese Blätter findet, sei gesegnet und hoffe auf den Herrn ...«*

Es war der Wunsch eines Mannes, der wußte, daß er sterben mußte. Pater Richards, Missionar des »Ordens vom Leiden Christi«, war eines Tages mit seinem tongalesischen Steuermann auf Tonu'Ata gestrandet. Der Steuermann fuhr ein paar Tage später auf seine Insel zurück. Als echter Missionar aber hatte Pater Richards beschlossen, bei den Heiden zu bleiben.

Ein Jahr später war er tot.

Das Datum seiner Landung hatte er genau aufgezeichnet: der einundzwanzigste März 1951.

Vor vierzig Jahren also ... Und die drei alten Männer, die sich Ron gleich nach seiner Ankunft mit fromm zusammengepreßten Händen genähert hatten, um kreuzschlagend dann ein kaum verständliches Kirchenlied anzustimmen, diese drei alten, zahnlosen Greise waren vermutlich der Beweis, daß Pater Richards doch Seelen auf Tonu'Ata gerettet hatte. - Drei.

Trotzdem: Die Insel mußte Kontakt zur Außenwelt haben.

Woher stammten die drei Plastik-Benzinkanister, in denen einer der Fischer sein Kokosöl aufbewahrte? Woher kamen die koreanischen Messer, die Nähnadeln, Beile und Scheren, die in jedem Haus zu finden waren? Wer hatte die Baumwollstoffe gebracht? Es waren hübsch bedruckte Stoffe, aber solche Muster gab es nur auf Tahiti. Und die Nylon-Schiffsleinen, die die Fischer wie ihren größten Schatz hüteten? Ja, und dann diese sonderbaren grauen Plastikperlen, die Frauen, Mädchen und Kinder um den Hals trugen. Bei den Männern hatte er die Perlen nur bei Tapana, dem Häuptling, gesehen. Vielleicht stand der über den Geschlechtern …

»Schibe Decats«, lächelte Tama, wenn er sie fragte. Und dazu sagte sie: »Palangi« was wohl auf »Ausländer wie du« herauslief.

Als er einmal ihrem Bruder Fai'Fa einen großen, stählernen amerikanischen Thunfisch-Haken unter die Nase hielt, sagte der: »Gilbert Descartes«. Und er sagte es in klarem, fast akzentfreiem Französisch.

Gilbert Descartes …

Die Werkzeuge, die Stoffe, auch die Tomaten, die Gurken, die in den Gärten wuchsen, selbst die Taro-Knollen, die Yam-Wurzeln, Süßkartoffeln, Bananen - sie stammten von den anderen Inseln und waren als Saatgut hergebracht worden.

Gilbert Descartes - ein Franzose? Und ein Inselhändler dazu? Ganz offensichtlich war es einer, der Tonu'Ata anlief, wunderschöne Holzschnitzereien aus Sandel- oder aus dem schweren Miloholz einsammelte, das hart und glatt war wie Mahagoni, und aus dem die Dorfbewohner auch die großen Puobua schnitzten, die Kriegskeulen, die sie über und über mit Zierfiguren schmückten.

Gilbert Descartes war es, der all diese unglaublichen Handarbeiten, dazu den kunstvoll geflochtenen Baststoff, mit dem sie die Böden und Wände der Häuser schmückten, einsammelte, zusammenraffte und an die Grossisten verscherbelte, die die Touristenmärkte und Naturkunde-Museen belieferten.

Und was bekamen die Leute von Tonu'Ata? Leere Benzinkanister, Beutelchen mit Pflanzensamen, Angelhaken, ein paar Werkzeuge. Dazu noch Nylonleinen, Faden und Nadeln.

Ron fragte Tapana, den Häuptling. Er streckte den Arm aus, zeigte aufs Meer: »Wo, wo ist Gilbert Descartes?«

»Gilbert?« Tapana lächelte mit braunen Zähnen. »Kaume'a«.

»Kaume'a – das bedeutete »Freund«.«

»Glaub ich dir, Tapana. Aber wo lebt er?«

»Toku«, sagte Tapana: »Neiafu«.

Na also ... Und was hieß das? Daß er, Ron, sich in einer ganz beschissenen Lage befand. Toku gehörte zwar zur Vava'u-Gruppe, lag aber abseits aller Fährrouten. Hierher verirrte sich kein Flugzeug. Noch nicht einmal die kleinen Twin-Otters der Lokal-Gesellschaften. Da gab's nur Typen wie diesen Descartes, der mit der Einsamkeit Geschäfte machte und aus ihr herausholte, was herauszuholen war.

»Gilbert Descartes, wie oft kommt er?«

Tapana hob den rechten Arm. Der Zeigefinger deutete nach oben. Einmal also. Einmal im Jahr wohl. Vielleicht in Wochen, vielleicht in Monaten?

Doch Descartes kam nicht.

Sooft Ron auch am Strand hockte und auf das Meer starrte – kein Segel, kein Mast, kein Schiff zeigte sich.

Aber dann vergaß er es, den Horizont abzusuchen. Er vergaß auch, was hinter ihm lag. Es gab soviel Wichtigeres!

Die unbefangene Freundlichkeit dieser Menschen ließ keine depressiven Anwandlungen mehr hochkommen. Und dann war da Tama. Seit Wochen teilte dieses samthäutige Zauberwesen mit einer Unbefangenheit, die ihm den Atem nahm, seine Hütte und seine Nächte. »Love is beautiful« hatte er ihr beigebracht. »Die Liebe ist schön«. Sie kicherte den albernen Vers vor sich hin, und er konnte sich nicht sattsehen an der Anmut ihrer Bewegungen, ihres Körpers, an diesem unglaublich langen, schwarzglänzenden Haar, das bei ihren Liebesspielen ihren Oberkörper einhüllte.

Viele Frauen hatte er gekannt. Ein solches Wunder an heißblütiger natürlicher Leidenschaft – wo gab es das noch? – Hier, bei ihm. Wahrscheinlich nur hier ...

Tama brachte ihm bei, wie man Yang-Wurzelbrei röstet und Cocoscreme bereitete. Sie schleppte ihn zu ihrer Schwester, wenn es darum ging, ein Hühnchen zu töten, denn das konnte Lanai'la viel besser als sie.

Tapana, ihr Häuptlings-Vater, hatte ihm den Namen »Owaku« gegeben. Ron Edwards hatte aufgehört, auf der Insel zu existieren, aber Owaku gab's, den Mann, der Tama bekam und den sie, nachdem die letzte Barriere von Abwarten und Mißtrauen abgebaut war, »Bruder« nannten.

Und das war er wohl auch.

Nomuka'la, der Medizinmann, drehte sich zwar noch immer ab, wenn Owaku auftauchte, oder er warf ihm unter seinem sonderbaren Kopfschmuck hervor lauernde Blicke zu. Was interessierte es ihn? Für die anderen war er Owaku, der Bruder.

Sie zeigten ihm, wie man die schweren Milo-Stämme fällt, sie zu Tal bringt, um aus den größten ein Kanu herauszuschlagen und es mit Hilfe des Feuers auszuhöhlen. Sie zeigten, wie man die Ausleger baut, die das Boot bei jedem Wellengang ruhig halten, wie man dann die Segel und die Plattformen darüber anbringt, so daß eine ganze Familiengruppe sorglos von einer Inselspitze zur anderen fahren kann. Sie zeigten, wie man

Netze legt, Fische harpuniert, Hummer fängt und Wände und Dächer mit Teer und Baumharz abdichtet.

Owaku hatte zu tun. Und vor allem zu lernen. So viel, daß er kaum hinsah, wenn sich im Süden, über dem Meer, wieder einmal der Kondensstreifen einer fortfliegenden Maschine zeigte.

Wenn er abends nach Hause kam, wo ihn Tama mit dem Essen erwartete, und wenn später auf dem Bett ihr Blick zärtlich wurde, und wenn ihre Lippen langsam über seinen Hals zu den Schultern wanderten, war er manchmal so müde, daß er einschlief. Oft weckte ihn ihr Lachen, und er fuhr schuldbewußt hoch.

»Komm, Owaku, ich massiere dich.«

»Das nützt auch nichts«, stöhnte er dann. »Ich bin tot.«

»Kofe Ha'n Palangi«, lachte Tama. »Woher kommst du bloß, du Ausländer?«

Ron grinste und schwieg. Sie schlug nach ihm, lachte und war schon wieder dabei: »Los schon. Ich will es wissen. Ganz genau will ich es wissen. Erzähl es mir: Wo kommst du her?«

Wo kommst du her?

Als ob es so einfach wäre, darauf Auskunft zu geben...

Manchmal erschien ihm alles, was hinter ihm lag, so undeutlich, daß er es selbst nicht mehr zu ordnen vermochte. Und manchmal hatte er sogar den Eindruck, nicht nur eines, sondern verschiedene Leben hinter sich zu haben, die wiederum nicht von einem einzigen, sondern von zwei Menschen erfahren wurden ...

Der Mann, der sich Ron Edwards nannte, hatte aus den Trümmern seines Boots einen grünen, starken, mit einem Klebeverschluß gesicherten Plastiksack gerettet.

Eine Seekarte befand sich darin, einige Kleider, eine Tasche mit US-Dollarnoten – rund neunhundert waren es noch – dazu eine Handvoll Francs und tongaische Dollars und zwei Pässe.

Der eine Paß war ein US-Paß. Ausgestellt in San Angelo, Texas. Der andere trug den Stempel des Paßamtes Köln, BRD. – Er lautete auf den Namen Rudolf Eduard Hamacher...

Manchmal dachte er: Vielleicht ist dieser »Ron Edwards« nichts anderes als die wilde Ausprägung, die Abenteurersteigerung des Eduard Hamacher, eines Kerls, der es immer »ein bißchen weiter« und »ein bißchen anders« wollte, der kein Risiko scheute, koste es ihn auch die Knochen, – wenn er damit nur das eine große Risiko vermeiden konnte: die Langeweile.

In solchen Situationen meldete sich dann Eduard Hamacher aus Deutschland, der Mann der Vernunft.

Und genau das war er nicht.

Gut – aber wer war er dann?

Am 14. Oktober des Jahres 1987 bekam Otto Steller, der Besitzer des Wald-Cafés in dem Eifel-Dorf Hinterweiler, einen Anruf. Am Apparat war eine freundliche, routinierte Sekretärinnen-Stimme.

Steller hörte sich an, was sie sagte und legte den Hörer auf.

»Ich werd' verrückt, Gerti. Unseren ganzen Schuppen will er für seinen Geburtstag mieten. Mensch, der Eddi!«

»Welcher Eddi?« fragte Stellers Frau.

»Der Eddi Hamacher. Na, du weißt doch ...«

Gerti Steller wußte. In Hinterweiler waren die Hamachers seit Generationen ansässig. Eigentlich waren sie Bauern, doch zwei Hamachers hatten es bis zum Lehrer, einer sogar bis zum Apotheker in Gerolstein gebracht. Von Eddi Hamacher wußte man lediglich, daß er gleichfalls in Gerolstein aufs Gymnasium gegangen war, dort das Abitur bestand, um dann in Köln eine Lehre als Bankkaufmann zu beginnen.

Für die Menschen in Hinterweiler aber war es weit, sehr weit nach Köln.

Und jetzt wollte Eddi also kommen? Es sei sein fünfunddreißigster Geburtstag, hatte die Dame gesagt.

Er kam im schwarzen Porsche und brachte einen VW-Bus voll Leute mit. Die meisten waren jung. Es befanden sich auffallend viele hübsche Mädchen dabei, und allen sah man die Stadt an.

»Kollegen aus der Bank«, stellte Eddi die Fremden vor. Er hatte sich ziemlich verändert, schlank, groß, blond war er noch immer, das schon, aber er wirkte so distanziert ... Und dann die Kleider: Er trug keinen Anzug, nur Hose, Hemd und Lederjacke, aber alles vom Feinsten.

Dieser neue, fremde Eddi Hamacher tat nun das, was man in Hinterweiler »ein Faß aufmachen« nennt. Die Kapelle legte los, es wurde getrunken, gelacht, getanzt – doch was war mit Eddi? Man konnte ihm auf die Schultern klopfen, man konnte ihn abküssen, er behielt immer dasselbe nachdenkliche Lächeln bei, den gleichen abwesenden Blick.

Eddi Hamacher überlegte. In etwa überlegte er folgendes: Dies also soll nun den Höhepunkt deines bisherigen Lebens darstellen? Die triumphale Heimkehr des Eddi Hamacher nach Hinterweiler. Und wenn's das ist, wie sieht dann, um Himmels willen, der Rest deines Lebens aus? Was wird folgen? Den großen

Überflieger hast du bereits hinter dir: Blitzkarriere. In zehn Jahren vom Lehrling zum selbständigen Leiter der Kreditabteilung. Und dazu im größten Bankhaus Kölns. – Nun die Fortsetzung – Filialchef. Prokura vielleicht. Und dann?

Ja, was dann?

Hamacher hob sein Glas. Diesmal trank er sich selber zu: Prost, du Idiot! Er trank dem neuen Eddi Hamacher in sich zu, den er zwar schon lange kannte, von dem er aber wußte, daß er von nun an nicht mehr aufzuhalten war.

Dieser neue Eduard Rudolf Hamacher hatte gerade beschlossen, den ganzen Krempel hinzuschmeißen. Mit allen Konsequenzen. Und ohne jede Rücksicht auf die Folgen.

Rudolf Eduard Hamacher hatte fünfunddreißig Jahre gebraucht, ehe er beschloß, einigen verrückten Träumen zu folgen, die ihn seit Jahren nicht in Ruhe ließen. Was sie ihm bringen konnten, darüber war er sich nicht so recht im klaren, haargenau aber wußte er, was er nicht mehr wollte: Börsenkurse und Computerdaten schon am frühen Morgen, Krawattenknoten, die ihm den Hals zuschnürten, Stau auf der Autobahn, Chemie, Smog und sauren Regen, einen Chef, der ihm quer über den Schreibtisch seinen stinkenden Zigarrenqualm ins Gesicht blies, den Anblick der Bank in der Hohe-Straße, und mochte sie auch hundertmal das älteste Bankhaus Kölns sein. Vor allem nicht das lockere Lächeln des Aufsteigers, der alles mit links schafft, der dynamische Überflieger, der noch jedes Kunden- und Kreditproblem gelöst hat.

Die Nummer war vorbei. Er hatte es satt, in irgendeinem dieser Schickeria-Lokale von der »unbarmherzigen Steigerung des Wettbewerbs beim Kampf um Marktanteile« zu faseln, während er den Hals einer Frau streichelte, die er kaum kannte.

Es war nicht nur ein Eklat, es war eine Bombe, die er platzen ließ. Sie hatten ihm gerade einen Direktor-Posten angeboten – und er kündigte!

»Eddi, hast du noch alle Tassen im Schrank?« erregten sich die Kollegen.

»Nicht eine«, erwiderte Hamacher und grinste.

Am nächsten Tag räumte er sein Konto ab, wechselte, was da zusammengekommen war, und das war ziemlich viel, kaufte sich ein Lufthansa-Ticket nach New York und flog ab. Von New York flog er weiter nach Dallas, Texas. Auf einer Cattle-Ranch, die den schönen Namen »Fairyland Inn« trug und auf deren Wiesen neuntausend Rindviecher weideten, heuerte er zunächst als Acountant, als Buchhalter, an, zog aber bald wieder um. Er zog in die Baracke der Cow-Hands.

Doch statt Pferde zuzureiten oder Jungtiere mit dem Lasso einzufangen, bekam er es mit Zäunen zu tun. Endlosen Kilometern von verdammten Drahtzäunen. Das brachte ihm Blasen an den Händen und jede Menge Stiche von Kuhfliegen ein. Aber zum ersten Mal überkam ihn mit Gewalt das Gefühl: Mensch, das ist zwar ein Scheiß-Job, und den wirst du auch bald hinter dir haben, aber du liegst richtig! Völlig richtig!

In der Nähe der Ranch gab es einen Ort namens Ebony. Der beliebteste Sport in Ebony bestand darin, irgendwelche umgebauten Dodges, Mercuries oder Fords auf der Hauptstraße zu Schrott zu fahren. Vorne hatten die Jungens meist gewaltige Stierhörner montiert, dann soffen sie sich einen an, setzten sich hinters Steuer, lieferten sich wilde Rennen und gaben erst auf, wenn die Karre irgendwo im Straßengraben oder auf dem Dach eines Konkurrenten gelandet war.

An der Theke einer der vielen Bars, von denen sich der röhrende, staubige Wahnsinn dort draußen beobachten ließ, hatte Eddi einen grünäugigen, schwarzmähnigen Mann getroffen, der von sich behauptete, Rechtsanwalt und der Sohn eines Iren und einer Indianerin zu sein. Das interessierte Eddi wenig. Aufmerksam wurde er erst, als der Typ ihn fragte, ob er nicht Interesse an einem guten US-Paß hätte. Er könne jeden besorgen.

Der Fremde hatte bereits eine halbe Flasche Whisky hinter sich. Was das Saufen anging, schien er tatsächlich beides zu sein: Ire und Indianer. Auch Hamacher war nicht mehr allzu nüchtern. Vielleicht, daß ihm deshalb die Idee so gut gefiel. Im Grunde aber war es wohl doch etwas anderes: Wenn er sich den Vorschlag genau überlegte, konnte er damit Rudolf Eduard Hamacher und alles, was mit ihm zusammenhing, begraben. Und das für alle Zeiten.

Bei der Arbeit an den Zäunen hatte er manchmal die abgestreiften Häute von Klapperschlangen gefunden. Ein neuer Name, ein neues Leben. Auch dies würde eine Art Häutung werden!

Aber wenn der Kerl ihn nun verarschte?

Trotzdem!

Eddi verabschiedete sich im Geiste von den fünfzig Dollar Anzahlung, fand trotzdem noch zwei Paßbilder in der Brieftasche und dachte sich auch bei ihnen: Die siehst du nicht wieder.

Aber das Wunder geschah: Eine Woche später fuhr ein rosarot lackierter Uralt-Cadillac auf Fairyland Inn vor, und Hamacher hielt nicht nur einen Paß in den

Händen, selbst Sozialversicherung und Militärpapiere lagen dabei.

Er schlug den Paß auf.

»Ron Edwards« stand da.

Ron...

Und das bißchen Karton und Papier in seinen Händen schien zu sagen: Was treibst du dich eigentlich noch in dieser Gegend rum? Hau endlich ab, Mensch! Bunt, weit und groß ist die Welt. Sie wartet auf Ron Edwards...

Das war also Texas.

Dann kam San Franzisco... Hinüber nach Hawaii... Weiter nach Samoa und Palau, Papeete. Wer läßt schon Tahiti aus? Und wo gibt es bezauberndere Frauen, Orchideen-Geschöpfe, die du mit zwei Händen umspannen kannst, eine Haut zum Abküssen...

Aber nicht nur bei den Mädchen, auch in den Hotels und Kneipen blieb es leider immer dasselbe: Sie schaufelten ihm das Geld bündelweise aus den Hosen!

Weiter, Ron. – Wohin?

Ja, nun, da war Australien, Papua, Neu Guinea... Ron stieg in eine Quantas-Boeing und flog nach Neu Guinea. Und von dort, drei Monate später, nach Australien, auf das er schon immer neugierig gewesen war. Er lernte es gründlich kennen in dem Jahr, in dem er dort blieb. Er verbrachte die Zeit im Out-Back, der roten Wüste mitten im Kontinent, jagte Känguruhs, schlief bei den Aborigines, den Ureinwohnern, auf der Erde, lernte von einem Medizinmann, wie man aus ausgekochten Schlangenköpfen Heilsalben herstellt.

Dann hatte er genug. Es wurde ihm zu heiß. Im Grunde war dies hier nichts als eine trockenere und schlimmere Ausgabe der »Fairyland Inn«-Ranch in Texas. Mit den Mädchen war auch nichts los. Er bekam Durst. Ja, in Ron war eine überwältigende Sehnsucht nach Wasser. Soviel Wasser, soviel Ozean, wie er sehen wollte, gab es gar nicht. Und wo hatte er den schönsten Ozean erlebt? In Polynesien.

Diesmal hieß sein Ziel Tonga, das letzte Südsee-Königreich mit seinen unzähligen Inseln.

Die Air Pacific brachte ihn nach Nuku'Alofa, der Hauptstadt Tongas. Und als Nuku'Alofa mit seinem Königspalast, der mit seinen kleinen spitzen Türmchen und dem rotleuchtenden Dach aussah, als habe ein Kind ihn gemalt, als diese ganze, niedliche blitzsaubere, aber leider ziemlich langweilige Südsee-Residenz ihm nichts mehr zu bieten hatte, kaufte er sich am Faua-Jetty-Pier diesen verfluchten Eimer, den ihm dann der Sturm unterm Hintern wegriß.

Seither war er nun auf Tonu'Ata. Das Erstaunlichste aber blieb: Der wilde Ron Edwards in ihm war völlig verstummt. Auch ihm schien die Insel zu gefallen. Jedenfalls meldete er sich nie mehr mit seinen verrückten Einfällen. –

Warum? Vielleicht, weil er zufrieden war …

Vielleicht hätte er nie gedacht, daß das Glück so aussehen würde wie Tonu'Ata, aber daß es aussehen mußte wie Tama, schien ihm ziemlich sicher …

»Owaku …«

Sie war an ihm, unter ihm, über ihm. Da waren ihr Gesicht, ihre Lippen, ihre Hände auf seiner Haut, ihr Feuer brannte, ihre Augen waren geschlossen, die Zähne schimmerten, und hoch über ihrem auffliegenden Haar, den tanzenden Brüsten sah er einen kleinen

Gecko auf einem der Dachbalken sitzen, der neugierig, mit schräggestelltem Kopf zu ihnen herunteräugte.

Es war eine dieser unbegreiflichen Zaubernächte mit Tama, damals, vor zwei Jahren ...

Und es war auch die Nacht, die Rons Leben auf der Insel so gründlich ändern würde, wie er es sich nie auszumalen gewagt hätte ...

»Tama, Liebling ...« Er griff nach ihrem Nacken, um sie zu sich herunterzuziehen. Und er fühlte wieder das harte Rund der kleinen Kugeln, die diesen Hals umschlossen: Plastikkugeln? Dieser Schund, den der Franzose, der nie auftauchen wollte, den Insel-Mädchen angedreht hatte.

Aber waren es wirklich Plastikperlen?

»Tama, bitte ... laß mal sehen.«

»Owaku ...«

Sie hatte ja recht! Er schloß die Augen, fühlte ihre Lippen, ihre Bisse und wartete, bis sich alles, was sich an Spannung angestaut und zusammengedrängt hatte, in einer leuchtenden, einzigartigen Explosion entladen hatte.

Friedlich lag sie neben ihm. Und er beugte sich über sie. Und fühlte wieder über ihren Hals. Dieses Schimmern, dieser merkwürdige Goldglanz unter dem Grau ...

»Was tust du da, Owaku? Wieso beißt du in meine Kette?«

Ja, wieso? Herrgott nochmal, sollte, konnte er sich so getäuscht haben? War er blind gewesen? Hatte er nicht genug Perlen in Tahiti, auch auf Samoa, selbst in Tongatapu in der Hand gehabt?

Es konnte keine Zweifel geben: Diese Perlen waren echt!

»Wo hast du sie her?«

»Was?«

»Die Perlen.«

»Die Perlen? Aus unserer Bucht. Meine Brüder haben nach ihnen getaucht. Und mein Vater schon. Und ich auch ...«

Getaucht? - Das Wort war wie ein elektrischer Funken: Perltauchen? Schon vor Jahrzehnten, Jahrhunderten, vielleicht schon vor tausend Jahren, immer hatte es Perltaucher auf den Inseln gegeben, an denen die schwarzlippigen Riesen-Austern wuchsen. Und oft hatten diese Menschen in zwanzig, dreißig Metern Tiefe gearbeitet. Das Tauchen mußte nichts als eine lebensgefährliche Schinderei voll Abenteuer und Gefahren gewesen sein. Nur wahre Könner, wahre Tauch-Akrobaten schafften es ohne die heutigen Hilfsmittel.

Doch das war vorbei. Was heute an Perlen aus der Südsee kam, das waren Zuchtperlen. Auch die wurden noch teuer genug verkauft, denn nur wenige Austern reagieren mit einer Perlmuttbildung auf das Sandkorn, dieses Kuckucksei, das man ihnen zwischen die Schalen schiebt.

Ron wußte es. Er hatte oft genug darüber gelesen. Er hatte sich auch mit den Händlern in Papeete unterhalten.

Und die hier sollten echt sein?

Sie waren es! - Und weil sie es waren, bedeutete schon die kleine Kette um Tamas Hals ein Vermögen.

»Wann zeigst du mir die Bucht der Perlen?«

»Oh.« Tama lächelte schläfrig. In diesen Tagen hatte er ihr bereits Englisch beigebracht. So antwortete sie auch brav: »Tomorrow, darling, tomorrow ...«

Morgen – tomorrow ...

Doch dieses »Morgen« schien nie zu kommen.

»Wann gehen wir zur Bucht?« drängte er. Und sie lächelte, sah ihn an, und ihre Augen wirkten amüsiert und unergründlich.

Eines Morgens aber warf sie ihn ganz früh aus dem Bett. Sie hatte Basttaschen gepackt. Darin befanden sich zu seinem Staunen zwei bleibeschwerte Tauchergürtel. Dazu hatte sie Brotfladen, Früchte und kaltes Huhn eingepackt.

»Komm, Owaku!«

Sie nahmen den Weg hinter der Hütte hoch zum Berg, den sie auf der Insel Ta'u nannten. Sie ging voraus, anmutig und schnell wie immer, so schnell, daß er bald sein Herz spürte. Er wußte, wohin sie ihn führte, aber wollte nicht fragen, aus Furcht, Tama könne es sich alles nochmals anders überlegen.

Sie kamen zu dem kleinen Paß, den er schon kannte. Hier standen die Götterbildnisse, roh behauene Steine, die ein Geschwisterpaar, die Götter des Meeres, darstellten. Nomuka'la, der Medizinmann, hielt an dieser Stelle manchmal eine Zeremonie ab, bei der viel getanzt und noch mehr Kawa getrunken wurde.

Nach zwanzig Minuten blieb Tama plötzlich stehen, schob mit beiden Armen die dichten, verfilzten Sträucher zur Seite, die auf dieser Seite wuchsen, und der Blick aufs Meer wurde frei. Sie schlüpfte hindurch, hielt ihm die Zweige offen.

»Look!«

Und er sah!

Steil stürzten die dunklen Felsen in die Tiefe. Ein Fregatt-Vogel, den sie aufschreckten, löste sich von einem Sims, breitete die mächtigen Flügel aus und schwebte in einer langen Kurve über die Bucht zu ihren Füßen. Hier gab es kein Korallenriff, das den Anprall der Wellen mindern konnte. Das Meer hatte sich den Zugriff erhalten, hatte wie mit dem Beil zerschlagen, was hochwachsen wollte. Nein, da waren nur die Felsen, die die Bucht schützten. Sie öffnete sich in der Form eines Halbmonds. Die Klippen an der östlichen Seite waren nicht allzu hoch, aber sie hatten bizarre, gezackte Formen. Manche wirkten wie Säulen, andere hatte das Wasser zu sonderbaren Pilzen ausgewaschen. Auf der gegenüberliegenden Seite der Buchtöffnung aber erhob sich eine schwarze Wand, um die Seevögel kreisten. Und dahinter erstreckte sich das Meer – endlos wie immer, blau und überall gegenwärtig.

Und dann sah er vor der hohen Felswand, die direkt ins Meer abfiel, eine Kette dunkler Punkte. Sie bildeten einen Halbkreis. Sie wirkten wie die Köpfe von Schwimmern. Es waren Kokosnüsse, die dort draußen tanzten, eine ganze Kette von Kokosnuß-Bojen.

Er nahm das alles in sich auf. Aber er dachte nur an eines: an die Perlen! Den steilen Hang hinab führte in wildem Zickzack ein Weg. Die letzten Meter rannte er.

Tama sah ihm nach und schüttelte den Kopf.

»Wo sind die Perlen, Tama? Wo ist die Austernbank?«

»Nichts Perlen, Owaku. Nichts Austern. Du jetzt lernen tauchen.«

Und er, Idiot, hatte begeistert genickt. Damals wollte er ja nichts als lernen! Aber bald begann er sie zu verfluchen.

Sie schwamm stets voraus, und er konnte nichts als Bewunderung empfinden, Bewunderung für die langgliedrige Geschmeidigkeit des nackten Frauenkörpers, der wie ein Fisch vor ihm herglitt, tiefer und tiefer, so tief bald, daß es in seinen Ohren zu stechen begann und er glaubte, der Lufthunger müsse seinen Brustkorb zersprengen.

Und dann tauchte ihr Kopf aus dem Wasser, und er hörte ihr Kichern und sah in ihre spöttischen Augen.

»Du, Owaku, komm! Du tauchen lernen ...«

»Wo sind die verdammten Austern, Tama, Himmelherrgott nochmal?«

»Nothing«, sagte sie. »You dive. Du tauchen!«

Und so ging es weiter. Nicht nur an diesem Tag, das war nur der Anfang – es verfloß eine Woche, dann die zweite, schließlich hatte er den ersten Monat hinter sich und schaffte es noch immer nicht, länger als eine Minute dort unten zu bleiben. Und als sich schließlich dann doch das Volumen seiner Lungen so geweitet hatte, daß er die Minutengrenze überspringen konnte, blieb ihm wieder nur Staunen: Tama tauchte ab, er sah auf die Uhr – hundertfünfzig, hundertfünfundfünfzig, hundertsechzig ... Angst kroch in ihm hoch. Das gab es doch nicht, oder vielleicht ...

Haie! Hatte sie nicht von Haien gesprochen?

»Tama!« brüllte er, rannte die Steine entlang, suchte verzweifelt nach dem scharfen Keil einer Haiflosse oder nach einem Schatten. – Nichts. Nur das Schreien der Vögel.

Dann ein Plätschern, und da war sie, legte sich auf den Rücken, holte tief Luft, warf sich herum und lachte.

Erbittert und erschöpft ging er in die Hocke. Mußte er sich gegenüber diesem Teufelsweib immer nur als Versager fühlen? Warum eigentlich?

Aber es waren ja nicht allein ihre unglaublichen Tauchleistungen, die ihn in diesen Wochen so sprachlos machten, immer und immer wieder war es die schwerelose Eleganz, mit der sie sich in der Tiefe bewegte: Schwebend, gelassen, mit einer gleichgültigen Sicherheit, ein Körper von atemberaubender Vollkommenheit und total harmonischen Bewegungen glitt vor ihm her, ein Fisch unter Fischen.

Und in welcher Welt sie sich befanden ... Bunte Lippfische schossen zwischen den Korallenbäumen hindurch, zupften an den Algen oder Schwämmen. Schmetterlingsfische tauchten aus der dunkelblauen Tiefe, ganze Schwärme orangeroter und brauner Riff-Fischchen trieben vor den Felswänden. Da waren die Papageien-Fische in der ganzen Pracht ihrer Farben, gemütlich nagten sie an den Kugeln der Hirnkorallen – und all dies, Formen, Farben, dieses Leben stets vor dem gleichen Hintergrund eines tiefen, kristallreinen Blaus.

»Wann gehen wir zur Austernbank, Tama?«

»Morgen«, lächelte sie. »Morgen, Owaku ...«

Die Perlen verfolgten Ron bis in seine Träume. Es gab keine Gelegenheit, die er ausließ, noch mehr über sie in Erfahrung zu bringen.

Wußten die Menschen im Dorf nichts über ihren wirklichen Wert? Und was war mit dem Händler, was war mit Descartes los? War der Franzose nur besoffen hier herumgestolpert? Descartes mußte doch Bescheid wissen! Hier lag sein Geschäft, ein unglaubliches Geschäft, hier, bei den Perlen!

Was heißt Geschäft – es war die einzigartige Chance, sich ein Riesenvermögen unter den Nagel zu reißen. Und das mit links, ohne jede Anstrengung. Außer der einen: die Leute davon zu überzeugen, ihre Perlen herauszurücken.

Gilbert Descartes Chance? Auch deine, hatte Ron gedacht. Nur: du arbeitest, riskierst etwas dafür, du tauchst! Ihre Perlen hatten die Inselbewohner Descartes wohl verweigert ... Wie sonst würde dies alles einen Sinn ergeben?

Er begann sich vorsichtig zu erkundigen. Tama hatte ihm gesagt, daß sie ihre Ketten von ihrer Mutter erhalten habe. Eine besonders schöne Perle bekam schon der Säugling um den Hals gehängt. War es ein männliches Kind, so sollte die kleine dunkle Kugel ihn ein Leben lang vor bösen Geistern und Feinden schützen, vor dem Fluch der Eifersucht wie vor dem Speer eines Gegners, dem Biß eines Haies oder einer Muräne, dem Stich eines Stachelrochens. Wuchs ein Mädchen heran, so bekam es zum Zeichen des Erwachsenwerdens seine erste Kette. War es dann zur Frau gereift, die zweite, und beim ersten Kind schmückte eine dritte Perlenreihe den Hals. So, nur so konnten die Götter sie schützen!

Ron wurde klar: In der Vorstellung der Menschen hier auf der Insel waren die verdammten Perlen mit einem Tabu belegt. Und wer das Tabu brach, holte sich Krankheit, Tod, Teufel oder noch was Furchtbareres ins Haus.

Er ging zu Mahi, einem der jungen Männer, der im »Nuku«, im Stamm von Tonu'Ata, als Bootsbauer besonderes Ansehen genoß. Mahi hatte ihm auch gezeigt, wie man Kanus aushöhlt.

Der kräftige junge Mann saß im Schatten des großen Brotfruchtbaums vor seinem Haus. Er hatte das Wickeltuch um die Hüften und schnitzte an einer Holzschale herum.

»Malo Elelei, Mahi.«

Mahi blickte hoch, lächelte und schnitzte weiter.

Ron deutete auf den Korb, der neben ihm stand. Darin lag Mahi's erstes Kind, ein Mädchen. Das Baby hatte die Augen geschlossen, strampelte mit den Beinchen. Eine Perle schimmerte auf der mattbraunen Haut.

»Sie ist schön, die Perle. Hast du nach ihr getaucht?«

Mahi nickte.

»Viele?«

»Nur ein Kind.« Jetzt legte Mahi doch das Schnitzmesser weg und hob den Zeigefinger: »Ein Kind.« Er kicherte. »Aber später, später viele.«

Später viele? Er würde so viele Perlen tauchen, wie er Kinder bekam. Waren es Mädchen und wuchsen sie heran, benötigte er Ketten. So viele Perlen würde er holen, wie er zu diesen Ketten brauchte. Nicht mehr. Einen anderen Sinn besaß das Perltauchen nicht für ihn.

Ron legte Mahi die Hand auf die Schulter und ging.

Es war ein sonderbar bitteres Gefühl, das ihn begleitete. Und dann war ihm, als würden plötzlich hinter dem Rascheln des Windes in den Palmen und dem Rauschen der Brandung am Riff die Geräusche der Welt wieder lebendig, die er verlassen hatte: Das unaufhörliche Summen der Büro-Telefone, das leise Klacken der Computer, das Geschrei der Makler, die sich die Börsenkurse zuriefen. »Ich will das ganze Depot, Hamacher!« drängte eine hysterische Stimme. »Hören Sie, Hamacher. Setzen Sie alle Hebel in Bewegung. Ich will ... ich will ...«

Und dann brach die Stimme ab, und eine ruhige, beherrschte Frauenstimme sagte: »Sind Sie noch dran?

Sie können ruhig auflegen. Hier spricht Schwester Anneliese. – Wissen Sie, es ist so, der Patient hat eine Kreislaufschwäche erlitten ...«

Der Patient? Die Order war aus dem Krankenhaus gekommen. Der Mann, der sie gab, war am Krepieren gewesen – und hatte doch nichts anderes im Kopf als das ewige Mehr, Mehr, Mehr ... Der Wahnsinn hatte die Order diktiert, nein, die pure selbstmörderische Habgier.

Und du, dachte Ron, bist du auch im Begriff, wieder Patient zu werden? Fängst du nicht schon damit an, mit Zahlen zu jonglieren, so wie in den guten alten Zeiten? Und nur wegen ein paar lausiger Perlen ... Was ist mit dir los? Hat dich jetzt auch der Irrsinn am Genick?

Aber das ist es ja nicht, versuchte er sich zu beruhigen, etwas ganz anderes ist es doch: Tonu'Ata mag das Paradies sein – oder zumindest das Paradies, so wie du's dir vorstellst, aber jedes Paradies hat seine Fehler. Und wieso, zum Teufel nochmal, sollten die nicht korrigiert werden? Modernes Werkzeug würde allen die schwere Arbeit erleichtern. Und was ist, wenn die Leute Hilfe brauchen? Es sterben viel zu viele Kinder. Medikamente also, eine Krankenstation. Dann ein Sender, damit du irgend so ein dämliches Satelliten-Funktelefon in die Hand nehmen kannst, bessere Netze, ein paar Außenbordmotoren – das alles kostet nicht die Welt, aber viel mehr, als du noch besitzt. Um all diese Pläne zu verwirklichen, sind, zum Beispiel, Perlen gut ... Einige Annehmlichkeiten noch dazu, die die Zivilisation nun mal zu bieten hat, wären auch nicht übel. Nur einige wenige. Nicht mehr.

Nicht mehr ...

Irgend etwas in Ron sagte, daß er im Begriff war, sich auf ziemlich kindische Weise, dafür aber um so gründlicher, selbst zu belügen ...

Wieder die Bucht ...

Sie tauchte bereits eine Stunde, und wieder schwang Tama sich herum. Ihr Arm deutete nach rechts. Er hatte die dunkle Erhebung für eine Kolonie von Hirnkorallen gehalten, nun sah er, daß sich die Erhöhung wie ein Wall bis zu dem lichtdurchwirkten Grau des Buchteingangs zog und dort verschwand.

Er schwamm näher: Mein Gott, Muscheln! Schwarzlippige Austern ... Eine an der anderen, eine über der anderen.

Die Austern hatten sich auf die Strukturen und Verästelungen der Korallenpolypen gedrückt, sie weggeschoben, zogen sich dunkel durch einen Wald von Seegras, an dem wie eine silbern tanzende Wolke ein Schwarm von jungen Sergeanten-Fischen zupfte.

Es war ein Wall, eine langgestreckte Mauer aus Austern, die sich in der Tiefe zu verlieren schien.

Er tauchte auf.

Vor ihm schob sich Tamas Gesicht aus dem Wasser. Das schwarze Haar tanzte auf den Wellen. Die weißen Zähne lachten.

Er blickte hinüber zu den Kokosnuß-Bojen vor der Bucht.

»Dort ist doch die Bank!«

»Hier auch. – Hier besser ...«

Sie tauchten weiter, brachen die Austern aus der Bank, steckten sie in die Flechtbeutel, die sie schräg über der Schulter trugen, schwammen zurück, schafften die Beute ins Boot, tauchten wieder. Es war eine höllische Arbeit. Seine Augen brannten. Die Sonne durchdrang das Wasser und holte jede Kontur, jede Farbe aus der Tiefe.

Der Eingang der Bucht war auch unter Wasser deutlich zu erkennen. Eine Helligkeit herrschte dort, die sich bis in die Tiefe des Meeres zog. Nach den ersten vierzig Minuten im Wasser glaubte er die spitze Lanzenform eines Raubfisches zu erkennen. Jetzt wieder. - Ja, es war ein Barrakuda. Nun folgte ein zweiter. Die beiden schlanken Schatten hielten sich dicht beieinander, und wo es Barrakudas gab, waren auch die Haie nicht weit.

Aber Tama schüttelte nur den Kopf. Keine Gefahr.

Na, hoffentlich! - Ihm war nicht wohl.

Ron machte weiter, griff nach der nächsten Auster, die Hände hatte er mit Lappen umwickelt, um sie einigermaßen vor Seeigeln, scharfkantigen Korallen und Muschelschalen zu schützen. Tama aber griff mit ihren schlankgliedrigen Fingern zu, als pflücke sie Blumen vom Feld.

Er hatte es kaum zu Ende gedacht, da passierte es: Ein scharfer Schmerz durchzuckte ihn. Er hatte sich die linke Handkante zerschnitten.

Auch das noch!

Und dann dachte er, was man in solchen Situationen jedesmal denkt: Haie! Blut wittern sie auf Hunderte von Metern. Sie brauchen nur ein einziges Blutmolekül zu schmecken, das die Dünung heranträgt, und schon sind sie da.

Hastig tauchte er auf. Tama folgte.

»Schau her. So eine Scheiße!« Er zeigte ihr die Wunde.

Sie war etwa vier Zentimeter lang, ziemlich tief und blutete schwach.

»Tu Wunderwasser darauf.«

Wunderwasser? – Sie meinte das kleine Fläschchen Merkurium, das Ron zusammen mit Pater Richards Tongeschirr und seinen von der Feuchtigkeit schon grünverfärbten Kleidern gefunden hatte und das sie seither immer mit dabei hatten, wenn sie die Bucht besuchten. Sie paddelte das Kanu ans Ufer. »Hurry up! Los schon.«

Ein dünnes, dunkelrotes Rinnsal rann aus dem Schnitt die erhobene Hand entlang bis zum Unterarm.

»Und du?«

»Ich tauchen.«

»Und falls hier Haie ...«

»Don't worry.« Es machte ihr sichtlich Spaß, all die neuen englischen Worte anzuwenden, die er ihr beigebracht hatte.

»Woher willst du das wissen?«

»Ich weiß! – Und Onaha weiß.«

Wieder mal Onaha also, die Schutzpatronin des Meeres und der Schildkröten. Die mußte es wohl wissen ...

Er brachte das Boot an Land, lud aus, versorgte die Wunde und blickte über den Wasserspiegel.

Dort, wo sich die Muschelbänke entlangzogen, hatte die Bucht mit dem Fortschreiten des Tages ein tiefes, dunkles Kobaltblau angenommen. Sein Blick suchte Tama. Er sah sie nicht. Sie war bereits wieder abgetaucht.

Diese Schildkröten-Patronin Onaha mochte ja zu vielem taugen, aber schließlich war sie für Schildkröten zuständig. Wenn trotzdem ein Hai ... Himmelarsch!

Von plötzlicher Panik gepackt, kletterte Ron über die Felsen, blieb immer wieder stehen, um dort, wo er die Austernbank vermutete, die trägen, flachen Wellen nach der Form abzusuchen, die er mehr als alles andere fürchtete: Das schwarze, schräge, Unheil verheißende Dreieck einer Haiflosse. Und dabei wurde ihm klar, an was ihn all die spitzen Felsen dort und die ganze zerklüftete Ostküste der Bucht erinnerte: An Zähne! An das brutale Bild eines zum Biß aufgerissenen Hai-Rachens.

»Tama!« Er flüsterte, dachte, brüllte es plötzlich.

Der Wind trug seine Stimme zur Wand und warf sie zurück.

Jetzt! Da drüben! Schon ziemlich nahe, an der rechten Seite der Bucht, war da nicht ein Schatten? Doch! Ja! Und er hielt direkt auf ihn zu.

Sein Herz setzte aus.

Da sprang Gischt hoch, und aus der Gischt zwei Hände, und nun tanzte noch keine vierzig Meter von ihm ihr lachendes Gesicht auf den Wellen. Tama!

Den rechten Arm hatte sie erhoben, die Hand war zur Faust geballt. Und so winkte sie ihm zu.

»Tama!«

Ron schrie es vor Erleichterung.

Am liebsten wäre er losgerannt, hätte sich ins Wasser geworfen, um ihr entgegenzuschwimmen, aber, verflucht nochmal, was brauchte er dieser arroganten Südsee-Göre zu zeigen, welche Sorgen er sich um sie gemacht hatte? Sie würde ja doch nur wieder den Finger an die Stirn legen und ihn für verrückt erklären.

So hockte er sich auf die Fersen und sah der weißen Kraulspur zu, die ihm entgegenkam.

Jetzt erhob sich Tama. Sie stand, eine braune, feuchtschimmernde Säule, vom Wasser überperlt, vor ihm. Wassertropfen in den dunklen Haaren, deren Flechten um ihre Schultern klebten, auf den beiden hoch aufgerichteten, festen Brüsten, glitzerndes Wasser, das ihr die Hüften entlang rann, blitzende Perlen auch in dem dunklen Dreieck zwischen den langen Schenkeln.

Schön wie eine Göttin! Ron wurde ganz andächtig. Aber wie anders läßt es sich denn ausdrücken? Und, verdammt, dachte er, das ist sie ja wohl auch: Eine Göttin – deine Göttin!

»Owaku!« rief sie und lachte mit weißen Zähnen.

Zwischen Daumen und Zeigefinger hielt sie irgend etwas. Es war zu klein, als daß er es hätte erkennen können.

Aber als er ihr nun durch das seichte Wasser entgegenwatete, erkannte er: Sie hielt eine winzige, schimmernd schwarze Kugel in Händen!

Sie stand so dicht vor ihm, daß er ihren Atem spürte und ihre aufgerichteten Brustwarzen ihn beinahe berührten. In den dunklen, mandelförmigen Augen spielten kleine Flämmchen.

»Look! Sieh doch ... Gut, was?«

Er begriff. Eine Perle.

Das ja, doch nicht irgendeine. Ein Perlwunder war es, das sie ihm unter die Augen hielt, ein vollkommenes Rund, von dem ein Stahlglanz ausging, ein grünschimmerndes Schwarz, und es war die größte Perle, die er je zu Gesicht bekommen hatte.

»Good, Owaku, Really good.«

Als ob ein »wirklich gut« etwas Derartiges beschreiben könnte!

»Nimm!«

Instinktiv hatte er die Hand hochgehoben und geöffnet. Sie ließ die Perle hineinfallen. Er spürte ihre kühle, harte Rundung, und da war irgend etwas, das von dieser Berührung ausging und in sein Blut einfloß und sein Herz heftig schlagen ließ.

»Das gibt's doch gar nicht.« Er flüsterte es auf deutsch.

»Was sagst du?«

»Wie kann eine Perle so groß werden?«

Alles, was er über Perlen wußte, fiel ihm ein. Dieses geheimnisvolle schwarzgrüne Schimmern – wie wird es noch genannt? Ja – »Fly-wing – Fliegenflügel«. Als Färbung stand es an erster Stelle der Rangfolge. Dazu die Größe! ...

Er hatte solche Fly-Wing-Perlen gesehen. Schon auf Samoa. Dann auf Tahiti. In den Luxus-Boutiquen der Hotels von Papeete, bei den Juwelieren der Rue General de Gaulle, auch in den Touristen-Shops von Bora-Bora, zuletzt noch im Dateline-Hotel von Tongatapu. Ihr Aussehen war so verschieden wie die Farbschattierungen: Perfekt rund konnten sie sein, aber auch halbkugelförmig, es gab birnen- oder tropfenförmige Perlen und solche mit kleinen Unebenheiten und Ringen. All diese Perlen hatten eines gemeinsam – es waren Zuchtperlen.

Diese jedoch ...

Ron war überwältigt von Bewunderung.

»Groß, nicht?« fragte Tama und wrang sich das Wasser aus den Haaren.

Groß? Überwältigend! Unglaublich! – Und dann überlegte er: Wurden nicht schon die Zuchtperlen der normalen Größe bereits mit Preisen zwischen tausend und fünfzehnhundert Dollar gehandelt? Ein derartiges Wunder aber – sechzehn, wenn nicht achtzehn Millimeter, schätzte Ron ... Unvorstellbar schon, wie es heranreifte, wie sich im Dunkel der Austernschale über Jahre, vielleicht Jahrzehnte eine Schicht über die andere legte.

»Hast du die Auster schon unten an der Bank aufgemacht?«

»Ja. Weiß nicht, warum. Manche Muscheln haben Zauber. Da habe ich einfach Messer genommen. Und da war sie.«

Manche Muscheln haben Zauber?

Du hast ihn, Mädchen!

Zwanzigtausend Dollar – dachte er. Vielleicht dreißigtausend. Wer, zum Teufel, kann das schon sagen.

Gefangen in dem absurden Spiel mit imaginären Dollarzahlen stolperte Ron über einen Stein und schlug der Länge nach hin, und nun tat nicht allein die Hand weh, nun schmerzten auch noch Knie und Ellenbogen.

Aber die Faust hielt er fest um die Perle geschlossen.

Und Tama hatte wieder was zu lachen ...

Sie schüttete den Inhalt ihres Beutels zu den anderen Muscheln und machte sich an die Zubereitung des Essens: Kaltes Huhn. Kokos-Creme, Manioka, Papaya, Ananasscheiben ... Sie kauten stumm und mit Appetit.

Auch Ron war hungrig, aber er wußte nicht, was er aß. Immer wieder blickte er zu der Perle hinüber. Tama hatte sie auf ein Papaya-Blatt gelegt. Er sah ihre Schultern, den langen Hals, ihr zartes Profil mit den üppigen Lippen, die Brüste mit ihren dunkel aufgerichteten Spitzen – und wieder die Perle und wußte nicht, was er schöner finden sollte.

An diesem Tag hatten sie mehr als siebenhundert Austern aus der Bank geholt. Und es war ein elend mühsames und langwieriges Geschäft, sie zu öffnen. Manche waren unbrauchbar gewesen, zu klein, andere hatten Mißbildungen.

Vielleicht war es die achtzigste, vielleicht die neunzigste Schale, die seine Messerspitze aufbrach – dann aber, hier, tatsächlich: Eine Perle lag auf ihrem silbernen Bett von Austernfleisch und leuchtete ihm entgegen.

Seine erste, eigene, urpersönliche Perle!

Sie war nicht groß, sie wies auch nicht das grüne, tiefe Schimmern der »Fly-Wings« auf, aber es war, als wäre ihr Grau von einem Goldhauch unterlegt.

Er löste sie heraus, warf die Austernschale in die Luft und tanzte wie ein Verrückter über die Steine.

»Tama! Tama! Ich hab' eine!«

»Owaku?« Sie hielt den Kopf schief. »Was ist nur mit dir los?«

Ja, was war nur mit ihm los?

Drei Stunden hatten sie dort auf der großen Steinplatte am Strand verbracht. Sie hatten einen Berg von Austern aufgebrochen, und was sie fanden, paßte in einen winzigen Plastikbeutel.

Sieben Perlen! Nicht mehr.

Aber dazu hatten sie das Naturwunder, die Königsperle.

Nüchtern betrachtet bedeutete es trotzdem, daß aus rund hundert Austern lediglich eine einzige Perle zu holen war.

Nüchtern betrachtet?

Hatten sie nicht in wenigen Stunden, ohne den Wert von Tamas Juwel mit einzubeziehen, ein kleines Vermögen an Land geholt?

Sie hatten eine Goldmine gefunden: Eine Bucht, in der irgendwelche natürlichen Umstände so ideal zusammenwirkten, daß sie für Tama und ihn ein Vermögen bereithielt.

Phantastisch! – Ron Edwards dachte es. Ron Edwards, der alte Spieler, der sich so lange nicht mehr gemeldet hatte. Nun war er wieder da. Und mit ihm die alte Unruhe, der vertraute Kitzel ...

Sie tauchten Tag um Tag. Und die Tage reihten sich zu Wochen, ohne daß sie es merkten.

Abends fiel Ron wie ein Toter ins Bett und träumte Träume, in denen es um Dollars und Perlen ging, morgens kam er kaum hoch, aber die Kraft, Tama anzutreiben, blieb ihm noch immer.

Nach drei Wochen hatten sie sechsundneunzig Perlen gesammelt. Der grüne Plastikbeutel, in den er sie tat, bekam bereits Gewicht.

Tama ertrug seine Tauchbesessenheit mit gottergebenem Gleichmut. Die Haie hatte er auch vergessen. Während ihrer ganzen Zeit in der Bucht hatten sie nicht einen einzigen gesehen, nicht einmal mehr einen Barrakuda. Tama hatte recht behalten: Die Schildkröten-Dame schien sie zu lieben.

Wenn er abends mit Tama ins Dorf zurückkehrte, beschlich ihn ein unangenehmes Gefühl. Die Menschen begrüßten ihn wie zuvor, freundlich, mit erhobenen Händen. Aber die Besuche in der Hütte waren seltener geworden. Und manchmal, vielleicht bildete er sich das auch nur ein, begegnete er sonderbar abschätzenden Blicken. Niemand aber fragte, warum es ihn und Tama jeden Morgen hinaus in die Bucht trieb. Es verstieß gegen die Höflichkeit.

Er hatte überlegt, ob es besser sei, mit Tapana zu sprechen. Aber Tapana war der Häuptling, und das bedeutete, daß man nicht mit irgendwelchen unklaren Projekten zu ihm kommen konnte, sondern nur wesentliche, wohldurchdachte Probleme zur endgültigen Entscheidung vorlegen durfte. – Und soweit war Ron noch lange nicht.

An einem Nachmittag war Nomuka'la am Berg erschienen. Ron hatte ihn nur an dem kleinen farbigen Fleck seines Kopfputzes erkannt. Der Medizinmann kam nicht herab zur Bucht, nein, unbeweglich, auf seinen Stock gestützt, stand er dort oben bei seinen Götterhäuptern, eine kleine, verlorene Gestalt. Manchmal, wenn dem alten Mann das Stehen zuviel wurde, kauerte er sich nieder. Aber er rührte sich nicht von der Stelle. Er blieb für Stunden.

»Komm, laß uns gehen, Owaku.«

»Und wieso?«

»Er will, daß wir gehen.«

»Was er will, ist seine Sache, Tama. Und daß wir bleiben, meine. – Laß ihn doch!«

Und sie waren weiter getaucht.

Nomuka'la erschien noch zweimal oben am Berg. Es war jedes Mal das gleiche: Er starrte zu ihnen hin, selbst wie zu Stein geworden – und dann war er plötzlich verschwunden.

Eines Morgens, sie hatten gerade die ersten Austern hochgeholt und noch nicht einmal geöffnet, tauchte ein Kanu am Buchteingang auf. Darin, hoch aufgerichtet, stand Fai'Fa, Tamas ältester Bruder. Mit einem Wirbel rasender, exakter Paddelschläge trieb er das Boot zur Steinplatte.

Ron war aufgestanden. Fai'Fas Gesicht war nicht zu

erkennen, es lag im Schatten, doch seine Haltung sagte alles. Nun warf er das Paddel in das Kanu.

Tama watete ihm entgegen. Ihre Schultern waren zurückgenommen, der Kopf hoch erhoben, und im Gesicht stand der Ausdruck, den Mädchen nun einmal aufsetzen, wenn sie die Standpauke eines älteren Familienmitgliedes erwarten. Und eine Standpauke war es wohl auch, was da an Wort-Katarakten auf sie niederprasselte.

Die ganze Zeit über hatte Fai'Fa kein einziges Mal zu Ron herübergesehen. Nun, als er das Boot herumschwang, hob er nur einmal kurz die Hand. Dann trieb er sein Kanu wieder hinaus.

»Was wollte er?«

»Daß wir ihm helfen. Er baut ein neues Haus. Und einen Stall für die Ziegen.«

»Das war es nicht.«

Sie schüttelte den Kopf. »Nein. Das war es nicht, Owaku. Trotzdem, wenn er uns um Hilfe bittet, müssen wir helfen. Aber in Wirklichkeit ging es um die Perlen.«

»Und was sagte er da?«

»Was wir mit den Perlen wollen, will er wissen. – Und das ist wahr, Owaku: Was willst du mit all diesen Perlen?«

Ron schwieg.

»Und er sagte noch etwas. Er sagte, daß die Perlen nicht uns allein gehören. Die Perlen gehören allen.«

Das also war es!

»Dein Vater hat ihn geschickt«, sagte er schließlich.

»Das glaube ich auch, Owaku. Alles andere hat er nur so gesagt. Aber die Wahrheit ist: Mein Vater hat ihn geschickt.«

»Oder Nomuka'la?«

»Mein Vater und Nomuka'la, Owaku, es ist dasselbe.«

Er verstand. Und vor allem begriff er eines: Die Sache wurde kompliziert. Es war wohl besser, die Tauchgänge abzubrechen. Und wieso auch nicht – hundertzweiundsiebzig schwarze Perlen lagen im Beutel. Und das hieß: Perlen für eine Viertelmillion Dollar! Er hielt die Wahnsinns-Summe für eine ziemlich realistische Schätzung.

Blieb nur die eine Frage: Wie kam man an das Geld?

Einen klaren Plan hatte Ron nicht. Es war eher eine Handvoll von vagen Vorstellungen. Gedanken- und Ideen-Splittern, die er mit sich herumtrug und bei jeder Gelegenheit, die sich ihm bot, zu analysieren versuchte.

Natürlich, wenn Descartes endlich aufgetaucht wäre, hätte alles viel einfacher ausgesehen – vorausgesetzt natürlich, dieser verfluchte französische Insel-Händler war ein vernünftiger Mann und ließ mit sich reden.

So aber ...

Bald jedoch spielte für ihn der Name Gilbert Descartes nicht länger eine Rolle. Er war durch einen anderen ersetzt worden: William Bligh. Bligh war schließlich auch kein Übermensch gewesen und kein Gott oder sonst etwas, aber er hatte es geschafft.

Und wie er es geschafft hatte! Mit einem lächerlich kleinen Ruderboot, das er bei Bedarf mit einem Segel versehen konnte, hatte er von hier aus den ganzen Pazific überquert, um schließlich in Timor zu landen.

Nun, sagte sich Ron, du hast zwar kein Ruderboot, und mit einem Ausleger-Kanu, das du dir hier ohne weiteres beschaffen könntest, kämst du allein auch nicht so richtig zurecht, das muß man schon im Blut haben, aber dein altes Schlauchboot existiert ja noch.

Du hast es in Schuß gebracht, so gut das ging, es ist groß, ein gutes, starkes amerikanisches Zephyr, du könntest einen neuen Holzboden einziehen und darauf sogar einen kleinen Mast verkeilen ...

Er suchte sich Material, machte Zeichnungen, nahm kaum wahr, was er aß, vermied Tamas Blicke, lebte wie in einer anderen, nein, lebte bereits in einer anderen Welt.

Wenn er später auf diese Zeit zurückblickte, war es ihm jedesmal, als habe er im Traum oder in Trance gehandelt. Eines reihte sich ans andere, alles geschah wie von selbst, aus sich selbst heraus.

Wann dieser sonderbare Zustand begonnen hatte, und woher er vielleicht rühren mochte, konnte er genau bestimmen: Es war der Augenblick, als Tama vor ihm aus dem Wasser auftauchte, die Perle zwischen Daumen und Zeigefinger hielt und sie ihm in die Handfläche tropfen ließ ...

Aber manchmal dachte er allen Ernstes, der alte Nomuka'la habe schon damals seine Hand im Spiel gehabt. Vielleicht, daß sich Nomuka'la auch in diesem Moment oben hinter den Steinen versteckte, vielleicht, daß er tatsächlich über irgendwelche übernatürlichen Kräfte verfügte, so, wie es die Menschen auf der Insel glaubten. Vielleicht, daß er wie ein unsichtbarer Regisseur alles bestimmte, was dann geschah ...

Damals aber behielt nur das Wort »Bligh« für Ron seinen magischen Klang.

»An was denkst du, Owaku?«

»Ich? An einen Mann. Nein, an zwei Männer, genau gesagt.«

»Du hast Sehnsucht nach ihnen? Du willst sie sehen?«

»Das geht nicht, Tama. Sie sind tot. Sie sind schon vor über zweihundert Jahren gestorben.«

»Dann hast du sie also nie gekannt. Sind es Verwandte gewesen?«

»Nein.«

»Wieso denkst du dann an sie?«

»Vielleicht sind ihre Geister hier, Tama.«

»Und wie heißen diese Männer?«

»Bligh, so hieß der eine. Und der, der vor ihm lebte, Crusoe. Robinson Crusoe … Aber mich interessiert am meisten William Bligh.«

»Und was war mit diesem …« Sie versuchte den Namen nachzusprechen, es mißlang ihr gründlich.

»Bligh war ein ›Palangi‹, ein Kapitän … Er kam von einer Insel, die ganz in der Nähe der Gegend liegt, von wo auch ich herkomme. Er kommandierte ein gewaltiges Kriegs-Kanu mit vielen, vielen Männern. So hoch war das Kanu, daß du fünf Kokospalmen übereinanderstellen könntest, und du hättest noch immer nicht die Spitze der Masten erreicht,«

»Das glaub' ich. Mein Vater hat es mir erzählt. In seiner Jugend hat er solche Palangi-Schiffe gesehen. Hoch wie Berge. Und Segel wie Wolken.«

»Na ja …«

»Und weiter, Owaku …?«

Sie hockten auf einer Bastmatte vor der Hütte. Er griff aus der Hühner-Schale ein paar Maiskörner und streute sie vor ihre Knie: »Hier, das sind wir.« Dann ging er zum Ende der Matte und legte einen Stein darauf. »Und das ist die Palangi-Insel. Und dazwischen liegt das Meer.«

Er überlegte: Was war noch der Name für Kapitän? Richtig – »Pai«. »Der Pai Bligh und seine Männer fuhren also los und kamen nach einem ganzen Jahr – sie mußten viele Umwege machen – auf den Inseln an. Die »Bounty«, so hieß ihr Kriegs-Kanu, ankerte vor Tofoa. Und das ist gar nicht weit von hier.«

»Und dann?«

Wieder einmal war er der große Märchenerzähler und sie das dankbare Publikum. Manche seiner Märchen fand sie idiotisch, unbegreiflich oder einfach nur langweilig, dieses hier schien sie zu interessieren.

»Und dann, Tama, passierte, was in solchen Situationen passieren kann: Die Leute von Tofoa wollten ihre Geister nicht verärgern und hielten sich an die Gesetze der Gastfreundschaft. Sie gaben den Palangis zu essen, machten große Kawa-Zeremonien und schickten ihnen die schönsten Fafine, die hübschesten Mädchen.«

»Natürlich!«

»Natürlich.« Er grinste sie an. »Aber da begannen die Schwierigkeiten.«

»Welche, Owaku?«

»Nun ja, die Männer des Pai dachten, sie wären im Paradies gelandet.«

»Paradies?«

Danach hatte sie ihn schon ein paarmal gefragt. Es war ein Begriff, der nicht in ihren Kopf gehen wollte. Sie konnte einfach nichts damit anfangen.

»Hier ... das!« Seine Hand deutete auf die Palmen. »Tonu'Ata. Du ... Und alles, was schön ist. Und gut.«

Sie nickte.

»Gut«, sagte er. »Der Pai Bligh aber wollte mit seinem Kriegs-Kanu wieder zurück auf seine Insel. Es gab unter seinen Männern einige, die ihm gehorchten, aber die anderen, die Überzahl, sagten: Nein, wir bleiben.«

»Das wäre bei uns nicht möglich. Bei uns widerspricht kein Mann einem Pai. Sonst ...«

»Weiß schon, du Kannibalen-Tochter. Sonst bekommt er mit der Kriegskeule den Schädel eingedonnert, wird in einen Erdofen gesteckt, gargebraten und gefressen.«

»Du bist ein Idiot, Owaku! So etwas passiert nur mit Feinden, nie mit eigenen Leuten. – Und dann?«

Es kam der wichtigste Teil der Geschichte. Und er wollte, daß sie ihn verstand. »Sie nahmen dem Pai die Waffen weg und gaben ihm und den Männern, die bei ihm bleiben wollten, Wasser und Essen und ein kleines Boot. Ein sehr kleines Boot. Der Pai und seine Leute fuhren los. Nicht dorthin, wo sie hergekommen waren, das war nun doch zu weit, aber hierhin ...«

Er legte einen neuen Stein an die rechte Kante der Matte. »Das hier ist Timor. Timor liegt in Indonesien. Einundvierzig Tage waren sie unterwegs, denn es waren sechstausend Seemeilen, beinahe neuntausend Kilometer. Eine weite, weite Strecke ist das. Und vielleicht die bedeutendste Leistung in der Geschichte der Navigation. So wenigstens behaupten es die Engländer, die Leute aus Blighs Heimat.«

Tama sah ihn lange an. »Und was war mit dem anderen? Diesem Crusoe?«

»Ach der... Der ist nicht so wichtig... Er landete auch auf einer Insel, wurde aber wieder abgeholt.«

Wieder derselbe Blick aus unergründlich dunklen Augen. »Und warum erzählst du mir das?«

Sie waren am Punkt!

Er legte seinen Zeigefinger auf das Maiskorn, das Tonu'Ata darstellte: »Hier sind wir« Er schob weitere Körner nach vorne und plazierte sie in einem Abstand von vier Zentimetern vor das erste. »Das hier, Tama, das sind die anderen Inseln von Tonga. Die Inseln, von denen auch Gilbert Descartes immer gekommen ist.«

»Ja.«

»Und? Siehst du es nicht? Sie sind ganz nah. Die Strecke ist winzig.«

Sie schwieg. Dann sah sie ihn an: »Du willst Pai Bligh sein? Ist es das, Owaku?«

»Das könnte ich nie. Und wollte es auch nicht. – Hör doch zu, Tama: Ist es denn wirklich so schwierig, mich zu verstehen?«

»Nein«, sagte sie. »Du willst weg. Und das ist nicht schwierig, das ist gar nicht zu verstehen.«

»Ich will nicht weg, Tama. Das ist nicht wahr. Und schon gar nicht von dir.«

Sie schüttelte den Kopf. Und dann blickte sie an ihm vorbei, über seine Schulter hinweg, hinüber zu Lanai'tas Garten. Ein Huhn war auf den Bambuszaun geflogen und flatterte verzweifelt mit den Flügeln, um das Gleichgewicht zu halten. Und genauso kam er sich selbst vor: Wie dieses Huhn.

»Es sind die Perlen, Owaku ... Das ist es, nicht?«

Er griff nach ihrer Hand. Sie entzog sie ihm nicht, aber die Hand blieb schlaff, ohne jedes Leben. »Es sind die Perlen«, wiederholte sie mit einer ganz leisen, fremden Stimme.

»Wieso denn? – Schön, ich könnte sie tauschen. Und ich würde dafür viele Dinge bekommen, die wir hier brauchen. Ein Kanu, ein ganz großes Kanu, ein Kanu mit ...« Doch wie sollte er ihr das Boot beschreiben, das er vor sich sah? »Und Werkzeuge. Nicht nur Beile, sondern Dinge, die ihre Arbeit selbst verrichten. Und Bücher, Musik, von der ich dir immer erzähle. Du wirst viel glücklicher mit diesen Dingen sein. Wir werden glücklicher sein.«

»Glücklich? Ich bin glücklich. - Du nicht?«

»Natürlich, Tama. Natürlich bin ich das ... Aber es gibt nun einmal so vieles, das du nicht kennst. Und ich kann stundenlang davon sprechen, und du wirst es doch nicht verstehen. Es sind zu viele Dinge ... Auf den Inseln gibt es viel Medizin, die retten und heilen kann.«

»Nomuka'la kann das auch. Auch er hat Medizin.«

»Aber nicht diese Medizin. Lutus Schwester hätte nicht sterben müssen, als sie ihr Kind geboren hat. Und überhaupt, nun hör doch zu ...«

Aber sie hatte nicht zugehört. Sie war aufgestanden, hatte sich umgedreht und war ins Haus gegangen.

Er schuftete zehn Tage wie ein Besessener, um sein altes Schlauchboot klarzumachen. Daß es see- oder gar hochseetüchtig war, konnte er wahrlich nicht behaupten, doch die Wetterbedingungen wenigstens schienen ideal: Ein leichter Südwest-Passat herrschte, der Pazifik lag so ruhig wie ein einziger gewaltiger blauer Teller. Tamas Brüder halfen ihm, ohne Fragen zu stellen. Wenn ein Mann eine Entscheidung fällt, ist es allein seine Entscheidung. Nur er hat die Konsequenzen zu tragen, nur so kann er sein »Mana« gewinnen.

Zum Schluß versuchten sie die ganze Außenhaut des Bootes mit einer Baumharz-Mischung zu verstärken. Ob das gut war - wie konnte er es wissen? Es gab nur eines, an das er sich halten konnte: an sein Glück. Und an das, was er von Seegang und Navigation verstand. Er hatte die Sonne, er hatte die Sterne, seine Uhr, einen Taschen-Kompaß und den Kurs: Süden! Traf er auf keine der Tonga-Inseln, so durchkreuzte er zumindest ein Seegebiet, das ständig durchfahren oder überflogen wurde ...

Tama war nicht am Strand, als sie das Boot zu Wasser ließen und Ron begann, aus der Lagune hinauszupaddeln. Der Wind füllte sein kleines Segel, das Riff, die Insel und die Berge wirkten kleiner, wann immer er zurückblickte ...

Er segelte und paddelte viereinhalb Tage und vier Nächte – hundertsechzehn Stunden. Manchmal hing das Segel schlaff wie ein Sack herunter, das Boot und er, sie fuhren nicht, sie trieben.

Die Zeit blieb merkwürdig unscharf in seinem Bewußtsein, nur, daß er zwei Dinge getan hatte, das blieb ihm haften: Einmal hatte er gesungen, um die Langeweile zu vertreiben, und zwar alle gottverfluchten Lieder, die er jemals aufgeschnappt hatte, und dann hatte er sich mit Tama beschäftigt. Er hatte nicht nur an sie gedacht, er hatte endlose Dialoge mit ihr geführt. Es waren Dialoge von einer Zärtlichkeit, die ihn selbst überraschte ...

Am fünften Morgen, er hatte gefrühstückt – Fladenbrot und Bananen – seine linke Hand hing über den Gummiwulst ins Wasser, die erste Sonne streichelte ihn sanft an diesem fünften Morgen, als er gerade wieder mit seinem Taschenkompaß den Kurs kontrollieren wollte, da glaubte er einen dünnen Streifen am Horizont zu sehen.

Nach weiteren vier Stunden war aus dem blassen Streifen eine zerklüftete Küste geworden. Davor zog sich das Riff. Rons Augen schmerzten. Er suchte den Durchgang zur Lagune.

Doch dann machte er etwas anderes aus: Ein Motorboot! Mit Vollgas hielt es auf ihn zu. Ron konnte die schäumende Bugwelle erkennen, und kurze Zeit später sah er genau über sich, über der strahlend weißen Bootswand, das verwitterte Gesicht eines Mannes. Es war ein Weißer. Und über das angegraute, struppige Haar zog sich ein breites, besticktes Stirnband.

»Was ist denn mit Ihnen los? Wo wollen Sie denn hin mit dem Ding?«

»Zum nächsten Flughafen«, grinste Ron. »Ob Sie's mir nun glauben oder nicht.«

Der Mann, der aussah wie ein Pirat, war katholischer Priester, Neuseeländer und der Leiter der Styler-Mission der Insel Telekitonga. Er hieß Patrick Lanson. Die Styler-Mission wiederum war Ron – nein, war Rudolf Eduard Hamacher, Rons anderem Ich, dem Herrn mit der Krawatte – gut vertraut. Dem Mutterhaus hatte R.E. Hamacher in Kredit- und Anlagefragen oft genug hilfreich beigestanden, denn dieses Mutterhaus befand sich ausgerechnet in Sankt Augustin bei Bonn.

Es mochte Zufälle geben, die nur mit der Fügung Gottes erklärt werden können, wie Vater Lanson sagte, aber es gab auch solche, die eher wie ein Zusammentreffen absurder Umstände wirkten.

So jedenfalls schien es Ron. In den fünf Tagen jedenfalls, die er auf der Mission in Telekitonga verbrachte, einer Ansammlung freundlich buntgestrichener Häuser, einer weißen Kapelle und einer Radiostation, wurden sie zu Freunden. Wie Freunde sprachen sie, erzählten, tranken, stellten Fragen und erwarteten Antworten.

Ron antwortete, so gut er konnte und so vorsichtig, wie es ihm notwendig schien. In einem Punkt blieb er besonders undeutlich: Bei der Erwiderung auf die

Frage, woher er komme und woher sein sonderbares Gepäck stamme, all diese Kokosnüsse, Körbe, Basttaschen. Dazu gab er nur ziemlich vage Auskünfte.

Er habe eine Zeitlang allein gelebt. Auf einer Insel. Eine Art Selbsterfahrungs-Trip ...

Dann dachte er an Tama und daran, daß Pater Patrick sie in seiner kleinen weißen Kirche schließlich trauen könnte, auf solide westlich-bürgerliche Art. Eine Ehe würde es sein, die vor jedem Gesetzbuch Bestand hätte, und so erzählte er ein bißchen mehr. Im Grunde lief es darauf hinaus, daß er »sein Paradies gefunden habe«, und daß es eine Sünde gegen Gott und dessen Paradies sei, zu verraten, wo es liege.

Patrick Lanson gab sich damit zufrieden.

An einem herrlichen Sonntagmorgen, gleich nach der Messe, brachte Pater Lanson Ron nach Pangai, dem Hauptort der Ha'apai-Inselgruppe. Dort erwischte Ron gerade noch die klapprige Focker-Turboprop der »Friendly Islander Airways«, die ihn nach Tongatapu brachte.

Kurz vor fünf landete er auf dem Flughafen von Fua'Amotu, dem International Airport Tongas, weit außerhalb der kleinen Hauptstadt. Er erwischte gerade noch die Abendmaschine der »Air Pazific« nach Tahiti, und es war tiefe Nacht, als unter ihm mit unzähligen gleißenden, farbigen Lichterschnüren Papeete, die Hauptstadt Französisch-Polynesiens, auftauchte ...

Als Ron die mahagonifunkelnde Halle des Tahiti-Beach-Hotels betrat, trug er nichts am Leib als das Jeanshemd und die Jeans, die ihm Pater Patrick Lanson geschenkt hatte – und einen Beutel Perlen. Seine Füße steckten in gelben Plastiksandalen, gleichfalls ein Geschenk der Mission.

Die Suite war ein Traum. Das Schlafzimmer beherrschte ein gewaltiges Rattan-Bett mit einem Seidenüberwurf, der mit blauen und gelben Seidenblumen bestickt war. Im Salon gab es weitere Rattan-Möbel und andere Seidenbespannungen in allen denkbaren Farben. Dazu eine wunderschön geschwungene Sandelholz-Bar. Über der Terrasse hing der Mond, und darunter, hinter all dem Wellengeglitzer, konnte man die dunklen Umrisse Mooreas erahnen. Zu allem kam als Dreingabe das bunte Lichtergefunkel der Stadt Papeete, die sich so gerne »Perle, Zentrum und Hauptumschlagplatz der Südsee« nennen läßt.

Ron hatte weder auf die »Perle der Südsee« Appetit noch auf Moorea, die »Trauminsel« aller Reisebüros. – Schlichten, grausamen Hunger hatte er.

Er bestellte sich bei einem braunhäutigen, sanften und unentwegt lächelnden jungen Kellner ein Steak, dann ein Omlett mit Salat und mixte sich, als er das Dessert und das Duschen hinter sich hatte, an seiner Bar einen Screw-Driver.

Die Zivilisation hatte ihn wieder!

Da er jedesmal, wenn er das verdammte Bett zu Gesicht bekam, an Tama denken mußte, verzog er sich schließlich mit seinem Drink auf die Terrasse und trank dem Mond zu: Prost Alter! Und morgen sehen wir weiter …

Am nächsten Morgen klopfte es nach dem Frühstück bereits an die Zimmertür der Suite. Eine junge Dame stand im Türrahmen. Eine höchst bemerkenswerte junge Dame in einem atemberaubend kurzen, grünen Kleid. Sie hatte helle Haut, dunkles Haar und den

Lippen- und Augenschnitt einer Eurasierin. Sie war außerordentlich hübsch und erinnerte ihn an Tama.

Aber wahrscheinlich war er dazu verflucht, daß ihn nun alle Mädchen irgendwie an Tama erinnerten. Auf beiden Armen trug sie einen ganzen Berg flacher Schachteln.

»Pardon, Monsieur, Sie haben an der Rezeption angerufen? Ich komme von der Boutique und habe hier...«

»Natürlich, natürlich!« rief Ron munter. »Nur herein. Kommen Sie, ich helfe Ihnen.«

Das tat er auch. Dieser grüne Minirock, der hauteng ihre Schenkel umspannte. Und wie sie ging! Und was für Schenkel das waren! Und das Lächeln, die Augen... Unfair eigentlich, ihm so früh die fleischgewordene Verführung ins Zimmer zu schicken.

Er suchte sich eine weiße, leichte Leinenhose aus. Gut, die Slipper hier. Größe zweiundvierzig. Und dann das weiße Hemd mit den breiten schwarzen Streifen.

»Und für abends, Monsieur?«

»Wieso für abends?«

»Wir haben da gerade eine neue Lieferung aus Paris bekommen. Aber das müßten Sie sich schon unten bei mir ansehen. Gehen Sie denn abends nie aus?«

Und wieder der Blick unter langen Wimpern hervor. »Nein«, sagte Ron, bezahlte und half ihr mit den Schachteln bis zur Tür. Sie ging. Nicht mehr so schwingend wie zuvor. Kerzengerade.

Die Tür klappte zu.

Auch das war also abgehakt!

Ron holte den Plastikbeutel mit den Perlen aus dem Panzerschrank der Suite, dann begann er seine Dollars zu zählen. Was ihm noch geblieben war, waren genau siebenundsechzig Dollar und fünfundsiebzig Cents.

Es wurde Zeit, etwas zu unternehmen.

Der alte Ron, der Pokerspieler und Hasardeur, war am Zug. Der aber machte es sich einfach, nahm das Telefonbuch, schlug das Branchenverzeichnis auf, fand unter »Comerce de Perles« gleich zwei ganze Spalten und drückte seinen zersplitterten Zeigefingernagel auf einen der Namen.

»Charles Boucher« stand da. »Rue de Liberté 11«.

Ron wählte, setzte erst einer arroganten Sekretärin, dann einer ungläubigen Männerstimme sein Anliegen auseinander: Er habe hundertzweiundsiebzig Perlen anzubieten. Keine Zuchtperlen – echte!

Wenige Stunden später machte Ron Edwards, ohne das Tahiti-Beach verlassen oder nur den prächtigen Swimmingpool aufgesucht zu haben, das Geschäft seines Lebens: Hundertzweiundsiebzig Perlen, darunter drei wahre Königsperlen, zum Preis von zweihundertsechstausendvierhundert Dollar.

Das war zwar nicht ganz die Viertelmillion, die er angesetzt hatte, aber immerhin. Bei Geschäften muß man schließlich auch ein paar Abstriche in Kauf nehmen. Was aber am wichtigsten war: Dieser kleine, rundliche Franzose mit dem freundlichen Rotweintrinker-Gesicht, der da nach einer langen, harten Verhandlung endlich den Füller zückte, um seinen Namen unter den Scheck zu schreiben, gefiel ihm.

Charles Boucher ist in Ordnung, sagte ihm sein Instinkt, nicht nur seriös ist er und auf seinem Gebiet ein mit allen Wassern gewaschener Profi, er ist auch Mensch. Und damit genau der Richtige für die Abschlüsse, die du in Zukunft mit ihm tätigen wirst. Jawohl, in Zukunft! Schließlich warten in der Bucht von Tonu'Ata noch viele, viele Perlen darauf, entdeckt zu werden ...

An diesem Nachmittag blieb Ron Edwards im Hotel. Er nahm einen Block mit Hotelpapier, schaltete zum ersten Mal die Klimaanlage ein, denn was er jetzt brauchte, war ein kühler Kopf, und begann zu schreiben.

Durch eines der großen Fenster sah er drüben am Flughafen die Maschinen einschweben, Flugzeuge aus allen Teilen der Welt, Maschinen der Air France, der UTA-French Airlines, der Air New Zealand-Linie, der Hawaiian-Airlines, der Quantas, - und all die bunten Zeichen auf den Seitenleitwerken schienen zu sagen: Was ist eigentlich mit dir passiert? Wieso kommst du nicht mit? Südsee? Na und? Glaubst du im Ernst, dich absetzen zu können? Die Welt ist heute nichts anderes als ein Dorf, mein Lieber. Und auch deine komische Insel gehört dazu ...

»Stromgenerator«, hatte Ron geschrieben, »Batterien, Kabelrollen, Motorwerkzeuge, moderne Taucherausrüstung, Kompressor-Aggregate, TV, Funkgerät, Satelliten-Telefon, Nähmaschine, stromsparende Leuchten, Medikamente, medizinische Instrumente, Bücher, Scheren, Messer, Saatgut«.

Die Liste der Dinge, die er nach Tonu'Ata bringen wollte, wurde länger und länger. Aber als er sich alles so besah, was da stand, und als er an die Tonnen Treibstoff dachte, die dazukommen würden, wurde ihm eines klar: Das Schiff, das den ganzen Krempel zu transportieren hatte, mußte ziemlich groß sein. Und auch dann noch würde er es bis zur Wasserlinie belasten.

»Kunstdünger«, schrieb er. »Moskitonetze, Läusepulver ...«

Im Hintergrund, neben der Bar, flimmerte das Fernsehgerät. Den Ton hatte Ron abgestellt. »RFO – Radio France Outre Mer« brachte eine politische Sendung. Es war eine Art Round-Table-Gespräch, bei dem ein kahlköpfiger, mit einer riesigen Hornbrille ausgestatteter Regierungsvertreter einer Runde starräugig dasitzender Journalisten und Lokalpolitiker beibrachte, daß die Atom-Tests im Tuamotu-Archipel unbedingt weiterzugehen hätten. Auf den Tuamotu-Inseln hatte die CEA, die Comission d'Energie Atomique, mehr als hundertfünfzig Bomben gezündet und seit 1966 trotz weltweiter Proteste die Atolle durchlöchert wie Schweizer Käse, so daß nach allen Seiten ungehindert Radioaktivität in den Pazifik entweichen konnte.

Ron wußte das alles. Früher hatte er sich oft genug damit beschäftigt.

Und was sagte die Hornbrille? »Sicher, meine Herren, die sowjetische Bedrohung ist zusammengebrochen. Aber bedeutet das in Ihren Augen, daß es auf dieser Welt keine Gefahren mehr gibt? Was glauben Sie, was geschehen kann, wenn die sowjetischen Atombomben in die Hände irgendwelcher unterentwickelter Terror-Staaten fallen? Schon deshalb wird und muß unser Programm weitergehen! Und vergessen Sie bitte nicht, Messieurs, wir schaffen Ihnen damit viele, viele Arbeitsplätze ...«

Darauf hatte er der Hornbrille den Ton abgeschnitten und wußte wieder einmal ganz genau, was er nicht wollte. – Das, zum Beispiel!

Zum Glück lagen die französischen Unglücks-Atolle

und die Verrückten, die sie partout in die Luft jagen wollten, dreitausend Kilometer von den Tonga-Inseln entfernt ...

Aber als er den zweiten Tahiti-Sender erwischte, schob Ron den Tonregler auf volle Stärke. Was erzählte der Mann da? »Die Piraten-Bande«, sagte der Nachrichtensprecher gerade, »über die wir Ihnen vergangene Woche berichteten und die von einem Malaien angeführt wird, hat anscheinend ihre Aktivität in das Gebiet der Fidschi-Inseln verlegt. Nach ersten Berichten aus Suva wurde von der Bande ein Dorf auf Vanua Levu überfallen. Außerdem ist noch nicht geklärt, was aus der Besatzung einer amerikanischen Yacht geworden ist, die in derselben Gegend führerlos treibend aufgefunden worden ist ...«

Ron setzte einen neuen Posten auf seine Liste. Zu Antibiotika, Kindernahrung und Babywindeln schrieb er: »Waffen und Munition«.

Er konnte nicht wissen, welche Bedeutung dieser Posten für ihn, für alle erlangen sollte ...

Es gab kein Zurück.

Ron stürzte sich wie im Rausch in seine Einkaufsschlacht. Am vierten Tag seines Aufenthalts in Papeete hatte er sein Schiff: Eine Sechzehn-Meter-Hochsee-Yacht mit verstärkten Stahlsteven, allen denkbaren technischen und navigatorischen Schikanen, einer Aussichtsplattform für das Hochseefischen und als Clou einem Rundbett in der Eigner-Kabine. Die war ohnehin schon mit Fernseher und Videogeräten ausgestattet.

Das Traumschiff gehörte einem amerikanischen Millionär, der wie Ron im Beach wohnte und seine

»Miss Betty« absolut mit einem noch größeren Luxusdampfer vertauschen wollte.

Ron blätterte die Hundertzwanzigtausend, die er verlangte, auf den Tisch: »Schwarzgeld, Mr. Myers. Brauchen Sie nicht zu versteuern«, ließ in der Werft das »Miss Betty« überpinseln und durch »Paradies« ersetzen, und als dann der ganze Kram, den er erstanden hatte, endlich verstaut war, war es tatsächlich so, wie er es vorausgesehen hatte: Er hatte sein Schiff bis zur Wasserlinie beladen! Auf der »Paradies« konnte man sich kaum mehr bewegen. Selbst im Salon stapelte sich die Ware. Sechzig Ballen Stoff, zum Beispiel, bestimmt für die Damen von Tonu'Ata. Darunter verborgen lagen einige längliche graue Kisten. Die enthielten sechs chinesische Nachbauten des russischen Sturmgewehrs Kalaschnikow und die dazugehörende Munition.

Charles Boucher hatte ihm die heiße Ware nach vielem Hin und Her und buchstäblich in der letzten Sekunde besorgt.

Dann endlich war es soweit, daß er die Leinen abwerfen konnte.

Zweitausenddreihundert Seemeilen lagen vor ihm.

Na und? Es gab Satelliten, die sich irgendwo über ihm im blauen Himmel drehten, um die Daten zurückzufunken, die er brauchte: Koordinaten, Positionsangaben, Kurs, dazu die Kommando-Impulse, mit deren Hilfe die Steuerautomatik die »Paradies« an ihr Ziel führen würde, in die Nähe ihres Ziels jedenfalls – bei der letzten Etappe würde er sich schon auf seine Nase und die Erfahrung verlassen müssen, die ihm das Schlauchboot eingebracht hatte.

Die Dinge, die ich zurückbringe, Tama, werden unser Leben viel, viel glücklicher machen ...

Nun stolperte er über die Dinge, die ihr Leben »glücklicher« machen sollten.

Während er oben im Cockpit stand und in die endlose blaue Weite starrte, sich in der Kombüse am Elektrogrill irgendeine Konserve erhitzte oder beim Satelliten-Fernsehen Zeuge wurde, wie in einer fernen, halb vergessenen Welt, in diesem neuen, sonderbaren, wieder vereinigten Deutschland Polizisten auf Demonstranten einknüppelten – und umgekehrt – fragte er sich, ob es wohl etwas gäbe, das ihr Glück noch steigern könnte.

Nachts mit Tama in der Lagune zu sitzen, ihre Hand auf der Schulter zu spüren, ihr Lächeln zu sehen, wenn sie das Kind ihrer Schwester streichelte oder ihm am Morgen das Frühstück zubereitete, ihr Gesicht, ihr Atem, ihr Körper, ihre Gegenwart – gab es ein größeres Glück?

Gott, gib es, sagte sich Ron, wenn er bequem auf seinem Rundbett lag, während die Motoren gleichförmig summten und die »Paradies« unbeirrt ihren Kurs zog, Gott, gib es, daß es nie anders wird ...

Ron warf das Fernglas weg und rannte zum Schirm. Auf dem Sichtgerät ließ der Zeiger gerade ein längliches, verschwommenes Gebilde aufleuchten.

Die Insel!

Tonu'Ata ...

Er warf beide Arme in die Höhe, tanzte im Cockpit herum, schrie: »Ich hab's geschafft!« Schrie: »Tama!« Schrie: »Tama, da bin ich! Staunen wirst du! Und nicht nur staunen. Tama, Liebling – mein Gott ...«

Es reichte ihm noch immer nicht. Er rannte in die Kajüte, griff sich die nächste Platte, schob sie in den supermodernen CD-Player, gab dem Verstärker vollen Schub, und was nun aus den Lautsprechern donnerte, war Wagners Walküren-Ritt.

Ausgerechnet. – Doch warum eigentlich nicht?

Er ließ all den Streichern, Trompetern und Paukern ihren Spaß und gab noch den Klang seiner 600-PS-Dieselmotoren dazu.

Und sang.

Langsam schoben sich die drei Berge der Insel über den Horizont …

Vielleicht, dachte Ron später, vielleicht wirst du einst deinem Sohn erzählen, wie das ist, wenn man von einer solchen Fahrt nach Hause kommt – wohlgemerkt zu einer allgemein unbekannten Insel heimkehrt und alle am Strand stehen … Was heißt stehen – losrennen, lospaddeln, losschwimmen.

»Aber das war ja nicht das Aufregendste, Junge«, wirst du ihm sagen. »Stell dir doch vor, wie das ist, wenn Menschen, die noch nie etwas Raffinierteres als ein Beil, einen Hammer, ein Messer, eine Säge oder eine Schere in der Hand gehabt haben, plötzlich mit den Errungenschaften der Technologie konfrontiert werden. Daß ein Boot einen Motor haben kann, nun, das wußten sie schon, Gilbert Descartes hatte es ihnen beigebracht, aber eine Nähmaschine zum Beispiel … Ein Stromgenerator, der losfaucht, blauen Dampf spuckt und dann auch noch Lampen hell erstrahlen läßt … Ja, und vor allem, mein Junge, was glaubst du, was passiert ist, als ich die Leute auf die »Paradies« nahm und dein Großvater zum ersten Mal in eine Bildröhre blickte. Und auf der tanzten ausgerechnet in dem Moment nackte Mädchen. Daß sie nackt waren, interessierte ihn nicht. Aber wie sie die Beine schmissen und was sie alles auf dem Kopf trugen ...«

Vermutlich würde sein Sohn dann ein Gähnen verbergen, sich der eigenen Glotze zuwenden, um sich seinen Lieblings-Clip reinzuziehen ... TV-Geräte würden sowieso in jedem Haus stehen. Durch die Lagune würden die Motorboote flitzen und die Wasserskiläufer hinter sich herziehen, denn Wasserskilauf, das mögen die Touristen.

Ja, und an einer Mole gibt's dann eine Zapfstelle und eine Bar und einen Erfrischungsstand, an dem irgendein Typ aus dem Dorf Coca-Cola verkauft ...

Es war ihm nie ganz wohl, wenn er an all die Segnungen dachte, die er an diesem Tag an Land schaffte.

Damals aber glaubte er noch an sie. Und seine Rechnung schien aufzugehen: Die Arbeit auf Tonu'Ata war einfacher geworden, selbst Tapana sah es so.

Nur einer hielt sich abseits: Nomuka'la ...

Vom Tag seiner Rückkehr an wechselte der Priester von Tonu'Ata kein Wort mehr mit Ron. Nomuka'la sah weg, wo immer sie sich begegneten. Oder er blieb einfach stehen, auf seinen Stock gestützt, und versuchte den Weißen mit seinen dunklen Blicken zu durchbohren.

Als die Trommeln drei Tage lang die Hochzeitsfeier begleiteten, die Tapana seiner Tochter und Owaku bereitete, ließ der Medizinmann sich nicht ein einziges Mal blicken.

Und auch bei der großen Kawa-Zeremonie, mit der die erste Lichtleitung gefeiert wurde, das Licht, das auch

Tapanas Haus erhellte, wurde Nomuka'la oben am Berg gesehen. Wahrscheinlich unterhielt er sich mit seinen Steinköpfen über das Unheil, das Ron über das Volk gebracht hatte.

Dann wurde Tapana krank. – Die Funkanlage der »Paradies« rettete den Häuptling. Aus Pangai kam im Helikopter das Notarzt-Team. Zum sprachlosen Entsetzen Nomuka'las wurde Tapana der Bauch aufgeschnitten, der Blinddarm herausgeholt und die Verwachsungsstränge gelöst, die seinen Darm blockierten. Die ganze Episode hatte zwar noch ein trauriges Nachspiel, das den Chirurgen das Leben kosten sollte, doch vom Team waren auf Tonu'Ata der Helikopter geblieben und sein Pilot: Jack Willmore, Flieger und Universal-Genie – Jack, der feinste Kerl, den man sich denken konnte!

Jack Willmore hatte sich in die Insel verliebt und war dabei den gleichen Weg gegangen wie Ron – über die Liebe zu einer Frau: Über seine Liebe zu Lanai'ta, Tamas Schwester.

Ron und Jack ... zu zweit schafften sie in wenigen Monaten ein Programm, für das sich Ron zwei Jahre vorgenommen hatte. Dabei blieb Ron sogar die Zeit zu tauchen.

Jack aber hatte überall seine Hände, half Kranken, versorgte Wunden, es wurde gerodet, gebaut, gehämmert, verkabelt, so lange und mit solcher Intensität, daß schließlich das ganze Material aufgebraucht war und für Ron die Zeit gekommen schien, die »Paradies« ein zweites Mal nach Papeete in Marsch zu setzen. Und diesmal fuhr er nicht allein, diesmal kam Tama mit. Im Plastikbeutel aber lagen dreihundertzwanzig Perlen ...

Was Ron für diese Perlen wollte, wußte er: Rund eine halbe Million Dollar.

Allerdings: Wie er diesen Geldhaufen in Material-Anschaffungen umsetzen sollte, war ihm nicht so recht klar. Doch eine halbe Million ... Die Zahl hatte etwas Faszinierendes.

Und noch etwas blieb Ron verborgen: Daß er im Begriff war, sich für eine halbe Million Dollar eine Tragödie einzuhandeln.

Den entscheidenden Faktor, der den Ausgang von Rons zweiter Papeete-Expedition bestimmte, kannte er nicht. Er war in keine Rechnung einzusetzen. Dieser Faktor trug einen Namen: Alessandro Pandelli ...

Alessandro Pandelli stammte aus einem kleinen Ort der italienischen Provinz Reggio di Calabria. Genau genommen war Melito di Porte Salvo sogar der südlichste Ort des ganzen italienischen Festlands.

Früh kam Alessandro mit den lokalen N'Draghetta-Organisationen in Berührung – im Grunde nicht viel mehr als Bauernbanden, die ein wenig Geld damit machten, ihre Landsleute, meist andere Bauern und Kleinhändler, zu erpressen oder gelegentlich auch mal eine Geiselentführung zu organisieren, die etwas mehr einbrachte.

Doch schon der junge Alessandro wollte höher hinaus ...

Hinüber nach Sizilien, nach Messina war es nur ein Katzensprung. Dort bekam er auch bald Gelegenheit, seine Talente unter Beweis zu stellen. In wenigen Jahren mauserte sich Alessandro vom einfachen »Sicaro«, dem Mafia-Handlanger, der Attentate und Morde zu erledigen hatte, zum erfolgreichen Geschäftsmann, der in Messina wie in Cadenazzo Rang und Ansehen genoß.

Leider kam nun die Polizei auf den Gedanken, Konten und Geldbewegungen zu kontrollieren. Dies führte zu einem erbarmungslosen Clan-Krieg, und Alessandro wurde der Boden in seiner Heimat zu heiß. Mit einigen guten Empfehlungen nahm er den Weg vieler Vorgänger: Er wanderte zu den Cosa-Nostra-Familien der USA aus, spezialisierte sich auf das Schmuck-Geschäft und errang nach einigen Schwierigkeiten - und diesmal in San Franzisco als Besitzer einer Juwelierhändler-Kette - erneut Rang und Ansehen.

Aber auch hier machte ihm die Polizei das Leben schwer. So beschloß Alessandro Pandelli, nach Französisch-Polynesien auszuwandern, dem Einkaufszentrum der herrlichen grauschwarzen Zuchtperlen, die ihm in Kalifornien soviel Erfolg beschert hatten.

Und dieser Erfolg blieb ihm auch in Papeete treu - kein Wunder, denn Pandelli war mit einem guten Kapitalstock gelandet, bewies sich als ausgezeichneter Kenner des Geschäftes, hatte Manieren und jene südeuropäische Eleganz, die den Franzosen ohnehin liegt. Dazu kam, daß er einige ganz besondere Geschäftsmethoden hatte. Sie waren ebenso schlicht wie wirksam: Lief eine Geschichte glatt - bene, d'accord, um so besser! Gab es Schwierigkeiten, nun, dann hatte man Mittel, sie aus dem Weg zu räumen.

Ein Kerl, zum Beispiel, der völlig abgerissen in Papeete ankommt, sich eine Luxus-Suite bestellt und dann mit einem Dumping an Echt-Perlen den ganzen Markt durcheinanderbringt, fiel für Pandelli unter »Schwierigkeiten«. Zu verhindern, daß er diese Nummer ein zweites Mal durchzog, war einfach. Dazu brauchte man noch nicht einmal eine Kugel. Ein Messer reichte: Ein guter Stich - und ab in den Hafen!

Mit Sicherheit aber war es besser, den Typ beobachten zu lassen, um so selbst an den Herkunftsort der echten Perlen zu gelangen. Denn das mußte Alessandro zugeben: Die Ware war eine Sensation!

Beim ersten Mal war dieser Plan mißlungen, Boucher hatte das Geschäft gemacht. Aber das Gerücht hielt sich, der blonde Amerikaner würde wieder auftauchen. Und für diesen Fall wußte Alessandro Pandelli, was er zu tun hatte ...

Ron, wie gesagt, hatte keine Ahnung von der Existenz eines Alessandro Pandelli, als die »Paradies« in Papeete festmachte. Hier fühlte er sich nach allem schon beinahe wie zu Hause. Außerdem lief das Stück, das er schon kannte – allerdings mit der Variante, daß Charles Boucher, nachdem er ausgejammert und seine halbe Million Dollar herausgerückt hatte – voll andächtigen Staunens Tama zur »schönsten Frau der Südsee« erklärte und sie von morgens bis abends mit seinen Komplimenten eindeckte.

Dann ging es wieder zurück. Und wieder war die arme »Paradies« bis zur Wasserlinie beladen.

Doch das Wetter war so herrlich wie die Liebe auf Rundbett oder Sonnendeck. Tama und Ron beobachteten Delphin-Schwärme, sahen den riesigen Mantas nach, die schattengleich unter dem Kiel der »Paradies« hindurchzogen und hatten keine Ahnung, daß ihnen ein zweites Schiff folgte: größer, stärker, schneller auch als die »Paradies« ...

Alessandro Pandelli hatte für diesen Job die »Roi de Tahiti« gechartert. Es genügte ihm völlig, daß er die »Paradies« nicht aus dem Radar verlor. Die »Roi« verfügte über einen eigenen Hubschrauber.

Piero Deluca, der Pilot, Kalabrese wie er selbst und seit Jahren bei Pandelli als Mann für besonders kitzlige Aufgaben auf der Lohnliste, hatte dazu eine ganze Crew bewährter Spezialisten an Bord gebracht. Pandelli war schließlich ein vorsichtiger Patron. Um sich nicht überraschen zu lassen, kalkulierte er in derartigen Situationen stets auch die Möglichkeit eines negativen Ausgangs ein.

Die Fremden werden kommen ... Und du, Owaku, du wolltest es so!

Nomuka'las düstere Prophezeihung begann Gestalt anzunehmen ...

Gewollt hatte Ron es nicht. Aber hatte er nicht alles, was nun folgte, mit seinem Verhalten heraufbeschworen?

In der folgenden Zeit warf sich Ron dies immer und immer wieder, bis zur Selbstzerfleischung, vor. Denn die Rechnung, die nun vorgelegt wurde – was war sie im Grunde schon anderes als die Quittung seines eigenen Versagens?

Es war ein wunderschöner Juni-Morgen, als die »Roi de Tahiti« vor Tonu'Ata Anker warf. Staunend und erschrocken standen alle am Strand. Keiner konnte es glauben. Gerade noch hatte Jack Willmore verkündet: »Ron, Mensch! Was für ein herrliches Gefühl ist das doch, zu wissen, daß es uns gar nicht gibt ...«

Und da erschien diese riesige Yacht, und von ihrem Heck stieg ein Hubschrauber auf. Der Alptraum, der Irrsinn konnte beginnen!

Der Hubschrauber-Pilot Piero de Luca warf eine Botschaft ab. Sie enthielt die Einladung zu einem Gespräch, aber das lief letztendlich auf ein Ultimatum hinaus.

Die »Roi« aber hatte bereits begonnen, die Perlenbucht anzusteuern.

Was immer sich Pandelli gedacht haben mochte – die Antwort mußte ihn überraschen. Jack machte den »Puma« klar, einen zu Rettungsdiensten umgebauten US-Heeres-Hubschrauber, fast doppelt so groß wie der winzige Luftfloh der »Roi«. Und während sich am Himmel die Piloten einen erbarmungslosen Luftkampf lieferten, dem sie schließlich beide zum Opfer fielen, zerbrach der Frieden der Bucht im Rattern der Maschinenwaffen und den donnernden Explosionen der Minen, die von der »Roi« geworfen wurden.

Du wolltest es so!

Nein!

Nie ... Niemals, Nomuka'la ...

Nomuka'la war auf der »Paradies«, als ihr Bug die »Roi de Tahiti« mittschiffs traf und das Loch riß, das sie in die Tiefe schickte. Nomuka'la verlor das Gleichgewicht, fiel in die Bucht. Dort zerfleischten ihn die Haie.

Fai'Fa, Tamas Bruder, war zu dem Zeitpunkt schon tot. Jack Willmore ebenfalls.

Aber Nomuka'la, der alte Mann mit den farbigen Streifen des Kriegers im Gesicht und dem Vogelkopfschmuck des Priesters – hatte er nicht alles vorausgesehen? Wer konnte sagen, ob er nicht tatsächlich mit irgendwelchen höheren Kräften, mit Göttern, mit seinen Göttern in Verbindung stand?

Onaha, die Göttin der Schildkröten, der Fruchtbarkeit und des Friedens hatte sich abgemeldet, ihr Bruder G'erenge, der Gott des Krieges und der Stürme, schickte die Haie ...

Und sie kamen!

Angelockt von den zerfetzten Leibern der Toten, den von Detonationen zerrissenen Austernbänken kamen sie in Scharen. Um dies zu verstehen, brauchte es keinen Hai-Gott: Blut und Fleisch waren Erklärung genug.

Die Hölle dieser absurden, aberwitzigen Schlacht vor zwei Jahren hatte nicht länger als dreißig Minuten gedauert. Doch sie hielt an. Die Haie sorgten dafür. Sie hatten die Herrschaft in der Bucht übernommen. Graue, stumme Schatten, die alles bedrohten, was ihnen zu nahe kam. Und es waren keine harmlosen kleinen Tiere, keine Hunds-, Glatt- oder Schwarzflossen-Haie. Das, was sich in der Bucht so wohlfühlte, das waren extrem große Tiere, Monster, so wie der »Weiße«, dem Ron begegnet war ...

Noch immer goß Ron Edwards jede Woche einmal ein Glas Whisky über die Blumen, die Lanai'ta auf Jack Willmores Grab legte. Und ging ihm der Stoff aus, mußte eben eine Schale Kawa genügen. In den polierten Basaltstein, der das Grab schmückte, hatte er die Worte »Jack Willmore, dem Freund« gemeißelt, und die Feuchtigkeit hatte Buchstaben und Jacks Geburts-und Todestag mit einem grünen Moosschimmer ausgefüllt.

Die Haie aber blieben.

Die Menschen von Tonu'Ata nahmen es mit Gleichmut. Die Götter wollten es so. Und folgerichtig war daher auch, daß sie über Owaku, und nur über ihn, das Tabu, den Bannfluch aussprachen, der ihm das Betreten der Bucht verbot. Wie sonst sollten sie die Geister beruhigen, den Hai-Gott zufriedenstellen?

Für Nomuka'la, den Medizinmann, aber war noch immer kein Nachfolger gefunden.

Nomuka'la ist nicht tot, hatte Tama gesagt. Und die anderen auch nicht. Sie sind alle hier ...

Vielleicht hatte Tama recht. Auch er hatte schon ähnliches gedacht, er dachte es, wenn Tama ihn ansah – mit diesem dunklen Blick, der soviel Abstand zwischen ihnen schuf. Er dachte es in seinen Nächten, seinen Träumen, seinen Alpträumen.

Auch jetzt wieder, heute, da er zum ersten Mal nach zwei Jahren getaucht war, um dem großen weißen Hai, seinem Feind und Herausforderer, zu begegnen ...

3

Rons Gedanken tasteten sich in die Gegenwart zurück. Müde fühlte er sich, zerschlagen bis auf die Knochen. In ihm war jetzt nichts als eine sonderbare, alles umfassende Leere.

Der Rumpf der »Paradies« schwang hin und her. Leise plätscherte das Wasser gegen die Bordwand. Er hörte sich atmen, zwang sich zur Ruhe und versuchte das Bild zu vergessen, einfach zu löschen, wegzuwischen: das Bild des gewaltigen Fischleibs, der da weiß und schimmernd vor seinen aufgerissenen Augen vorübergezogen war, das Bild der drei kleinen Pilotfische, die sich an diesem Monsterbauch festgesaugt hatten und selbst aussahen wie Miniaturausgaben von Haien. Ja, und dann dieser grauenhafte, halbmondförmige Schnitt des Haimauls, die kleinen, starren Augen …

Er stand auf, suchte die Kleider, fand sie in der Mannschaftskajüte und zog sich an. Von dort ging er wieder hinauf ins Cockpit. Das Echolot zeigte dieselbe Wassertiefe wie zuvor. Der Anker hielt.

Neben dem Kompaß-Gehäuse lagen, wie immer, eine Zigarettenschachtel und das Feuerzeug. Er zündete sich eine Zigarette an und starrte hinaus. Es hatte zu regnen begonnen. Die Tropfen liefen über die schrägen Panzerglasplatten der Steuerstand-Verkleidung.

Langsam ließ er den Blick wandern, suchte die vertraute Kulisse der Bucht ab, sah zum Hang über der Bucht hoch, zu der Stelle, von der aus Nomuka'la sie immer beobachtet hatte. Dann blickte er wieder zu der großen Steinplatte bei den beiden Felsen.

Wie oft hatte er mit Tama dort drüben gehockt! Sie hatte die Fische vorbereitet, die er für das Essen harpuniert hatte. Und dann brieten sie sie, hungrig, wie sie waren, auf dem Rost. Er sah Tamas Gesicht vor sich, entspannt vom Essen, die Augen geschlossen, das nasse, schwarze glänzende Schlangenhaar auf dem Stein. Und es war ihm, als könne er den Geruch des gebratenen Fischfleisches riechen. Manchmal hatten sie sich danach geliebt, und ihr verzücktes Seufzen mischte sich mit dem Murmeln der Wellen.

Er drückte die Zigarette aus, stieg durch den Niedergang und öffnete im Bad eine der großen Spiegeltüren. Prüfend sah er über die Regale und hatte schließlich gefunden, was er suchte: Tamas roten Waschbeutel.

Er zog den Reißverschluß auf und holte mit spitzen Fingern eine kleine ovale Seifenschale heraus. Sie war aus Plastik und blau gefärbt. In der Mitte stand in schwungvollen, eleganten kleinen Goldbuchstaben: *»Beach Comber Hotel Papeete. Mit freundlichen Grüßen an unsere Gäste.«*

Ron öffnete den Deckel.

Und da lagen sie nun, dunkel schimmernd, klein, rund die meisten. Ihr Grau reichte in alle Schattierungen, bei manchen vertiefte es sich bis ins Schwarze, andere schienen wie von innen von einem goldenen Schein erhellt zu sein.

Es waren sieben, nein, acht Stück, und es waren die

letzten Exemplare, die er besaß. Der schäbige Rest der reichen Beute, die sie damals, vor zwei Jahren, der Bucht entrissen hatten – ehe die Haie gekommen waren.

Er nahm alle acht in die Hand und ließ sie hin- und herrollen. Seine Fingerspitzen tasteten über ihre Oberflächen. Manche waren perfekt gerundet, aber zu klein, bei den anderen wiederum war die Form zu unregelmäßig. Die Perlen waren Ausschuß. Er hatte sie in seinem Hotelzimmer wegsortiert, ehe Charles Boucher aufgetaucht war. Er kannte doch seine Sprüche: »Ich habe es nun mal mit der Perfektion, Ron. Ich liebe die Makellosigkeit. Nicht nur bei den Frauen, auch bei Perlen.«

Die kleinen Kugeln rollten. Plötzlich empfand er ihre Perlmuttkühle wie einen körperlichen Schmerz.

Er ging hinüber zum Bullauge und öffnete den Verschluß. Dann schob er den Arm ins Freie. Adieu, Charles, dachte er, tut mir leid, aber nicht mal diesen Ausschuß werd' ich dir noch liefern. Kommt mich zu teuer, die Ware. Zuviel Blut klebt da dran.

Und dann dachte er wieder an das, was Nomuka'la gesagt hatte. Wieso bekam er diesen Satz nie los: »Du hast es so gewollt.«

Dieser ewige, idiotische Spruch. Wann würde er ihn vergessen?

Er drehte die Hand im Gelenk und ließ die acht Perlen ins Wasser fallen. Sie verursachten nicht einmal Ringe.

Drüben, verschwommen hinter den Feuchtigkeitsnebeln, stand dunkel und schwarz der Berg. Ron Edwards hatte das Gefühl, als seien Augen auf ihn gerichtet. Er spürte ihren Blick wie zwei glühende Gewichte, die sich in seine Stirn drückten.

Er schloß das Bullauge, ging hastig zum Cockpit hoch, drückte die Winsch-Taste, um den Anker hochzuholen.

Der Motor begann seine Arbeit, die Kette rasselte, und Ron wartete nicht, bis der Anker seinen Platz am Schiff erreicht hatte. Er ließ die Motoren anspringen.

Rückwärts, langsam, ganz langsam schob sich die »Paradies« aus der Bucht ...

Er wußte nicht, was es war: Das Schiff rollte, er rollte in der Dünung, die sich nicht sonderlich verstärkt hatte. Die See lag noch immer grau, als sei sie mit einer feinen Ölschicht bedeckt, wie mit einer zweiten Haut, die gar nicht zu ihr gehörte. Die Luft schien ihm drückend, wie von etwas Unsichtbarem beschwert, einer Spannung, die von dem elektrischen Knistern in seinen Schläfen noch gesteigert wurde.

Aber der Himmel war wie zuvor. Keine Wolkenformationen, nichts, das darauf hindeutete, woher ein Wetter kommen könnte – wenn es denn kommen wollte. Es gab gar keinen Himmel, es gab nichts als ein mattes, stumpfes, an manchen Stellen silberglänzendes Grau. Und das Gefühl in ihm, daß sich dahinter etwas Uraltes, Bedrückendes, Böses verbarg, das darauf lauerte, zuzuschlagen, wuchs ...

Die »Paradies« lief mit halber Fahrt. Ron stand am Steuer und ließ die Küste vorübergleiten.

Er griff wieder zu einer Zigarette: Gut, die Begegnung mit dem Hai war ein Schock, und mit den Nerven scheinst du auch ziemlich runter, Junge. Aber was soll's eigentlich? Himmelherrgott nochmal. Tauchen wirst du dort nie wieder, also vergiß es! Du hast genau das erlebt, was du doch im Grunde wolltest. Was also soll's!

Als er in die Lagune einfuhr, lag der Strand leer und verlassen und mit Grau vollgesogen. Kein Mensch war zu sehen.

Die Steven der Kanus erhoben sich dunkel und scharf zwischen den Palmstämmen.

Er ließ den Anker fallen und wartete.

Wieso stieg er nicht ins Beiboot. Wieso hockte er eigentlich noch immer rauchend im Salon herum? Und woher kam dieses Unbehagen, wenn er an Tama dachte?

»Geh nicht weiter, Owaku. Geh nicht zur Bucht! Du weißt doch ...«

Zum Teufel nochmal, ja, und ob er wußte! Und er war nicht »zur Bucht gegangen«, er war darin herumgeschwommen. Er hatte auf den alten Nomuka'la und seine Geister gepfiffen, er hatte das Tabu gebrochen, und es wäre beinahe schief gegangen. Aber eben nur beinahe, denn er konnte noch immer in seinem Salon sitzen, rauchen, sich nochmals den Courvoisier holen, falls er das nur wollte. Er konnte sich freuen, daß er heil und am Leben war.

Nur eines konnte, nein wollte er nicht: sich mit Tama auseinandersetzen – oder mit irgendeinem der anderen dort drüben. Er wollte nicht erklären, was er in der Bucht zu suchen gehabt hatte.

Ron nahm die dritte Zigarette aus der Packung und war eben dabei, sich tatsächlich wieder die Flasche zu holen, als sich das Licht, das durch die breite Salontür fiel, verdunkelte: Tama ...

Das Haar klebte an ihrem Kopf, und durch das Glas erschienen ihre Augen riesig und verwischt. Er sah, daß sie nackt war, nackt bis auf eines der kleinen grünen

Bikinihöschen, die sie aus Papeete mitgebracht hatten und die nun auf Tonu'Ata den Hit der Saison darstellten.

Er schob die Tür zurück.

Weißes Zähneschimmern zwischen den vollen roten Lippen, die ihn immer und immer wieder an Hibiskus erinnerten. Selbst jetzt. Sie lachte, nein, sie lächelte, und das war schon mal gut.

»Owaku. Ich hab' dich überall gesucht.«

Sie betrat den Salon. Sie schüttelte den Kopf, das Haar, und die Tropfen flogen über die elegante Lederbespannung. Tropfen, nein, Wasser rann zwischen ihren Brüsten hinunter, auf ihren muskulösen Schwimmerinnenbauch, rann über die Schenkel, bildete dunkle Flecken auf dem genoppten Boden.

Und er, er sah sie an, als sehe er sie zum ersten Mal ...

Sie lachte noch immer.

»Wo warst du, Owaku? Was ist? Was machst du für ein Gesicht?«

»Gefällt es dir nicht? Tut mir leid ...«

Er streckte den Arm aus, er wollte jetzt ihren Kopf, all dieses schwarze, nasse Haar spüren – aber er ließ den Arm wieder sinken.

»Komm, Tama, frag mich nicht. Du weißt genau, wo ich war. Das haben dir die anderen gesagt.«

»Mir hat Afa'Tolou nur gesagt, daß du mit der ›Paradies‹ losgefahren bist.«

»Natürlich. Und dann hat er einen der Jungen losgehetzt, und der brauchte nur bis zum Kap laufen und wußte schon Bescheid.«

»So? Wo warst du, Owaku?«

»In der Bucht.«

Sie lächelte immer noch, sie brachte es fertig, mit diesen großen, dunklen, jäh starr werdenden Augen zu lächeln.

»Ich hab' es nicht gewußt, Owaku. Und da war kein Junge, der dich beobachtet hat. Aber ich habe es mir gedacht – nein, ich habe es geahnt, ich habe es vor mir gesehen.« Sie ließ ihn stehen, wo er war und ging hinüber ins Bad, kam mit einem Handtuch zurück und begann sich abzutrocknen: »Ja, ich sah es vor mir ... Und dann?« Ihr Gesicht war von der Mähne schwarznassen Haares verborgen. »Was dann? Du bist in die Bucht eingefahren. – Und?«

»Ich bin getaucht.«

»Du bist getaucht?« Ihre Stimme hatte sich um eine ganze Tonlage gesenkt. Und die Worte kamen sonderbar gleichförmig, wie auf einem Tonband abgespult. Polynesische Worte. Viele polynesische Worte. Nun wieder englische: »Getaucht ... Getaucht ... Getaucht ... Hast du denn alles vergessen? Und dann, Owaku?«

Er gab keine Antwort. Vielleicht war es dieses sonderbare Knistern, vielleicht dieser ganze verfluchte Tag, er spürte die Schwäche von zuvor wieder zurückkriechen, spürte, wie die Finger wieder zu zittern begannen, nicht nur die Finger, spürte, wie dieses Zittern seinen Rücken hochkroch und sich zwischen den Schulterblättern einnistete.

Er ging zur Bar. Es waren nur drei Schritte. Er riß die Tür auf und nahm die Flasche heraus, setzte sie an den Mund, hielt sie Tama hin. Doch sie schüttelte nur den Kopf.

»Und, Owaku?« Sie ließ nicht locker.

Er schwieg.

»Da war ein Hai», sagte sie. »Ein großer, ein sehr großer weißer Hai.«

Er schwieg.

»So war es doch, Owaku?«

Er starrte sie an. Woher hatte sie das? Wie kam sie darauf? Wie konnte sie es wissen?

»Ein großer weißer Hai«, wiederholte sie. Ihre Augen waren ganz ruhig. Sie schien zu warten. Auf was?

»Ja«, hörte er sich sagen. »Ja, Tama.«

»Siehst du!«

»Siehst du – was?« Fing sie auch noch an hellzusehen? Dies war alles zu verrückt. Und dennoch, nie zuvor hatte er eine solche Sehnsucht nach ihr gespürt, nie war es wichtiger gewesen, sie zu berühren, sie zu besitzen.

Ein Streifen Licht erhellte ihre Stirn, aus dem Schatten des Körpers leuchtete eine runde vollgeformte Schulter, Licht lag auf ihrem Arm. Er konnte erkennen, daß die Haut der Arme unter seinem Blick eine Gänsehaut überlief. Ihre rechte Hand kam hoch, schmal, lang, kräftig – abwehrend. Er wußte es nicht, es war auch gleichgültig. Er schob sie einfach zur Seite, riß Tama an sich, küßte ihren Hals, die Schultern, sog den nassen Duft ihrer Haut in sich ein, drückte sie an sich wie ein Ertrinkender.

»Owaku, was ist denn mit dir?«

»Ja, was wohl?«

Er hob sie auf und trug sie hinüber auf die Lederbank, nicht sanft, nein, mit einer wilden, entrückten Entschlossenheit, die ihn selbst überraschte. Aber er wollte es. Jetzt ... Ja, es war nicht der Wille, es war die Verzweiflung, aber er brauchte sie, brauchte sie wie nie zuvor.

Er warf sie auf die Bank, die Augen noch immer geschlossen, und schob ihr mit dem Knie die Beine auseinander. Er spürte dabei, wie sich alles in ihr löste, wie alles nur noch Aufnahmebereitschaft war.

»Owaku ... Owaku ... Nein ...« flüsterte sie.
Aber nun, nun gab es nur ihn ...

»Owaku?«
»Ja?«
»Owaku, die Frauen bei euch, haben sie auch so helles, schönes Haar?«
»Du hast schönes Haar, Liebling.«
Kräftige Fingerspitzen hatte Tama, bei Gott. Sie hatte ihn in die kleine Sitzbadewanne der »Paradies« gesetzt, nun fuhrwerkte sie in seinem Haar herum, drückte, massierte es, daß seine ganze Kopfhaut brannte. Seine Haare waren wichtiger als Hai und Bucht und alles, was geschehen war – und er war froh darum ...
Er schlug wild um sich. »Herrgott nochmal, Tama! Nicht die Augen, die Haare! Du tust mir ja direkt weh.«
»Sorry, darling.«
Er liebte ihr »sorry darling«. Und noch mehr liebte er, wie zart und fürsorglich sie nun mit dem Schwamm sein Gesicht abwusch. Mutter und Baby – genau so. Aber dieses Theater um seine Haare haßte er wie die Pest.
Er versuchte die Augen zu öffnen. Es ging. Er konnte sogar sehen. Noch immer war sie nackt. Die indirekte Beleuchtung des Eigner-Bades der »Paradies« umhüllte ihren Körper mit einem sanften, goldenen Schein. Er lächelte, als er an die Hütte dachte, die sie zuerst bewohnt hatten, Pater Emanuel Richards' Hütte. Solide Pfähle aus Hartholz, armdicke Äste als Querstreben, die Zwischenräume mit Flechtwerk aufgefüllt und mit Lehm beworfen. Schließlich kamen noch ein paar Lagen geglättete und geklopfte Palmblätter auf die Giebelkonstruktion, und fertig ...

In der Hütte hatte sie ihn immer in einen Holzzuber gesetzt und ihm mit dieser entsetzlichen Insel-Seife aus Kokosöl und Asche abgeschrubbt, Haare, Gesicht, Körper, alles, bis er nur noch jaulte. Abends aber strich der Wind angenehm und kühl durch die Fensteröffnungen, und sie waren glücklich ...

Daran dachte er, und dann an die paar Blätter mit der ausgebleichten Schrift des Paters: *»Wer dies findet, sei gegrüßt und hoffe auf den Herrn ...«* Er kannte die Sätze auswendig: *»Ein Jahr ist nun vergangen, ein schönes, fruchtbares Jahr. Sie haben beten gelernt und wie man ein Feld nutzbringend bestellt. Ich habe mit ihnen geschnitzt und geflochten und ihre Neugeborenen getauft. Aber eines Abends fragte mich der Häuptling: ›Wo ist eigentlich dein Gott, und was will er von uns?‹ Und ich wußte: Ich hatte das Jahr vertan. Vielleicht versagt deshalb mein Herz. Doch ich gehe schweren Herzens von hier. Ich war gerne unter diesen Menschen. Auch, wenn es mir nicht gelang, Gott zu ihnen zu bringen ...«*

Armer Pater Richards! Ron stellte sich vor, wie er in der Hütte saß und dem quälenden Herzschlag lauschte, der ihn noch immer am Leben hielt ...

Zehntausende von Inseln gab es in der Südsee. Und wo immer Menschen »zivilisiert« wurden, hatte sich das Christentum ausgebreitet. Kirchen und unzählige Sekten-Ableger hatten Kapellen und ihre Missionen errichtet, sobald sie auf ein paar Eingeborenen-Hütten stießen. Die Tonganer waren zu neunzig Prozent »christianisiert«. Brüder und Pater hatten wirklich ganze Arbeit geleistet. Auf Tonu'Ata aber waren es drei Mann gewesen, die Pater Richards für den Inhalt des schwarzen Buches interessieren konnte ...

Vielleicht, daß Gott dem armen Pater zu wenig Zeit gegeben hatte. Vielleicht aber hatte er auch etwas anderes mit den Menschen der Insel vor?

Auch Ron wollte hier leben. Und auch er war glücklich, wenn Glück Zufriedenheit bedeutet. Nur, daß er immer wieder, wie heute, in Gefahr geriet, alles in Frage zu stellen. – Aber ein Paradies ohne Probleme, gab es so etwas?

Alles ertrank in wildem Gurgeln. Mit einem kräftigen unwiderstehlichen Schwung hatte Tama ihm den Kopf zwischen die Knie gedrückt, riß ihn wieder hoch und begann ihn gnadenlos abzutrocknen.

»Und die Frauen dort, Owaku?«

»Welche Frauen?« schnappte er erstickt.

»Eure Frauen. Haben sie auch so helle Haare?«

»Hm. Viele.«

»Und helle Augen?«

»Schon. Es gibt auch dunkle.«

»Ich liebe helle Haare. Hast du viele Frauen gehabt, Owaku?«

»Es geht.« Sie hatte ihn das schon hundertmal gefragt.

»Und Kinder?«

»Ikai.«

Auch diese Frage wiederholte sie immer, um das »ikai«, sein »nein« zu hören. Es befriedigte sie irgendwie. Sie hatte jetzt seinen Kopf in ihrem Schoß und rieb ihm die letzte Feuchtigkeit aus den Haaren. Auch das hatte er schon erlebt. In Pater Emanuels Hütte. Hoch über ihren Brüsten und den aufmerksamen Augen hatte damals ein Gecko mit schräggestelltem Kopf zu ihnen herabgesehen. Offensichtlich hatte ihn der Anblick amüsiert. Seine kleine Zunge war immer wieder aus dem Maul gekommen, so, als lache er sie aus.

»Owaku, ich habe Hunger.«
»Ich auch.«
»Komm, gehen wir nach Hause ...«

Am späten Nachmittag war es ziemlich stürmisch geworden, im Dorf trieben Staubwolken über den Platz. Doch als es Abend wurde, drang von den Kochstellen der flackernde Schein der Feuer durch die Dunkelheit, und wie immer fühlte sich der Sand unter Rons nackten Sohlen weich und warm an wie Samt.

Ihr »Fale«, das Haus, stand an der Westseite, etwas abgesetzt von den anderen Gebäuden. Es stand in einer Lichtung aus Kokospalmen. Sie öffnete sich zur Lagune und zur großen Durchfahrt der Außenbarriere. Es war der größte Fale des Dorfes. Ron hatte es auf einen Rahmen aus Hartholzstämmen gesetzt. Zwei Reihen solider Zementpfeiler bildeten die Basis. So war es vor Ungeziefer, Kakerlaken und den kleinen Sandwirbeln geschützt, die die Passatwinde herantrugen. Außerdem war der Boden stets angenehm gekühlt. Der Rest war eine Holzkonstruktion. Im rechten Winkel dazu standen das Werkstattgebäude und der Anbau, der die neue Krankenstation aufnehmen sollte.

Alles, einschließlich Funk-Bude, war von einer Mauer zementverbundener Basaltblöcke eingefriedet. Die Mauer sollte Ron und Tama nicht von den anderen trennen, um Himmelswillen, nein, aber der Garten, all die Bohnen, Tomaten, Süßkartoffeln, Bäumchen, Blumen, die hier wuchsen, nachdem Ron zuvor mühsam die Erde herangekarrt hatte, hatten ein wenig Schutz vor dem stets wehenden Wind verdient. Wozu hatte er auch diese idiotische Zementmaschine, deren Motor ständig in die Binsen ging, über dreitausend Meilen weit herangeschafft?

Tama hielt seine Hand, und was aus der Berührung zu ihm herüberfloß, war dasselbe wie immer: Ein stilles Einverständnis, das keiner Worte bedurfte.

Nun drückte sie den Schalter. Die Treppenbeleuchtung flammte auf. Sie tauchte die Hibiskus-Büsche in ihr Licht und ließ die Blätter tiefgrün und unnatürlich erscheinen.

Licht aus den vom Generator gespeisten Batterien statt Feuer und Funzeln – eines der Wunder, die er aus der fernen »anderen« Welt mitgebracht hatte und die ihn damals, vor zwei Jahren, mit Stolz erfüllt hatten. Mit großen Gesten und all den tongaischen Sprachbrocken, die er damals kannte, hatte Ron dem staunenden Volk die Segnungen der Technik zu erklären versucht: »Hier, ein Motor ... wie in meinem Boot. Da der Motor-Saft ... Diesel ... Die ›Mana‹, die Kraft, die hier in die kleinen schwarzen Kästen – Batterien – kommt. Und hier, das, die Drähte, das sind die Rohre, durch die die ›Mana‹ fließt und hier in diesen Birnen wieder zu Licht wird.«

Sie hatten gestaunt, mit offenen Mündern. Die Kinder wollten die hellen Glasfrüchte berühren und zogen erschrocken ihre Hände wieder zurück.

Tama aber hatte kein Wort gesagt. Ihr Gesicht war glatt geblieben, freundlich und vollkommen ausdruckslos.

»Was ist denn, Tama? Was hältst du davon?«

Schließlich: Hatte er nicht noch Steckdosen in der neuen Küche montiert? Kühlschrank, Herd, Elektrogrill statt einer »Kochgrube«! Wenn er da an das Leben in Pater Richards' Hütte dachte – mein Gott, sie mußte doch froh sein! Um den Hals fallen mußte sie ihm vor Dankbarkeit!

Sie fiel ihm nicht um den Hals.

»Pretty complicated.« Sie sprach damals schon besser englisch, als er je tongaisch lernen würde. »Ziemlich kompliziert, findest du nicht?«

Die ganze wunderschöne Anlage mit ihrem Original-GM-Generator, ihren Batterien, Kabeln, Verbindungsstücken, dazu noch seine Vorstellung, alle Menschen von Tonu'Ata mit den Segnungen der Elektrizität vertraut zu machen, – irgendwann einmal, vielleicht mit Hilfe eines zuschaltbaren Wasserwerks Licht auch noch in die letzte Hütte zu bringen, denn schließlich, in der Krankenstation konnte Licht nicht nur wichtig, es konnte lebensentscheidend werden – der ganze Aufwand also nichts weiter als »pretty complicated«?

Alle standen im Kreis und lachten ihn nur freundlich an.

Er aber war sich vorgekommen wie ein kleiner Junge, dem die anderen Kinder beibrachten, daß er mit seinem Spielzeug selber spielen solle, weil es nicht nur uninteressant, sondern irgendwie dämlich sei. Schließlich, mit ihren »Umus«, den Erdöfen, die nichts waren als Feuergruben, und den Öllampen waren sie seit jeher froh und zufrieden.

Außerdem: Welcher vernünftige Mensch bleibt nachts wach, wo doch der Tag schon so lang ist.

Dies in etwa sagte Tapana, der Häuptling. Er legte dabei den Zeigefinger quer über die Stirn. Du bist verrückt, hieß das. Dann aber entschied Tapana, uneingeschränkter und unangefochtener Herrscher, der er nun mal war: »Für dich Licht, Owaku. Für mich auch. Die andern ...« Tapana schüttelte den Kopf. »Zu gefährlich. Viel zu gefährlich.«

Und er hatte recht.

Auch damit, daß Owaku wohl übergeschnappt war.

Ron begriff, was er meinte und verfluchte sich, daß er nicht sofort selbst darauf gekommen war: Ganze Lichterketten wollte er dem Dorf aufstecken – doch was dann? Nicht nur jeder Pilot, der die Insel überflog, auch jeder Skipper, den das Wetter in ihre Nähe trieb, würde von Weitem erkennen: »Tonu'Ata ist bewohnt! Hier gibt's Licht. Hier gibt's Zivilisation. Unglaublich, warum bloß sind wir nicht schon längst dahintergekommen?«

Das Geheimnis von Tonu'Ata wäre aufgedeckt. Und dies wollte Tapana genauso wenig wie Ron. Schließlich herrschte über Tonu'Ata noch immer Onaha, die Schildkröten-Göttin, die Schutzpatronin der Fruchtbarkeit, der Freundschaft, der Liebe und der guten alten Sitten.

Und soll sollte es auch bleiben ...

Sie gingen sehr früh ins Bett an diesem Tag.

Ron hörte noch einmal die Wetternachrichten ab und vernahm dabei zum ersten Mal das Wort »Sturmwarnung«: Ein Hurrikan hatte die Vava'u-Inseln gestreift und sich aufs offene Meer hinaus verzogen. Als Windstärke wurde zwischen fünf und sechs angegeben. Nun, das schien einigermaßen erträglich. Und falls das Unwetter auch Tonu'Ata überrollte, würde es sich weiter abgeschwächt haben.

Der Wind jedenfalls hatte zugenommen. Und was da vom Riff herüberdrang, das war kein Rauschen mehr, das war ein Orgeln.

Ron machte seinen üblichen Rundgang um das Haus, prüfte Türen, Fenster und Verriegelungen, machte einen Dachteil in der Werkstatt wetterfester, indem er ihn mit Seilen am Boden verankerte, und sagte sich dabei das Übliche: Na, so schlimm wird es schon nicht kommen ...

Und so war es auch. Das Gewitter blieb in der Luft, doch es kam nicht.

In dieser Nacht hatte Ron einen Alptraum. Selten, fast nie träumte er von den Jahren, die vor seinem Leben auf Tonu'Ata lagen, doch nun stand er am Fenster eines großen Büros. Er wußte nicht, ob es das seine war. Auf dem Schreibtisch stand ein Monitor und spulte lange Reihen von Zahlenkolonnen ab, ließ sie erstarren, fing wieder an.

Die Tür ging auf. Eine Mädchenstimme sagte: »Ich habe gerade Kaffee gemacht, Herr Hamacher. Wollen Sie auch eine Tasse?«

Er drehte sich noch nicht einmal um. »Nein, nein, lassen Sie mal. Danke«, sagte er und sah wieder hinunter auf die Straße, die in einen Platz mündete. Autos schoben sich dem Platz zu, auf den Bürgersteigen gingen viele Menschen, es war nicht weit zu ihnen, das Bürofenster befand sich im zweiten Stock. Aber wie er sie so betrachtete, erschienen sie ihm sonderbar und merkwürdig, und er fühlte sich, als käme er von einem anderen Stern. Die Menschen unten auf der Straße waren alle warm angezogen, gingen hastig, die Schultern hochgezogen, die Köpfe nach vorne gestreckt, die Hände in den Taschen ihrer Mäntel vergraben. Die meisten gingen in Richtung des Platzes, und er sah die kleinen Atemwölkchen aus ihren Mündern wie winzigen weißen Rauch aufsteigen. Sehr kalt mußte es dort draußen sein!

Dann plötzlich, wie auf das Kommando eines unsichtbaren und unhörbaren Regisseurs, blieben alle stehen. Auch die Autos stoppten. Manche der Wagen versuchten auf der Fahrbahn zu drehen, sie verkeilten sich sofort.

Der große blaue Mercedes direkt unter ihm hatte mit dem Heck seinen Nachbarn gerammt. Die Tür flog auf, ein dicker Mann sprang heraus und zerrte eine Frau hinter sich her. Auch die Menschen auf den Bürgersteigen hatten sich umgedreht und begannen zu rennen.

Er wandte den Blick zum Platz. Dort, wo die Ampeln standen, die den Kreisverkehr regelten, schimmerte alles grau.

Wasser. Eine Welle, eine Flutwelle von Wasser. Die Ampeln hatte sie bereits erreicht und abgeknickt. Nun brach sie in die Straße ein. Dort, wo sich die Welle zu einer Gischtkrone erhob, stand ein sonderbares, gespenstisches Wesen, lang, mager, wie aus Sehnen und braunem Leder zusammengedreht. Es stand auf dem Wellenkamm, den Kopf konnte er bereits erkennen, eine geschminkte Fratze mit zahnlosem Mund und tiefen Falten. Die Augen waren mit roter Farbe gerändert. Der Teufel als Wellenreiter. Und wie ein Wellenreiter hielt er sich auf dem tobenden Wall, seitlich, die Beine gegrätscht, als schieße er auf einem Surfbrett heran. Der rechte Arm war erhoben. Er deutete zu ihm: »Du hast es doch gewollt, Owaku! Aber du wirst es nicht schaffen. Nie ...«

Und dann tobte die Welle durch die Straße, füllte sie mit schmutzigbraunem Rot. Und er wußte, daß die Schatten, die dort unter dem Braun hin und her huschten, Haie waren.

Sein eigenes Stöhnen schreckte ihn hoch. Er setzte sich auf. Völlig dunkel war es. Er tastete nach der Wasserkaraffe, die stets auf einem niedrigen kleinen Tisch neben dem Bett bereitstand. Er fand sie nicht. Aber da lagen die Zigaretten, da war auch das Feuerzeug.

Der Sturm zerrte am Dach, fauchte in den Bäumen, riß an den Palmen und erzeugte ein hohes, sirrendes, metallisch auf- und abebbendes Geräusch, das unterlegt war vom dunklen Grollen des Meeres dort draußen.

In seinem Hinterkopf war ein feines, dünnes Stechen. Herrgott nochmal, und er hatte geglaubt, es hinter sich zu haben! Haie ... Wasser ... Nomuka'la ... Es ließ ihn nicht los.

Er tastete über das Bett zu Tama, spürte die Wärme ihrer Haut, hielt ihren Arm umfaßt. Was war nur geschehen? Du darfst nicht, Owaku ... Du weißt es doch ... – Gut, er hatte es gewußt und war dennoch getaucht. Und sie hatte es hingenommen, war darüber hinweggegangen, hatte ihn geliebt, hatte gesagt: »Ich wußte es doch, Owaku ...« – Auch, daß er auf den Hai getroffen war, hatte sie gewußt. Wie eigentlich?

Nun der Alptraum ...

Was war nur los auf dieser verdammten Insel? Was war aus ihr, war aus ihm geworden? Die anderen lebten in ihrer eigenen Welt. Selbst Tama ... Er konnte es leugnen, konnte sich selbst in die Tasche lügen, sich Illusionen machen, aber es brach doch immer wieder durch. – Ja, wenn du irgend jemanden hättest, dachte er, mit dem du darüber reden könntest, der ähnlich denkt wie du, der aus derselben Vorstellungswelt kommt, einer Welt, in der es weder Geister noch tote Scharlatane gibt, die dir dann im Traum erscheinen und den Schlaf nehmen ... Wenn Jack noch leben würde – mit Jack könntest du dich über alles unterhalten. Er hatte sich die gleichen Schuhe angezogen wie du. Aber Jack Willmore gab's nicht mehr.

Irgend jemand ..., dachte er wieder. Ja, wenn, gottverflucht, wenigstens dieser Franzose mal herkäme! Einer wie er, der jahrelang zwischen den Inseln herumkreuzte, wußte wahrscheinlich am ehesten Bescheid.

Aber vielleicht war auch Gilbert Descartes längst tot...

Tama stand in der Küche und war dabei, Kokos-Creme zu schlagen und den Hummer vorzubereiten, den sie zu Abend essen wollten.

Der Kurzwellen-Sender von R.O.M.-Tahiti brachte klassische Musik. Es war ein Violin-Konzert von Mozart, und Ron konnte sich nur schwer davon lösen, um dann doch durch den Garten hinüber zu Lanai'ta zu gehen, wo er die geraspelten Yam-Wurzeln holen wollte, die Lanai'ta meist bereit hielt.

Als Jack noch lebte, hatten sie oft genug gemeinsam gegessen, und auch jetzt noch lud Lanai'ta Ron und Tama manchmal ein. Dann saßen sie draußen am Tisch unter dem großen Brotfruchtbaum; aber diese Abende waren selten geworden. Lanai'ta beschränkte sich darauf, als die bessere Köchin, die sie nun mal war, Tama ein wenig zur Hand zu gehen, im übrigen aber schien sie auf ihre zurückhaltende, abwesende Art mehr und mehr auf Abstand bedacht, wobei sie sich Mühe gab, nicht verletzend zu wirken.

Ron wiederum half ihr, wo er konnte, reparierte das Dach, hatte einen Ziegenstall gebaut, dann eine Radioantenne, damals, als ein vom Sturm herabgerissener Ast Jacks Antenne zerschlug.

Auch Lanai'ta liebte westliche Musik, vor allem aber wollte sie ihr Englisch verbessern, und so drehte sie manchmal Stunde um Stunde an ihrem Apparat, um irgendwelche australischen oder neuseeländischen Stationen hereinzuholen, lauschte Vorträgen, deren

Inhalt sie wohl kaum verstand. – Tama und Ron hatten sich den Kopf darüber zerbrochen, warum sie das eigentlich tat und waren zu dem Schluß gekommen, daß es die Stimmen waren, die sie an Jack erinnerten oder daß sie sich vielleicht ausmalte, daß diese Stimmen irgend etwas mit Jack zu tun haben mochten ...

Genau das war das Problem: Lanai'tas Fixierung auf den Toten – an alles, was an ihn erinnerte. Jacks Grab in erster Linie, das sie täglich mit neuen Blumen schmückte, aber auch die Dinge, die er hinterlassen hatte, seine vier Bücher, wobei es sich um zwei billige Kriminalromane, um das Bordhandbuch des Puma-Hubschraubers und schließlich um einen Südsee-Roman von James A. Mitchner handelte. Jacks Khaki-Shorts und die Hemden hingen immer frisch gebügelt im Schrank, als müsse er jeden Augenblick zur Türe hereinkommen. Aus dem ausgeglühten Wrack des Puma hatte sie den Steuerknüppel und das zusammengeschmolzene Instrumentenbord entfernt und damit, zusammen mit anderen Dingen, in der Ecke ihres Fales eine Art Reliquien-Schrein aufgebaut, der unheimlich genug anzusehen war: Diese dunkle Ecke mit den zerschmolzenen, verbeulten, armseligen Hubschrauber-Bruchstücken, dem silbernen Zigaretten-Etui, Jacks Sonnenbrille und all dem anderen Kram – sie war die unheimliche Zone, in die sich Lanai'ta wieder und wieder und in letzter Zeit immer häufiger zurückzog, so wie ein verletztes Tier in die Höhle, von der es einen letzten Schutz erhofft.

»Laß sie«, sagte Tama, »Ich werde mit ihr reden. Aber es ist noch nicht die Zeit dazu ...«

Und genauso dachte auch Ron.

Vielleicht war es wirklich noch nicht die Zeit dazu.

Vielleicht aber hielt sie beide nur Feigheit oder Furcht davon ab, etwas zu unternehmen, die Furcht, Lanai'ta mit ungeschickten Worten noch tiefer in die Isolation zu treiben. Mit dem Dorf hatte sie beinahe jeden Kontakt abgebrochen. Und wie immer in derartigen Situationen, nahmen es die Leute dort mit Gelassenheit, mit jenem teilnahmsvollen Gleichmut, der dem anderen sein Schicksal beließ – nicht aus Mangel an Anteilnahme, nein, aus Respekt.

Auf dem Weg durch den Garten fiel Ron etwas ein.

Er blieb stehen, dann lief er hinüber zur Werkstatt, öffnete und holte die runde Kugel aus der Schublade, an der er bereits vor drei Monaten zu arbeiten begonnen hatte und die nun schon wieder vierzehn Tage nutzlos und vergessen hier herumlag. Es war eine Kokosnuß-Schale. Er hatte sie geglättet, eine Öffnung eingebohrt und dann im Innern an einer Art kardanischen Aufhängung eine winzige Glocke angebracht, die er unter den Dingen gefunden hatte, die er aus Papeete damals mitgenommen hatte. Die Idee war, daß die Glocke bimmelte, wenn man das Ding rollen ließ. Aber leider tat sie das nur, wenn sie Lust hatte. – Trotzdem, was er da in der Hand hielt war besser als nichts ...

Jacks Sohn Jacky hockte in seinem Holzstall und spielte mit dem halben Dutzend glänzender Tigermuscheln, die er ihm vergangene Woche gebracht hatte. Ron hatte Jacky auch einen ganzen Sack voll Bauklötzchen angefertigt, sie sogar noch bunt angemalt – aber die Muscheln gefielen dem Kleinen wohl besser. Als er Ron sah, klatschte Jacky dreimal in die Hände, rannte an sein Gitter, verzog das Gesicht zu einem glückseligen Strahlen und trompetete: »Waku-Waku-Waku!«

»Na, du Weltmeister ...«

Er hob ihn raus, und Jacky strampelte nackt und fröhlich in seinen Armen.

Für seine zweieinhalb Jahre war er überraschend groß und langgliedrig, und das Braun seiner Haut wirkte rötlicher als das der anderen Kinder. Er hatte dunkle Haare und wie sein Vater leuchtend braune, warme Augen.

Jacky hatte früh zu laufen gelernt, und es hätte ihm nicht die geringsten Schwierigkeiten bereitet, aus seinem Stall herauszuklettern und zu den anderen Kindern des Dorfes zu laufen, um mit ihnen zu spielen oder sich in irgendeinem der Fales von Frauen und Mädchen oder auch von den Männern abküssen zu lassen. Im Stamm von Tonu'Ata gehört jedes Kind jedem, war in jeder Hütte und in jeder Familie zu Hause, in gewissem Sinne waren die Kinder nicht nur Mittelpunkt, sondern auch Bindeglied des Lebens. Sie genossen alle denkbaren Vorrechte, bekamen, wo immer sie auch sein mochten, zu essen und konnten schlafen oder spielen, wo es ihnen gefiel.

Doch Jacky blieb in seinem Stall. Und brabbelte die tongaischen und die englischen Worte, die ihm seine Mutter beibrachte. Ob es Lanai'ta so wollte, ob sie ihm verboten hatte, zu den anderen Kindern zu gehen oder ob Jacky es instinktiv erahnte – Ron wußte es nicht.

Er warf ihm die Kugel zu. Und siehe da – sie klingelte!

Jacky ließ seine Muscheln fallen und warf sich mit einem Freudenschrei darauf, hob sie hoch, warf sie in die Luft, rollte sie über den Boden – sie klingelte unentwegt weiter.

Zufrieden ging Ron auf Lanai'tas Fale zu ... Er mußte mit ihr wegen Jacky reden. Unbedingt!

Drinnen im Haus herrschte eine angenehme, kühle Dämmerung. Es war wie immer: Jedesmal, wenn er durch die Tür trat, zog sich ihm der Magen leicht zusammen, und er empfand eine Mischung aus Unbehagen und Spannung.

»Hallo, Lanai'ta! Stör' ich?«

»Oh nein ... Warum?«

Sie sprachen englisch, wenn sie zusammenkamen. Auch das war ein Wunsch Lanai'tas. Da stand sie, den Rücken zum Eingang gekehrt, stand in ihrer gottverfluchten Reliquien-Ecke und ordnete irgend etwas.

»Tama hat mich geschickt.«

»Ja, ich weiß ... Ich hab' den Yam schon im Topf. Aber setz dich mal. Ich komme gleich ...«

Jack war Neuseeländer gewesen, und Lanai'ta hatte sich seine weiche, abgeschliffene Aussprache bewahrt. Sie sprach ein unbefangeneres, freieres Englisch als Tama, was vermutlich auf ihr nächtelanges Radiohören zurückzuführen war. Ron sah, daß sie dabei war, einen Strauß Hibiskus auf dem kleinen Ecktisch zu arrangieren: Dem Tisch mit dem Steuerknüppel ...

Er setzte sich und beobachtete sie.

Lanai'ta besaß denselben schlanken, gutgebauten Körper wie ihre Schwester. Auch ihr fiel das Haar dunkelschimmernd in weichen Wellen bis zur Hüfte, und so, im Halbdunkel, hätte dort auch Tama stehen können. Die Ähnlichkeit der Schwestern hatte Ron schon einige Male zu dem Gedanken verführt, was wohl geworden wäre, wenn damals Tapana ihm Lanai'ta statt Tama in die Hütte gesandt hätte. In seinem Elend, seiner Einsamkeit war er so aufnahmebereit wie ein unbeschriebenes Stück Papier gewesen, und so dankbar für jede Nähe ... Aber um Lanai'ta warb in dieser Zeit einer der Söhne Antaus. Ron dankte manchmal dem Schicksal dafür ...

Nun drehte sie sich um.

Lanai'ta war zwei Jahre jünger als Tama, ihr Gesicht wirkte jedoch reifer als das der Schwester.

»Hör mal, Lanai'ta! Tama meint, wir könnten abends wieder mal zusammen essen.«

Das hatte Tama zwar nicht gesagt, sie war so hundemüde wie er an diesem Tag, aber er wollte, er mußte den Satz loswerden. Schon um ihr Kopfschütteln zu erleben.

Und da kam es.

»Lanai'ta ...« Er beherrschte sich. »Lanai'ta, ich will dich was fragen.«

»Ja.«

»Sieh mal, Jack war auch mein Freund. Ich kannte ihn sehr, sehr gut. Auch, wie er dachte ... Glaubst du wirklich, es würde ihm gefallen ... ich meine, glaubst du, es wäre in seinem Sinn, daß du dich so ... nun, wie soll ich sagen –, abkapselst, vom Leben abschneidest, wie du das jetzt tust?«

Die Antwort überraschte ihn. »Nein«, sagte sie. Sie sagte es auf tonganisch: »Ikai.«

»Und warum ...?«

Sie hob die Hand. »Bitte ...«

»Was denn – bitte?«

»Ich will nicht darüber reden.«

»Das sollten wir aber.«

»Ja, das sollten wir ...« Sie nickte feierlich. Und Ron sah, wie sich ihr Mund bewegte, um nach Worten zu suchen, und dann sah er, daß ihre Augen feucht aufschimmerten. Sein Herz zog sich zusammen. »Jack will das sicher so, du hast recht ... aber ...«

»Ja?«

»Ich kann nicht, Owaku. Noch nicht ... Ich bin nicht soweit.«

Ron nickte. Es lief stets auf dasselbe hinaus.

Aus der Ecke funkelte Jacks verfluchtes Zigaretten-Etui. Plötzlich schoß heftige Wut in Ron hoch. Wieso schmiß er den ganzen Krempel, einschließlich Steuerknüppel, nicht durchs Fenster in den Garten, nahm Lanai'ta einfach an der Hand, knallte ihr eine, falls sie sich wehren sollte, schnappte sich auch noch den Kleinen und schleppte beide zu sich ins Haus? Jack hätte es vermutlich so gewollt ...

Ich bin zu feige, das ist es ... Und noch was anderes kommt dazu: Wäre sie eine Palangi, würde sie so denken und fühlen wie wir, dann wäre alles so viel einfacher. Ich hätte meine Argumente, könnte sie überzeugen, den Psychologen spielen ... Aber so? Was soll ich tun, Jack? Du weißt doch selbst, wie das ist: Sie haben nun mal ihren Totenkult, ihre Geister-Tradition. Seit Jahrhunderten ist es in ihrem Blut, vielleicht seit Jahrtausenden. Und nun verwirrt sich in Lanai'tas armem Kopf alles zu einem Knäuel: ihre Liebe zu dir, diese große, ja, furchtbare Liebe, die Unfähigkeit, den Verlust zu verarbeiten und der ganze blödsinnige Aberglauben, den sie mitbekommen hat ... Ich müßte sie einfach zwingen. Nur wie?

Müßte? – Was tat er? Nichts ...

»Wir werden darüber reden«, sagte er. »Schon wegen des Kleinen.«

»Ihm geht es gut.«

»Natürlich ... natürlich.«

Sie gab ihm den Topf. Er überlegte sich einen passablen Rückzug. »Lanai'ta, wir waren heute mit der

›Paradies‹ draußen, um nach Holz zu sehen. Und wir haben welches gefunden. Tiuna-Stämme, fast zwanzig. Wunderbare Stämme.«

»Ja, Owaku.«

Ja, Owaku? Und damit hat es sich, verdammt nochmal?

Er nahm sich zusammen: »Geh doch bitte zu deinem Vater und erzähl's ihm. Wie gesagt, die Stämme liegen in dieser kleinen Bucht direkt unterm Fels. Er kann morgen die Kanus hinschicken. Aber es wäre besser, wenn heute noch einige Männer rübergingen und die Stämme am Ufer festmachten, damit die Dünung sie nicht wieder hinausträgt. – Willst du mir den Gefallen tun? Du kannst ja den Kleinen bei uns lassen.«

Und wieder das Kopfschütteln. »Nein. Jacky nehm' ich mit.«

Er legte die Hand auf ihre Schulter. Ihr Blick senkte sich. Am liebsten hätte er sie jetzt an sich gezogen und gestreichelt. Aber er spürte die Spannung, den Widerstand und unterließ es.

Immerhin, eines hatte er geschafft: Großvater Tapana konnte heute mit seinem Enkel spielen …

4

Am Morgen des Tages, der den Gewittersturm brachte, stand der Mann, der seit Jahren wieder und wieder Ron Edwards Phantasie beschäftigte, am Pier des Hafens Puerto de Refugio auf Vava'u, der Hauptinsel der gleichnamigen Inselgruppe, und kontrollierte zwei Arbeiter, die gerade mit Hilfe eines Krans eine Palette niederließen. Zwölf kleinere Kisten mit Milchpulver standen darauf.

Gilbert Descartes hatte nicht viel Mühe mit den Kisten. Er war ein Berg von Mann, ausgestattet mit einer solchen Fülle an Fleisch und Muskeln, daß er an einen japanischen Ringer erinnerte. Auch das hatte seinen Grund. In seiner Jugend, in der Jugend eines äußerst vielseitigen Lebens, hatte er es bis zum französischen Meister seiner Klasse im Judoka gebracht. Und die Art, wie er nun fast beschwingt und mit einer unglaublichen Leichtigkeit die schweren Kisten im Laderaum seines Schiffes verstaute und sie dort festlaschte, erinnerte daran.

Fertig! Gilbert Descartes flankte über das Schanzdeck hinab auf den Zement, drehte sich um, stemmte die Fäuste an die Hüften und beäugte kritisch sein Boot. Sah ganz gut aus. Alles ordentlich getrimmt ... Das Heck nicht so tief, genau richtig für schweres Wetter.

In gewisser Weise ähnelte das Boot seinem Skipper: Das Alter war nicht mehr zu bestimmen, Boote wie dieses besorgten bereits in den zwanziger Jahren den Kopra-Transport zwischen den Inseln. Dazu schien es ein dutzendmal verändert und umgebaut, und jede Einzelheit verbarg sich hinter einer fleckigen, schwarzgrünen Schicht von Farbe. Der Mast, der ein Stag- und ein Gaffel-Segel aufnehmen konnte, war kurz und gedrungen und wirkte – wie alles an diesem Boot – äußerst zuverlässig und kräftig.

Am Bug stand in weißer, ziemlich unbeholfener Schrift: »Ecole II«

Wenn Descartes bisweilen gefragt wurde, wieso er seinem Kahn den sonderbaren Namen »Schule II« gegeben hatte, antwortete er stets mit breitem Grinsen, wer damit zwischen den Inseln schippere, erfahre die »einzig wahre Schule des Lebens.«

Aber dies war nur ein Teil der Wahrheit. Die »Ecole II« erinnerte an die Zeiten, als Gilbert Descartes sich an einem Lyzeum in Lyon damit abquälte, jungen Mädchen, kleinen Teufeln von Ignoranten, die weiß Gott alles andere im Sinn hatten als dies, in die hohe Gedankenwelt der Philosophie einzuführen. Diese Mühe brachte ihm damals den Spitznamen »Descartes« ein, denn es war ihm wichtig, Descartes Modell der Vernunft in den Mittelpunkt des Unterrichts zu stellen. Aber da er selbst nun doch kein rechter Descartesianer war, folgte bald der Rausschmiß aus dem Lehrerberuf, woran wiederum weniger der Stoff als vielmehr Paulette die Schuld trug, eine unglaublich hübsche und unglaublich frühreife Sechzehnjährige …

An diese große Lebenspleite schloß sich nicht etwa ein ruhiges Leben in der Südsee an, sondern eine wilde, reichlich verworrene Phase, während der ihm die Philosophen einiges an Hilfestellung gaben. Schließlich, und das war nun auch schon wieder fünfzehn Jahre her, hatte Gilbert Descartes dann doch die Südsee entdeckt und unter all den Tausenden von Inseln, Plätzen und Schönheiten den Ort, der ihm am liebsten blieb: Puerto de Refugio, seinen Heimathafen auf der Vava'u-Insel.

Hier und im Ort Neiafu gab's alles, was der Mensch zum Leben brauchte: Ein Post-Office, in dem man Bücher bestellen konnte, nette Leute, die dich in Frieden ließen und keine dämlichen Fragen stellten, gutbestückte Bars, es gab die Burns Philp-Niederlassung, die dir alles besorgte, was du für den Handel brauchst, und wenn Burns wieder mal die Preise hochtrieb, konnte man immer noch zur »Tonga Cooperativ Federation«. Das waren zwar auch Gangster, aber nachdem er einmal so richtig Krach geschlagen hatte, bekam er seine Spezialpreise.

Puerto de Refugio bedeutete nicht umsonst »Zufluchtshafen«. Ein spanischer Galeeren-Kapitän, den es einst auf der Fahrt nach Mexiko von Manila bis hier runter abtrieb, hatte den Namen erfunden, und so hieß er heute noch - ein Wunder von Naturbecken, das sich wie ein riesiger, ewig blauglänzender Fjord in die Kreidefelsen der Insel schnitt.

Wer Hunger hatte, war auch nicht verloren, es gab gute »Guest Houses« oder das Restaurant »La Mer«, wo man die besten Fische essen konnte, oder den »Tonga-Beach-Resort«. Dort servierte Günter, ein Österreicher, einen traumhaften Apfelstrudel.

Sogar ein Kino hatten sie, und das auch noch direkt am Strand. Wenn einer der alten französischen Cinéasten-Streifen aus den fünfziger und sechziger

Jahren gezeigt wurde, war Gilbert Descartes jeden Tag im Vorführraum zu finden. Stumm, mit seinem frommen Kinderlächeln im runden Gesicht, saß er da, putzte manchmal die Brille und sog die Vorstellung gleich zweimal in sich rein ...

Jetzt aber mußte er darauf verzichten.

Die »Ecole« wartete. Drei Wochen, vielleicht einen Monat würde er mit der Ware unterwegs sein. Dies war der erste große Trip seit Jahren ...

Descartes drehte sich um, rollte ein wenig die Schultern, um die Muskelspannung loszuwerden, betrachtete liebevoll Pier, Bucht, Boote, Häuser und den grünen Mount Talau, der das alles überragte, warf einen kurzen, verächtlichen Blick zu dem Warner Pazific-Frachter, der weiter unten vor der Hauptmole lag. Das Wetter gefiel ihm nicht besonders. Dieser milchige Dunst, der sich im Nordwesten in Richtung Mangia zu verdichten schien ... der taugte nicht! Außerdem war es unerträglich schwül.

Er stapfte los. Noch vor drei Jahren war Gilbert Descartes in Neiafu für seinen sonderbaren Gang so bekannt gewesen wie für den Rundkopf mit der Spiegelglatze oder das mächtige Silberkreuz, das er meist auf der muskulösen Brust trug – ein merkwürdiges, plattfüßiges Watscheln war es, wobei die Zehen nach außen und der Oberkörper wie immer mächtig nach vorne gewölbt war.

Doch dann war dieser verdammte schwarze Freitag vor drei Jahren gekommen. Gilbert war an Bord über eine Bananenschale gerutscht und ins Ladegeschirr gestürzt, hatte sich das linke Knie an einer Kistenecke verletzt, mußte sich anschließend im King Taufa-ahau Tupou-Hospital in Pangai einer Operation unterziehen und dachte schon daran, die »Ecole« zu verkaufen. Aber das hätte bedeutet, ein Haus zu bauen. Und genau das wollte er nicht ...

So vertrieb er sich zwei Jahre lang die Zeit, indem er in der Hochsaison den Segel-Lehrer oder Touristen-Führer spielte, irgendwelche Franzosen, Deutsche, Australier oder Japaner in seinem alten Willys-Jeep hinauf zum Mount Talau brachte, zu den Makave-Quellen, zu den Holonga-Stränden oder der Tuafa-Church-Farm im Westen, wo sie sehen konnten, wie Vanille wächst und geerntet wird ...

Seit dem Krankenhaus-Aufenthalt schlingerte Descartes nicht länger, er hinkte. Der junge deutsche Chirurg in Pangai hatte sich zwar alle Mühe gegeben, aber das Hinken würde Descartes sein Leben lang begleiten.

Auf der »Ecole« brauchte er ja nicht viel zu laufen, wenn bloß die Schmerzen nicht wiederkamen ... Und was die Leute im Hafen anging, die grinsten nicht länger, wenn er ankam. Ein Mann, der hinkt, hat eine gewisse Würde.

An Olgas langer Bar saß die übliche Crew. Zwei einheimische Lkw-Fahrer von den Zuckerrohr- und Vanille-Farmen, dann Bannister vom Kunstgewerbe-Center, wie üblich das Glas in der Hand und um diese Zeit schon halb besoffen, Morris, der Verkäufer von Burns Philp, und Toni, ein eingeborener Junge, der für Burns Philp mit dem Boot die Küstenauslieferung besorgte, noch keine neunzehn und sehr schmächtig war – aber einer der besten Seeleute der Insel!

Das Fernsehgerät hing über der Bar und gab sonderbare Geräusche von sich. Der kleine Toni saß davor, die Lippen leicht geöffnet und im Gesicht einen so andächtigen Ausdruck, als verfolge er die Sonntags-Messe.

Hans, ein junger Deutscher, der in einem Anbau das frische Brot buk, mit dem Olga ganz Neiafu und die im Hafen einlaufenden ausländischen Yacht-Besatzungen versorgte, stand hinter der Bar am Bierhahn.

»Auch eins, Gilbert?«

Descartes nickte und dachte an die Kisten im Laderaum der »Ecole«. Auf Tonu'Ata würde er keine einzige ausladen. – Na, mit dem alten Häuptling würde er ein paar Büchsen trinken, das schon, dieser Tapana war wirklich ein Fall für sich. So wie seine ganze Insel. Trank in aller Gemütsruhe Bierchen und verbot dem Rest des Volkes auch nur daran zu schnuppern, weil diese ... wie hieß sie noch, die Schildkröten-Göttin von Tonu'Ata? – Ach ja, weil Onaha nun mal der Ansicht war, daß das, was sich der große Chef leisten kann, für die anderen noch lange nicht gut ist.

»Hier!« Hans schob ihm das Bier zu, Descartes wischte ein wenig Schaum zur Seite und trank den ersten Schluck mit Genuß. Auf Tonu'Ata freute er sich. Würden die Augen machen, wenn er einlief! Ob sie noch immer dasselbe Leben führten? War die Insel noch immer unentdeckt wie zuvor? Er selbst hatte den Mund gehalten, und weder auf den Seekarten noch auf den Hafen-Infos war der Name jemals aufgetaucht.

»Schließ die Tür ab, Toni«, sagte Hans.

Bannister war mit seinem Gin-Glas zum Fernseher gerückt. Auch die anderen Männer kamen jetzt näher und bildeten eine Art Halbkreis. Und alle hatten sie dasselbe dämliche Grinsen im Gesicht. Toni aber rührte sich nicht.

»Na, komm schon, Toni!«

Toni zeigte immer noch denselben töricht verklärten Gesichtsausdruck.

Was guckten die so dämlich? Auch Descartes legte jetzt den runden Kopf in den Nacken und blickte hoch, nahm die kleine Brille mit den runden Metallrändern ab, setzte sie wieder auf, als wolle er sich vergewissern, daß er richtig sah, und alle fingen an brüllend zu lachen.

Auf dem Fernsehbild sah man einen Swimming-Pool. Und am Rande dieses Swimming-Pools, weit zurückgelehnt in einem Liegestuhl, war eine üppige und splitternackte Blondine damit beschäftigt, drei gleichfalls nackte, braungebrannte Männer zu befriedigen ...

»Pornos am Morgen verscheuchen Ärger und Sorgen!« schrie Morris und hob sein Glas. –

Niemand hatte je ein weibliches Wesen auf Descartes' »Ecole« gesehen, aber er war offensichtlich auch nicht schwul, denn er interessierte sich nicht im geringsten für die hübschen Jungens der Insel. Was also war mit ihm los? Eine Zeitlang hieß es, Gilbert sei nicht nur Lehrer, sondern später auch Fremdenlegionär gewesen und habe sogar mit einer Spezial-Einheit in Indochina gekämpft, aber solche Geschichten wollte im Grunde niemand glauben. Dazu kam noch dieses Kreuz, das ständig um seinen Hals hing. So wie jetzt ... Na, ein komischer Heiliger kommt ohne Kreuz wohl nicht aus. Und das war er wohl, ein komischer, ewig freundlicher Heiliger.

»Na, komm schon! Sieh mal, Gilbert!« Selbst Morris, der nie Alkohol, sondern immer nur Limonade trank, hatte das gleiche Glitzern in den Augen: »Sieh doch mal, was die alles kann. – Und sieh dir diese Titten an!«

»Ich sehe nichts.« Gilbert Descartes hatte es schon wieder mit seinem Heineken. »Ich sehe nichts außer einem Organ und ein paar Idioten, die damit nichts Richtiges anzufangen wissen.«

Die einen lachten, die anderen machten dämliche Gesichter.

Hans aber nickte entschlossen und schaltete den Apparat ab. »Gilbert hat völlig recht.«

»Laß doch!« flehte Toni. Er rieb sich die Augen, als habe er sie überanstrengt.

»Ja«, sagte Gilbert, »schalt wieder ein. Aber nicht das Video. Vielleicht gibt's irgendwo einen Wetterbericht.«

»Du hast deine ›Ecole‹ ja ganz schön vollgestopft«, meinte Morris. »Willst du tatsächlich heute noch raus?«

»Wieso denn nicht?«

»Wieso? Weil sich da was zusammenbraut.«

»Und?« Descartes lächelte sein Lächeln. »Laß es doch. Ich hab' es gesehen.«

»Aber den Wetterbericht nicht. Ich hatte vorhin das Radio an. Drüben in Sava'i ging's ganz schön rund. Die hatten Stufe eins. Da hat's ganze Plantagen und Dörfer umgeblasen.«

»Ein Hurrikan?«

»Nein.« Morris schüttelte den Kopf. »So ein richtig schönes Gewitter mit Sturm.«

»Samoa ist weit.«

»So? Meinst du? – Okay, das weißt du viel besser als ich.«

»Ich?« lächelte Descartes. »Ich werde mich hüten, etwas besser zu wissen!«

Er griff in die Tasche seiner Jeans und warf zwei tongaische Dollars auf die Theke. Hans wollte rausgeben, aber Descartes schüttelte lächelnd den Kopf.

»Du wolltest doch noch den Wetterbericht …«

»Das würde auch nichts ändern«, meinte Descartes. »Oder?«

Sie sahen ihm nach, wie er an den Tischen vorbei zum Ausgang humpelte. Ein komischer Heiliger? Vielleicht. Aber auch ein verdammt netter Bursche.

Draußen war Wind aufgekommen und blies Papierschnitzel und Sand über die Zementeinfassung des Hafenbeckens. Das weiße Warner-Pazific-Schiff stieß gerade einen Dampfstrahl aus. Er wurde sofort erfaßt und in Richtung Osten umgeknickt.

Gilbert Descartes humpelte seiner »Ecole« entgegen ...

Der Pai hob das Zielfernrohr erneut vor die Augen und blickte durch die Optik. In dem bläulichen Kreis konnte er klar erkennen, was er suchte: Das graue Zementband der Mole, die Yachten an den Anlegestellen und das Schiff, diesen sonderbaren, unförmigen, schwarzgrünen Kopra-Kahn, der den ganzen Tag hindurch beladen worden war.

Wenn er das Glas ruhig hielt und ein wenig nach rechts schwenkte, sah er auch den Mann wieder: Den Dicken mit seinem glatzköpfigen Schädel. Eines stand nun fest: Er ging auf das Schiff zu! Ja, jetzt hatte er es erreicht!

Was macht er nun? fragte sich der Pai. Verschwindet er im Steuerstand? Ob er die Maschine anwirft? Doch, ja, er wirft die Bugleine los ...

Na also! Endlich! Aber laß ihn ruhig fahren. Bis der Glatzkopf mit dem alten Diesel den Hafen durchquert und den Leuchtturm von Ululei erreicht hat, dauert es sowieso noch eine halbe Stunde. Und auch dann ist noch nichts zu machen. Erstmal zusehen, wo er überhaupt hin will. Richtung Hunga und Tongatapu, oder nördlich nach Vava'u ... Aber ganz egal, wohin er fährt – den holen wir ein!

Zufrieden steckte der Pai das Zielfernrohr zurück in die Lederhalterung, sprang von seinem Felsen herab, um zu seinen Leuten zu gehen.

Doch abrupt blieb er stehen.

Sein Gesicht wirkte nun noch flacher, noch starrer als sonst.

Und dann schrie er.

Die vier Männer fuhren hoch. Was der Pai schrie, verstanden sie nicht, das war wahrscheinlich malaiisch, aber sie brauchten ja nicht zu verstehen, sie wußten sowieso, was jetzt kommen würde. Dabei hatten sie nur ein kleines Feuer gemacht, ein ganz kleines, und das hinter dem Schutz der Steine, weil es, bei dem blödsinnigen Wind, der da aufgekommen war, gar nicht anders ging. Die beiden Suwa-Vettern hatten ein Huhn im Proviantsack, ein Fertighuhn aus dem General-Store, und das wollten sie nun braten, aber das gefiel dem Pai wohl nicht.

Da stand er und starrte sie an.

Sie waren alle aufgestanden. Tanoa, der kleinere der Suwa-Vettern, begriff als erster, um was es ging, und stieß mit den nackten Zehen das Feuer auseinander. Aber auch das änderte nichts. Der Pai stand noch immer da und schrie. Er war klein, der kleinste der Männer, die alle muskulös gebaut waren, wie die meisten Fidschis. Und er war nicht nur klein, schmal war er wie ein Fisch. Mit seinem glatten, kaum behaarten Malaien-Gesicht wirkte er noch jünger als Levuka, der gerade erst achtzehn geworden war.

Aber die Augen, diese schrägen Augen – sie schienen wie die Augen der Geister keine Jahre zu kennen.

»Hier sieht uns doch keiner.« Ma'afu, der Älteste, ein Fischer aus Lautoka, wagte wenigstens etwas zu sagen.

»Wir haben Hunger.« Doch da war der Pai schon heran. Sie hatten gar nicht richtig gesehen, wie er zum Sprung ansetzte, da hing er bereits in der Luft. Nein, sie begriffen nicht, was und wie es passierte. Das linke Bein des Pai schnellte zum Kinn-Kick hoch, Levuka schrie auf und flog in einen Busch, und während des selben Herzschlages mußte es geschehen sein, als die Handkante des Pai aus der Drehung Ma'afu traf. Ohne einen Ton sackte der große Mann zusammen.

Sie sahen sich an. Ma'afu rieb sich schweratmend die Stelle, wo der Pai ihn getroffen hatte.

»Ihr hirnlosen Affen«, schimpfte der Pai, »nur Gott mag wissen, warum ich mich mit euch überhaupt abgebe.«

Und das nun sagte er in fließendem Polynesisch ...

Der richtige Name des Pai war Ramusa. Ramusa stammte aus einem kleinen Fischernest, das etwa sechzig Kilometer westlich der malaysischen Provinzstadt Muar lag. Schon sein Vater und sein Großvater waren Fischer gewesen. Fischer waren sie alle im Dorf Kukup.

Aber dann waren die großen Holzfirmen gekommen, zunächst die Australier, dann die Japaner, und die Timber-Leute hatten einen Hafen errichtet und alles, was in der Gegend wuchs, abgeholzt. Für Fischer und Seeleute gab es keinen Platz mehr. Und da sie weder Holz fällen noch verhungern wollten, war für viele von den Leuten auf den Inseln um die Straße von Malakka ein anderer Fang wichtig geworden: Schiffe! Schiffe und alles, was sich darauf bewegte oder transportiert wurde.

Ramusa schloß sich einer Piratengruppe an, die sich nicht nur auf den Überfall von Schiffen, sondern auch von einzeln stehenden Bauernhöfen, Kampongs und

Dörfern spezialisiert hatte und die dem Kommando von Hitam unterstand, der bald wegen seiner skrupellosen Grausamkeit in der ganzen Region berühmt werden sollte. Aber er hielt die Polizei, sogar den Gouverneur von Muar mit Schmiergeldern ruhig.

Zunächst amüsierte Ramusa die Männer, indem er ihnen ständig irgendwelche frommen Psalmen vorsang, die er in der Missionsschule gelernt hatte. Aber im selben Jahr noch bekam er den Spitznamen »Zwei-Hand-Kris«. Ramusa war Links- und Rechtshänder. Das bewies er im Umgang mit dem Kris, dem malaiischen Dolch. Und er bewies es besonders eindrucksvoll in einer Juninacht, als Hitam und seine Leute einen abgelegenen Kampong überfielen.

Ohne auch nur die geringste Gefühlsregung zu zeigen, schnitt Ramusa den neun Menschen, die sie zusammengetrieben hatten und die nun am Boden kauerten, die Kehlen durch. Es waren fünf Männer und vier Frauen.

Zuerst nahm sich Ramusa die Männer vor. Er packte sie an den Haaren, drückte das rechte Knie von hinten gegen ihren Rücken, riß ihnen den Kopf zurück und zog den Kris von rechts durch den Hals. Bei den Frauen verfuhr er auf dieselbe Weise. Mit dem linken Knie und von links.

Ramusa kam nicht dazu, weitere Proben seiner Geschicklichkeit unter Beweis zu stellen. Drei Wochen nach dem Massaker wurde seine Gruppe von einer Spezialeinheit bei dem Besuch des Nuttenviertels von Muar aufgegriffen. Hitam hatte es zu lange aufgeschoben, bei dem Gouverneur den Umschlag mit Geld abzugeben.

Von den elf Männern der Gang gelang Ramusa als

einzigem die Flucht. Er verbarg sich im Maschinenraum eines nigerianischen Frachters, erreichte Kuala-Lumpur, und da er genügend Geld besaß, flog er zunächst nach Papeete, dann aber nach Nandi auf den Fidschis, einem der größten Verkehrsknotenpunkte der Pazifikinseln.

In Nandi wiederum schlug er sich eine Zeitlang als Hafenarbeiter und Kellner in billigen Hotels durch, bis er dann die andern traf und ihnen beibrachte, wie sich auf einfachere und interessantere Weise Geld verdienen ließ. Schließlich – Fischer und Kriegersöhne waren sie alle. Und vom Meer verstanden sie viel. Man mußte nur die richtigen Geister um sich haben, – oder zu Jesus und seiner Mutter beten, wie Ramusa das oft tat – und schon kam die große Chance. In Samoa, zum Beispiel, hatten sie dreimal Glück gehabt. Sie hatten eine gute Beute gemacht. Nun war es eine Zeitlang still gewesen.

Die Gruppe nannte Ramusa »Pai«, das hieß Kapitän, und es paßte auch zu ihm. Denn wie der echte Führer eines Kriegskanus ließ er nicht den geringsten Widerstand zu und war am Feind stets der erste, auch wenn er ein Malaie war.

Mit dem Pai war das Glück, sie wußten es. Und wenn sie den dicken Mann mit dem roten Kopf erledigt hatten, diesen Idioten von Palangi, der da den ganzen Morgen nichts anderes tat, als in sein Boot irgendwelche Kisten zu laden, dann würde es auch wieder Discos geben, Rock, Whisky, Bier und Weiber. Ja, viele, viele Weiber …

Die Radiostation von Lifuka hatte nun doch ein Tiefdruckgebiet im Nordwesten, in der Gegend von

Sava'i und Pago Pago, gemeldet und schlechtes Wetter angekündigt.

Descartes stopfte den Tabak in seiner Pfeife fest. Schlechtes Wetter, was hieß das schon? War nicht gerade eine Hurrikan-Meldung ausgegeben, zerbrach sich Descartes über solche Sprüche nicht den Kopf.

Und so nahm die »Ecole II« weiter Kurs nach Norden, dem Äquator entgegen, der indigoblauen See.

Was Descartes nicht beobachtete – und was ihn, falls er es doch getan hätte, mit Sicherheit genauso wenig interessiert hätte wie die Wettermeldung – war das Fischerboot, das weit hinter ihm die Inselpassage zwischen Utungake und Tuanuku durchlief. Dieses Boot hatte einen dunklen, fast schwarzblauen Anstrich, so daß er selbst durch das Glas nur schwer zu entdecken war. Es war extrem schlank geschnitten und besaß einen ziemlich hoch aufragenden Steven. Auf beiden Seiten des Bugs waren rotweiße Augen gepinselt, die Dämonen abwehren sollten.

An Bord befanden sich fünf Männer. Das waren bei einem Boot dieser Größe zwei zuviel – falls es darum gegangen wäre, Netze auszubringen oder sie wieder einzuholen.

Doch darum ging es nicht.

Die fünf suchten eine andere Beute.

Kaum waren sie einigermaßen außer Sicht der Hafenstation und der Häuser von Puerto de Refugio, zogen sie vom Heck eine ausgebleichte Militärplane ab. Was zum Vorschein kam, war ein starker Johnson-Außenbordmotor und Waffen: Drei chinesische Automatgewehre, dazu eine tschechische Sten, auf deren Stummellauf ein handgeschmiedetes Rohr als Schalldämpfer geschoben worden war, und eine alte amerikanische Browning-MP. Zwei Militär-Pistolen lagen in einer Munitionskiste voll Ersatzrahmen, Handgranaten und Magazinen.

Die fünf Männer nahmen ihre Waffen mit der gelangweilten Sachlichkeit in die Hände, die bewies, daß sie damit umzugehen verstanden. Keiner von ihnen sprach ein Wort.

Der Pai trug ein rotes, verschwitztes Stirnband, das die schwarzen, glatten langen Haare zusammenhielt und die große, schlecht verheilte Narbe verdeckte, die vom Haaransatz bis zur rechten Braue reichte. Auf der schmächtigen, glatten, schweißigen Brust hingen drei Ketten. Zwei waren aus Betelnüssen und Haizähnen gefertigt, Glücksbringer, wie sie bei den Inselbewohnern der Straße von Malakka üblich sind, die dritte war eine Silberkette, an der ein Marien-Medaillon hing.

Er saß vorne am Bug. Er nickte, als ihm einer der Männer die Sten brachte, ließ das Schloß einrasten, prüfte die Sicherung und richtete den Blick wieder nach vorne. Seine dunklen, langbewimperten, schräg geschnittenen Augen suchten das Schiff dort vorne, diesen alten, umgebauten Kopra-Kahn mit dem sonderbaren Namen. Es hatte sich bereits ziemlich abgesetzt.

Kaum hatten sie den Hafen verlassen, war die See unruhig geworden, und der kleine, schwache japanische Yamaha, den sie zur Tarnung angebracht hatten, hatte zu kämpfen. Das Großsegel der »Ecole« aber war prall gefüllt. Nun wechselte sie erneut den Kurs, ging auf Steuerbord, Richtung Nordost.

Die Männer schoben den schweren Johnson-Außenborder von der Bootsmitte ans Heck.

»Was ist los, Pai?«

Der Pai gab keine Antwort. Er hatte den linken Zeigefinger an die Nase gelegt und die Oberlippe hochgezogen.

Sie warteten. Er hatte ihnen Geduld beigebracht, aber auch, daß man als Fischer nicht zu verhungern braucht, daß man sogar all die schönen Dinge haben kann, mit denen die Reichen in den Städten und Touristenzentren herumspielen: Schuhe, Kleider, Kassettenradios, gutes Essen, Bier, Whisky, Mädchen. Man bekam alles, wenn man es nur richtig anpackte, keine Angst hatte, die richtigen Waffen und den richtigen Anführer besaß.

Ma'afu brach das Schweigen.

»Was ist, Pai? Sollen wir nicht den Johnson montieren?«

Ja, was war? Der Pai fluchte ... Wo wollte dieser Drecksack von Franzose hin? Wieso lief dieser dicke, alte fette Kahn so schnell? Dabei war er bis zur Wasserlinie beladen!

»Wann geht's los, Pai?«

Ja, wann? Was wußten diese Baumaffen schon vom Geschäft? Los und drauf – und das war's dann. Die »Ecole« aber, oder wie dieser komische Kahn hieß, lag bereits gute vier Seemeilen querab und hielt noch immer stur ihren Kurs. Wohin eigentlich? Da gab's doch nichts? ...

Der Pai hob die Hand. Setzt den Außenborder, hieß das.

Das schafften sie auch in wenigen Minuten. Aber was half der Johnson noch? Gerade hundert Liter faßte dieser Mülleimer von Tank. Ja, wenn der Franzose nach Süden geschwenkt wäre, in Richtung der Ha'apai-Inseln, wie er vermutet hatte, dort lagen Dutzende unbewohnter Atolle, und in ihrem Schutz wäre es ein Kinderspiel gewesen, den Franzosen fertigzumachen, die Ladung irgendwo an Land zu verstecken und sich gemütlich abzusetzen.

Aber der Kerl mußte nach Norden, einfach nach Norden. Wohin? Ins Nirgendwo ...

In ohnmächtigem Zorn schlug der Pai die geballte Faust auf den Dollbord.

Der Außenborder dröhnte jetzt auf vollen Touren. Laß ihn laufen. Den Mist-Franzosen holen wir schon ein. Nur - wann? Und was mach' ich mit dem Diesel-Treibstoff, den er an Bord hat? Ich brauch' Benzin ...

Der Pai drehte sein Gesicht dem Fahrtwind entgegen.

Die Sonne hatte sich nun völlig hinter einem Schleier verzogen, dort, wo der Franzose hinfuhr, wuchsen dunkle Wolkenberge, sie wuchsen hoch, viel zu hoch für des Pais Geschmack. Die offene See, die mochte er nicht; sein Revier waren die Inselküsten, die Lagunen oder die Flußmündungen der Inseln, über die die Mangroven wuchsen, waren die Schiffsstraßen Indonesiens, auf denen die Küstenfrachter so dicht unter Land vorbei mußten, daß man nach ihnen greifen konnte, vorbei an den dschungelbewachsenen Hängen, in die man sich zurückziehen konnte, wenn es heiß wurde.

Nun aber, nun war der Franzose schon kaum mehr zu sehen, war nichts als ein winziger, heller Punkt in der auf und ab tanzenden, sich grau färbenden See.

Und der Johnson trieb das Boot immer weiter hinaus ins Meer. Die Bugwelle entfaltete sich wie zwei weiße Flügel.

Der Pai, der das Fluchen satt hatte, begann zu singen - wie immer, wenn ihm der Zorn die Kehle zusammendrückte. Heilige Lieder sang er dann, fromme Psalmen, die ihm die portugiesischen Padres in seiner Kindheit beigebracht hatten.

»Dominum nostrum Jesum Christum Filium tuum«, sang der Pai. Und: »Lobt den Herrn, ihr Himmelschöre, lobt ihn alle, seine Engel, lobt ihn dort in je-nen Hö-hen ...«

Nun hätten die frommen Padres sich vermutlich bekreuzigt oder wären in Ohnmacht gefallen, hätten sie vernommen, mit welch unflätigen, grauenhaften Worten der Pai ihre Texte entstellte. »Jesus liebt dich, Musa«, hatten sie ihm damals gesagt. »Hätte er dir sonst eine so schöne Stimme verliehen?«

»Ja, Jesus liebt mich!« schrie der Pai. Er schrie es in seiner Muttersprache. Dann schrie er auf englisch: »Fuck me, Jesus!«

Er lachte, als seine Komplizen ihn anstarrten. Hatten diese Kokosfresser denn noch immer nicht begriffen?

»Jesus liebt mich!« brüllte er sie an. »Seine Mama sowieso. Sie lassen ein Wunder geschehen. Jetzt. Gerade. Habt ihr Augen oder Steine im Kopf oder was?«

Und der Pai deutete mit ausgestrecktem Zeigefinger auf die große weiße Yacht, die gerade mit gerafften Segeln hinter der Ostspitze der Hunga-Insel auftauchte, um Kurs auf den Puerto de Refugio zu nehmen.

José Ramon Jimenez hatte eigentlich gehofft, im Puerto de Refugio, und zwar in einer der Bars, die ihm das nette neuseeländische Ehepaar empfohlen hatte, das sie in Pangai getroffen hatten, ein ordentliches Frühstück, sogar eines mit frischgebackenem Brot, zu sich zu nehmen.

Doch daraus war nun leider nichts geworden: Wind war aufgekommen, die See wurde ziemlich grob, und dagegen mit dem Katamaran anzukreuzen, dazu fühlte er keine besondere Lust. Dort drüben waren ja schließlich schon ganz deutlich die Umrisse des Mount Ungalafa zu erkennen. José Ramon Jimenez, Comandante der königlich-spanischen Marine im Ruhestand, ließ die Motoren anspringen.

Eine Illusion weniger. Na und? Ein Segeltörn wie der, was ist das schon? Nichts anderes als eine Kette unverhoffter Rückschläge, unterbrochen von reichen, überreichen Erlebnis-Geschenken.

Er überprüfte nochmals den Kurs und ging dann auf die Heck-Plattform des großen Katamarans. Er war durchaus zufrieden, mehr noch: ein beglückendes Abenteuer war die ganze Reise gewesen. So etwas wie die Krönung dessen, was man so gern ein »erfülltes Berufsleben« nennt. Warum auch sollte er sich beklagen? Der Comandante hatte Jahrzehnte als Marine-Attaché bei befreundeten, vor allem südamerikanischen Staaten zugebracht, um sich dann, wenn ihm der Schreibtisch-Job zum Hals heraushing, einen Segeltörn – und nun, nach seiner Pensionierung – sogar diese große Südsee-Reise zu leisten.

Die »Estrella II« war, wie eine Hochsee-Yacht, mit allen Schikanen ausgerüstet. Alfonso, ein alter Freund aus Diplomatentagen, hatte sie ihm vermittelt. Eigentlich hatte er noch einen Vorschot-Mann mitnehmen wollen, aber Elena, die doch im Grunde nichts anderes war als eine typisch spanische Hausfrau, hatte sich als hervorragendes Crew-Mitglied entpuppt.

Er warf sich in seinen Liegestuhl. Den Tee hatten sie hinter sich, hungrig war er noch nicht, das konnte warten, und die paar Marmeladekekse, die Elena dazu serviert hatte, reichten ihm völlig aus. Man wird bescheiden. Auch Elena war es geworden. Alle Härten, die ein Bootsleben nun mal mit sich bringt, überstand sie mit Humor und Gelassenheit. – Ihr aber schlechtes Wetter oder gar einen Sturm zuzumuten, das ging wohl zu weit.

Die »Estrella« fand zwar allein ihren Kurs, aber nun mußte er rauf ins Cockpit. Als José Ramon Jimenez den Salon durchquerte, nahm er das Fernglas vom Bord. Es war ihm, als habe er irgendwo dort draußen einen Punkt ausgemacht.

Er nahm das Glas an die Augen – ja, richtig, ein Boot ...

Die Vergrößerung holte die Einzelheiten heran: Ein Boot mit einer Kutter-Takelung und von ziemlich sonderbarem, unförmigem Aussehen. Aber ohne Zweifel, dieses schwarze Ding dort hielt sich ganz gut. Und steuerte – wohin? Nach Norden, genau in die Wetterfront, die sich immer deutlicher mit höherwachsenden Wolken abzeichnete, mitten rein in die Gefahrenzone also. Ein guter Seemann mußte das sein – und dazu seiner Sache verteufelt sicher.

Aber was heißt schon Gefahrenzone? dachte der Comandante. Hätte ich Elena nicht dabei, würde mir das bißchen Wetter auch keine großen Sorgen machen. Und der Skipper dort kennt die Gegend. Aber wieso eigentlich läuft er diesen Kurs? Was kommt denn dahinter? Nichts. Nichts, als Wasser ...

Vielleicht war es gerade dieses Rätsel, das den Comandante von der Gefahr ablenkte, die ihn selbst bedrohte.

Und das war eine unmittelbare, dazu absolut tödliche Gefahr …

Bei Elena Maria Jimenez verhielt es sich anders. Elena Jimenez war sich sofort bewußt, daß irgend etwas nicht stimmte, wenn sie auch das Ausmaß der Bedrohung zunächst falsch einschätzte, und das schon deshalb, weil sie sich gar nicht vorstellen konnte, was auf sie zukam.

Elena Maria Jimenez stand in der kleinen Kombüse der »Estrella«. Sie war dabei, das Teegeschirr zu säubern und zu verstauen. Gerade schob sie die Bitterorangen-Marmelade, ohne die es für José kein Frühstück gab, das diesen Namen verdiente, in den Eisschrank: Bitterorange von Catalina, Josés alter Köchin, selbst eingemacht. So verrückt war er danach, daß er das Zeug im Fluggepäck um den halben Erdball mitgeschleppt hatte. – »Weißt du, Elena, das ist nun mal der Geschmack meiner Kindheit …« pflegte er zu sagen.

Eines der beiden Kombüsenfenster war auf der Steuerbordseite des Kabinenaufbaus angebracht. Elena Maria Jimenez hielt noch immer das Marmeladenglas in der Hand, als sie hinausblickte. Das Glas rollte über das Eisschrankgitter und schlug auf den Boden. Sie beachtete es nicht. Ihre Augen waren ganz weit geöffnet. Und in ihr war ein Gefühl, als durchfließe sie ein Strom heißen Bleis.

Das Boot dort draußen, ganz nah …

Dios mio, was will das Boot?

Fünf Männer saßen darin.

Fünf braungebrannte, wilde, junge Gesellen. Einheimische. »Kanaken«, sagte José immer. Inselbewohner waren das, jawohl, Kanaken …

Auch das Boot mit diesen beiden schrecklichen Augen am Bug war ein einheimisches Fischerboot. Nur daß es ihr schnittiger, eleganter erschien als die, die sie schon gesehen hatte. Und außerdem: Es war mit einem ganz starken Außenbordmotor bestückt.

Das Boot hielt direkt auf sie zu. Den Motor konnte Elena Maria nicht hören.

Vielleicht hatten die Männer ihn abgestellt? Oder er lief nur auf ganz niederen Touren? Aber was wollten die Fremden? Wieso kamen sie so nah heran, immer näher ... näher und näher ...

Wie gelähmt preßte sie die Stirn an das Glas.

Und dann sah sie es – und wußte, daß dieses dumpfe Gefühl von Angst, dieser Knoten im Hals zu Recht bestand.

Ganz vorne am Bug kauerte ein schmächtiger Mann mit einem roten Kopftuch. Ketten hatte er um den Hals, genau, jede Einzelheit konnte sie sehen. Und was er in der Faust hielt, dieses schwarzglänzende Ding, das war doch eine Waffe? Eine Maschinenpistole, genauer gesagt!

»Dios mio«, flüsterte sie, »heilige Jungfrau, hilf.« Dann griff sie nach dem Hörer des Bord-Intercomes: »José ... José ... José, melde dich doch! Bitte ...«

An ihren entsetzten Augen glitt das Boot vorüber. Fünf, ja, fünf Männer waren es. Und nicht nur einer trug eine Waffe, alle hatten sie Waffen.

»José ... José, sag doch was!«

Aber niemand antwortete ...

Als der Comandante das Boot sah und feststellen mußte, was gespielt wurde, war es spät – zu spät.

Der Haken des Enter-Seils hatte sich bereits in die Reling eingehakt.

Die »Estrella« zog ihr Dinghy an einer Leine hinter sich her. Das Beiboot schwang jetzt herum, kurvte wild durch das Wasser. Die Männer zogen es an ihr Boot, und zwei Männer sprangen hinein, verkürzten mit kurzen, geschickten Bewegungen den Abstand und waren schon auf dem Steuerbordrumpf des Katamarans.

Der Comandante hatte sich aus seinem Sessel hochgeschoben. In ihm war eine völlige Leere, kaum ein Gedanke hatte darin Platz, nichts als dies: Das träumst du. Das ist ein Film! Gleich sagt jemand: »Aufnahme abbrechen« oder so etwas Ähnliches …

Aber der Film lief weiter.

Einer dieser Burschen schwang sich nun über die Reling und hielt sein Automatgewehr hoch. Es war Levuka, der Jüngste, aber mit seiner Affen-Behendigkeit hatte er sich für derartige Arbeiten immer am geeignetsten erwiesen. Und nun, nun war auch der Pai an Bord der »Estrella«.

Da stand er nun, stand mit all seinen Ketten und dem Amulett auf der schmalen Brust, Ölspritzer auf den schimmernden Schultern und einem freundlichen Lächeln auf den kindlich aufgeworfenen Lippen, um die ein paar dünne, schwarze Barthaare wucherten.

»Hallo, Mister! – Morning.«

José Ramon Jimenez brachte keinen Laut heraus. Er hob nur kurz die rechte Hand. Und warum er das tat, wußte er selbst nicht. Aber er sah alles zur selben Zeit: Waffen, – den Aufdruck ROCK YOU – LUCKY EDDI'S DISCOTHEK – SUVA auf dem roten T-Shirt des zweiten Burschen, der noch jünger schien als der erste, sein Lächeln und die weißen, kräftigen Zähne. Suva? Wo lag denn Suva? – Richtig, das war doch der Hauptort der Fidschis!

Aber was taten die Burschen hier?

Und dann sah der Comandante die schwere Heerespistole, die schräg im Gürtel des Jungen steckte. An ihr blieb sein Blick hängen. Eine Makarov. Er dachte es mit einer Art mechanischen Sachlichkeit. Und ein 9-mm-Kaliber. Er kannte die Waffe nur von Instruktions-Abbildungen, aber diese hier war echt!

»Hello, hello!« Auch der zweite sagte es und winkte fröhlich mit der linken Hand. Die rechte hielt ein Automatgewehr. »Morning.«

»Morning. – What are you doing around here? What kind of visit is this?«

Der Comandante hatte beschlossen, die Dinge mit Ruhe und Umsicht zu nehmen. Sogar ein Lächeln brachte er zustande.

Nun tauchten auch die anderen schwarzen Köpfe über der Bordwand auf. Naßtriefendes, schwarzglänzendes Haar, Schweißbänder, braune Schultern ... Ein dritter stand jetzt an Deck, er war der größte von allen, hatte einen breiten, muskulösen Brustkorb und dunkle, finstere Augen. Auch er hielt so ein verdammtes Automatgewehr in der Hand. Vielleicht war er ihr Anführer?

José Ramon Jimenez war ein mutiger Mann. Doch nun war in ihm nichts als Angst.

Piraten!

Es war, als spalte das Wort seinen Schädel. Sein Herz begann zu hämmern, der Nacken verspannte sich. – Piraten? Aber das war doch ausgeschlossen!

In rasendem Wirbel suchten seine Gedanken nach einer Antwort, nach einem Ausweg, nach irgend etwas ... Piraten in der Südsee? Wer hat je davon gehört oder gelesen? Piraten gab's in der Straße von Malakka, es war eine Form von Elendskriminalität. Das waren dann halb verhungerte Fischer, denen nichts anderes übrig blieb, als Yachten, Küstenfrachter, kleine Tanker, selbst andere Fischerboote zu entern. Aber diese Szene hier war Tausende von Meilen entfernt. Piraten gab's doch nicht in Polynesien, nicht in der Südsee, auf den Pazifik-Inseln ...

Der Kleinste, der mit der MP und dem roten Kopftuch, machte einen Schritt auf ihn zu, noch immer grinsend. Aber Jimenez sah, wie sich der häßliche, handgefertigte Schalldämpfer auf ihn richtete, und da war etwas in den Augen dieses Kerls, das ihm einen kalten Schauer über den Rücken jagte.

»You money?«

Natürlich, dachte er, was sonst? Gib ihnen Geld. Aber du hast ja nichts an Bord. Nichts Wesentliches jedenfalls. Reine Vorsichtsmaßnahme ... Schon im Yacht-Club in Panama haben sie es dir erzählt: »Paß auf. Geklaut wird überall. Nimm deine Kreditkarten mit, aber laß kein Geld rumliegen.«

»You want money?« Er konnte noch immer lächeln.

»Yes! Much money ... You got money, Mister?«

Der Comandante warf einen Blick hinüber zur Insel. Mein Gott, die Küste war so nah! Vielleicht taucht jetzt ein Polizei-Boot auf. Oder irgendein Boot. Er war zum ersten Mal hier. Ein wunderschöner Hafen ist das, hatten sie ihm gesagt. Und ein wunderschöner Hafen wird doch eine Coast-Guard haben. Oder eine Hafen-Behörde, irgendeine Behörde ...

»I have some money«, hörte er sich sagen. »Ich hab' schon ein bißchen Geld an Bord.«

Der mit dem Stirnband grinste: »Ein bißchen?« Dann drehte er den Kopf, stieß ein paar Worte in einem Eingeborenen-Singsang hervor, und die anderen lachten.

Auch José Ramon Jimenez fühlte, wie sich in seinem brettharten Gesicht die Mundwinkel verzogen. Psychologisch vorgehen, mit den Wölfen heulen …

Dann dachte er an Elena, und mit jeder vernunftgesteuerten Überlegung war es vorüber. Zulassen, daß dieses Rattenpack Elena erschreckt? Zusehen womöglich, daß sie mit ihren dreckigen Fingern an ihr herumtasten? – Niemals! Was sind die schon?

Der Comandante wirbelte herum, um den Bootshaken zu greifen, der an der Reling lag … Kanaken! Würstchen! … Schießen werden die nie … Sind viel zu feige dazu … Er dachte es, hatte den Bootshaken schon zum Greifen nah.

Viel zu feige … – Im winzigen Zeitbruchteil, als sich die Kugeln aus Pais Maschinenpistole in seinen Rücken bohrten, vereinigten sich Hoffnung und Entsetzen.

Der erste Einschlag saß dicht über dem linken Hüftknochen, der zweite zerfetzte José Ramon Jimenez' Niere, der dritte die Wirbelsäule, der vierte seine Lunge. Der Comandante spürte das alles nicht. Er war auf der Stelle tot.

Doch der Pai gab sich damit nicht zufrieden. Er mußte seine Leute erziehen. Vor allem den Jungen.

Mit einer weichen, lässigen Bewegung der Fußspitze rollte er die Leiche auf den Rücken. Der Kiefer war weit nach unten gesackt, die Mundhöhle voll Blut, und die Augen des Comandante starrten in den grau werdenden Himmel.

Der Pai spuckte ihm ins Gesicht. Der Speichel traf genau die Stirn.

»So, jetzt du! Mach's richtig.«

Levukas Gesicht war fahl, seine Lippen zitterten,

aber der Junge reagierte sofort. Er zog die Pistole, beugte sich nieder ...

Der Pai riß ihn zurück: »Idiot! Kokosfresser! Willst du Löcher in den Rumpf schießen? – Da!« Er reichte ihm seinen Kris. –

Als die Schüsse fielen, stand Elena Jimenez an ihrer Spüle in der Kombüse. Elena hatte beide Handflächen auf die kühle Stahlplatte gestützt und konnte sie nicht lösen. Sie war wie gelähmt. Alles in ihr weigerte sich, das, was geschah – was geschehen sein mußte, zu akzeptieren: Sie hatten geschossen. Sie hatten auf José geschossen! Sicher hatten sie ihn totgeschossen ...

Ihre Angst suchte Worte. Ein Gebet? Das Misericordia ... Was hilft jetzt das Misericordia? José muß tot sein! Nun werden sie zu dir kommen ...

Dann dachte sie an den Dienstrevolver ihres Mannes.

Auch der Revolver würde nicht helfen. Du hast nur einmal mit so einem Ding geschossen, – damals, bei dem Ausflug auf Antonios Landgut bei Jaen, damals, als die Männer auf Konservendosen zielten und José dir den Revolver ...

Ihre Hände hinterließen klargezeichnete, feuchte Konturen auf dem Spülblech. Jeder einzelne Finger war zu erkennen. Im Kartentisch! dachte Elena Jimenez. Der Revolver ist in der oberen Schublade!

Nun wurde sie ganz ruhig. Sechs Patronen sind darin. Sechs? – Für fünf Männer sind das zu wenig. Aber einen bring ich um. Vielleicht auch zwei ... Was dann kommt, alles andere, ist mir egal ...

Elena brauchte nur drei Stufen hochzugehen, um in das Cockpit der »Estrella« zu gelangen. Sie schob den

Vorhang zurück, sah hoch, sah Josés Drehstuhl. Niemand war im Cockpit.

In diesem Augenblick ging hinter ihr die Türe auf. Eine leise, weiche, hohe Stimme sagte: »Hello, Lady! Good morning ...«

Elena Jimenez drehte sich nicht um. Sie handelte sofort, ohne den Schatten eines Gedankens, bestimmt von einer einzigen Reaktion: Haß.

Was sie in der Hand hielt, war kein Revolvergriff. Es war der Eisenstiel der großen, schweren Grillpfanne. Instinktiv hatte sie die Pfanne vom Haken über dem Gasbrenner gerissen. Sie warf. Sie warf mit aller Kraft und allem Schwung, zu dem sie fähig war.

Ein singender Metallton, Klappern. Dann ein Fluch, Stöhnen und fremde Worte.

Elena war bereits auf der Cockpit-Treppe. Sie riß die Schublade des Kartentischs auf: Da lag er, blauschimmernd und schwer. Sie glaubte die Stimme ihres Mannes zu hören: »Du mußt zuerst den Hahn spannen, Elena. Und wenn's mit einem Daumen nicht geht, nimm den zweiten zu Hilfe. So ...«

Ja, so! – Es ging mit einem Daumen. Aber mit beiden Händen mußte sie die Waffe halten. – Die rechte Hand um den Kolbengriff, die linke um das Handgelenk geschraubt ...

Genauso rasch, wie sie zuvor die Pfanne geworfen hatte, instinktiv und ohne das Ziel auszumachen, feuerte Elena Jimenez nun in die Kombüse. Es riß ihr den Arm hoch. Ein bitterer Geruch stach in ihre Nase.

Diesmal kam kein Schrei zurück. Still war es, so still, daß draußen das leise Murmeln der Wellen zu hören war, die an dem treibenden Katamaran vorüberstrichen.

»Lady? What are you doing?«

Das war die kehlig-singende Stimme von zuvor. Nun lachte sie sogar. Es war jedoch kein richtiges Lachen, eher ein Kichern.

»Schießen Sie die Küche zusammen, Lady? Bringt nix. Lady – guck! Wo bin ich denn?«

Er sprach englisch, so daß sie verstehen mußte, was er in seinem kranken Gehirn ausbrütete. Denn krank mußte er sein ... Das war die Stimme eines Verrückten.

»Lady. Guck doch, hier ... Hier bin ich!«

Elena drehte die Arme mit dem Revolver, spürte am Zeigefinger den harten, schneidenden Widerstand des Abzugs.

»Hier! Richtig! Ist was Schönes, so'n Ding, was? Schön wie ein großer Männerschwanz. – Na, tu's doch, Lady! Komm!«

Eine zweite kleine Treppe führte vom Cockpit in den Salon. Dort gab es noch eine Türe, die sich zum Schlafzimmer und dann zur Duschkabine öffnete.

Aber der Niedergang war eng und der Blick beschnitten von den holzgemaserten Seitenwänden. Nur ein Streifen des Salons war für sie sichtbar: Die Hälfte des Tischs mit dem großen Bronze-Aschenbecher darauf, die mit schwarzem Leder bespannte Sessellehne dahinter, und an der Wand ein eingerahmtes Foto. Das Foto zeigte graue Felsen, auf denen eine ganze Schar gleichfalls grauer Leguane hockte. Die Leguane waren jetzt nicht zu erkennen. Die Glasspiegelung verhinderte es.

»He Lady, funktioniert's nicht mehr? Nu mach schon ...«

Wieder das ekelhafte, höhnische Lachen!

Elena war noch immer ganz ruhig. Sie atmete

nicht einmal schneller. Sie hörte auch nicht ihr Herz klopfen. Sie wartete.

»Dein Alter ist tot, Lady. Aber den Schwanz hast du noch in der Hand. Wie findest du das?«

Sie preßte die Zähne aufeinander. Ihr Rücken spannte sich. Umbringen! dachte sie. Ich muß ihn umbringen, diesen widerlichen Kerl!

Doch der Revolver war schwer geworden. Er wog wie Blei. Die ausgestreckten Arme konnten ihn kaum halten. Sie zog ihn näher zu sich heran. Tränen liefen dabei über ihr Gesicht. Sie verachtete sich dafür. – DEIN ALTER IST TOT ...

Etwas erschien über der Kante der Sessellehne. Es war rund und schwarz.

Sie feuerte sofort. Glas splitterte. Der Rahmen mit dem Leguanen-Bild fiel zu Boden, und das Runde, Schwarze segelte durch die Luft. – Es war Josés Baskenmütze ...

DEIN ALTER IST TOT.

Und sie spielen Katz und Maus mit dir ...

Eine Stimme schrie: »Oooh!«

Sie finden es lustig, diese Mistkerle!

Es war nicht die Stimme von zuvor. Es war eine andere Stimme. Wie viele? Fünf? – Und du hast noch vier Patronen. Was du auch tust, einer wird übrigbleiben! Ich schaff es nicht, José, ich kann das nicht! Ich krieg nicht einen ... Ich geh' jetzt raus in den Salon. Dann hat es ein Ende.

Elena machte einen Schritt zur Treppe, hielt sich an der Aluminiumverstrebung fest, auf der das Funktelefon montiert war. Die linke Hand glitt zum Hörer. Aber welche Frequenz ...? Welcher Knopf überhaupt? Ach, es war ja doch zu spät. Alles ist zu spät! Nur diesen Mörder, Josés Mörder, will ich noch …

Da war er!

Stand mitten im Salon. Zehn Schritte, mehr waren es nicht. Ein schmales, schweißglänzendes, knochiges Handtuch von Mann. Und jung. – Wie kann ein solcher Junge so gemein sein? Und ein Kreuz trägt er auf der nackten Brust. Dann noch diese Augen, diese verrückt funkelnden Augen …

»Schieß, Lady. Schieß!«

Das wollte sie ja. Aber die Pistole war so schwer, daß der Revolverlauf schwankte. Über dem Korn konnte sie das glatte, bartlose Gesicht mit den schrägen Augen erkennen. Ein Gesicht, das sich nicht bewegte. Nur grinste.

Sie schoß.

Doch zuvor schon war das Gesicht verschwunden.

Tut mir leid, José, – dreimal hab' ich's versucht. Dreimal daneben. – Wie nennst du das? – Dreimal Fahrkarten … Nun ist es genug.

Elena hob die Waffe. Die Kante der ersten Stufe konnte sie nicht sehen, beinahe wäre sie darübergerutscht, doch dann war sie unten. Und nun sah sie sie, – ihre Gesichter, ihre Körper. Der Kerl mit dem Kreuz, – der Verrückte, stand seitlich auf den Fußballen und wippte, – wippte wie ein ausgelassenes Kind. Die anderen beiden, ein großer, breitschultriger, älterer Mann und noch so ein Junge, hatten sich an der Ecke der Kabinentür postiert.

Es geschah zum ersten Mal, daß Elena schluchzte. Sie konnte den Laut nicht unterdrücken. Er quoll aus ihrer Kehle – und der Typ dort wippte noch schneller und grinste.

Sie ließ die Pistole von einem zum andern kreisen und versuchte mit aller Kraft, das Revolvergewicht zu halten. Sie wußte, was nun geschehen würde. Sie würde die letzten Kugeln auf den Verrückten abfeuern. Dann war genug Zeit, damit die Kerle in der Ecke sie von hinten erschossen …

Es kam anders.

Gerade, als sie den Finger durchziehen wollte, schlug etwas gegen ihren Arm. Schmerz zuckte bis zu den Schultern hoch. Josés Revolver flog in hohem Bogen durch den Salon. Der in der Ecke, der Kleinere, hatte sich in einem Satz nach vorne geworfen und im Sprung noch mit der Armstütze seines Automatikgewehrs zugestoßen.

Elena Jimenez ging in die Knie. Sie beugte den Kopf nach vorne. Auch so ist's gut. So hast du wenigstens niemand getötet …

Nun wartete sie auf das Ende. Nichts geschah. Ja, da waren ihre Stimmen, Stimmen und Gelächter. Sie fanden es noch immer lustig …

Sie nahm den Kopf hoch. Ihre Augen waren ohne Tränen. Sie sah alles ganz klar: Die nackten Beine, ihre Gesichter, dort drüben die Tür.

Elena stand auf. Keiner streckte die Hand nach ihr aus. Sie ging zur Tür. Niemand hinderte sie. Sie öffnete die Tür, betrat die Kajüte, schob die Tür zu. Sie fühlte sich nun so schwach, daß sie den Riegel kaum nach vorne brachte. Mit letzter Kraft sank sie auf ihr Bett …

Im Salon sahen sie sich an. Der Pai zog die Kuppe seines Zeigefingers über die Schneidezähne. Er grinste nicht länger, er hatte auch zu wippen aufgehört.

Lavuka und Tanoa wußten, daß das Spiel noch lange nicht vorbei war. Aber sie hatten ihren Spaß daran verloren.

»Hätte verdammt nochmal auch schiefgehen können.« Tanoa war der erste, der sprach.

Der Pai sah ihn an. »Du verstehst nichts, Tanoa. Du hast noch nie was verstanden. Du hast zwar dicke Eier, aber drin steckt nichts als gottverfluchte Angst.«

Diesmal konnte er Tanoa nicht beeindrucken.

»Warum hast du sie nicht gleich kalt gemacht? Was soll der ganze Zirkus wegen so 'ner Alten?«

»Richtig.« Der Pai grinste wieder: »Wegen so 'ner Alten. Alt und kalt. 'Ne warme Alte ist mir lieber. Jetzt geht's erst richtig los ...« Er warf Tanoa einen dieser Blicke zu, die jedem durch und durch gingen ...

Soll er mich doch - Tanoa dachte es noch. Und dachte nichts mehr. Der Mund blieb ihm offen. Auch die beiden anderen, die sich draußen am Heck weggedrückt hatten, als die Ballerei anfing, kamen in den Salon. Der Pai aber hatte Tanoas schwere Kalaschnikow in der Hand, drehte sie, rammte die Waffe, den Kolben voran, gegen die Tür. Die beiden Sperrholzschalen brachen sofort. Er steckte die Hand durch das Loch und zog den Riegel zurück.

Da war die Frau! Sie kauerte auf ihrer schönen blauen Decke und sah ihm entgegen. Der Pai ließ die Kalaschnikow fallen und warf sich auf sie. Sie schrie nicht, nein, kein Ton war von ihr zu hören. Aber als er nun über ihr war, machte sie die eine Schulter und den Arm frei, und ehe er den Kopf wegwenden konnte, stach sie mit zwei Fingern gegen seine Augen.

Er brüllte auf. Sie hatte nicht getroffen. Auch dieses Mal nicht. Aber der Schmerz und der Zorn machten ihn rasend.

»Mein Kris – Wo ist der Kris?«

Aber er hatte das Gürtelmesser ... Er riß es aus der Scheide, bog ihr den Kopf zurück – und schnitt.

Er konnte nicht verhindern, daß das Blut über seinen Arm spritzte. Gesicht und Oberkörper hatte er rechtzeitig weggedreht. Und da floß es nun, und ihr Gesicht wurde weiß und weißer und der dunkle Fleck auf der blauen Decke größer und größer.

Verdammte alte Misthure! Wer hätte das gedacht? Außerdem – das war jetzt sein Bett!

Er wickelte den Körper in die Decke, achtete darauf, daß er sich nicht noch blutiger machte und warf die Tote neben dem Bett auf den Boden.

Lavuka kam herein. Seine Lider flatterten, und der Mund verzog sich, als müsse er sich übergeben.

»Lavuka! Und du auch, Tanoa. Bringt sie raus. Wischt das auf. Verdammt, die ganze Matratze ist versaut!«

Der Pai ging an die Spüle, ließ das Wasser laufen, säuberte die Klinge und steckte das Messer zurück in die Scheide.

»Lavuka! Tanoa – ich hab's euch doch gesagt. Ihr wischt die Schweinerei vom Boden.«

Tanoa zögerte. Aber dann sah er den Pai an und nickte. Er war sichtlich beeindruckt. Und das, dachte Pai, ist gut so.

Im Salon war Ma'atu, Lavukas Vetter, dabei, Schubladen aufzureißen und zu durchwühlen.

»Du hast wirklich ein Schildkrötenhirn«, fauchte der Pai ihn an. »Laß diesen Blödsinn! Wenn es etwas zu finden gibt, dann in der Schlafkabine. Viel wird's sowieso nicht sein. Solche Leute nehmen keinen Schmuck mit aufs Schiff. Und Geld gibt's bei ihnen nur als Kreditkarten.«

Es gefiel ihm, seine Überlegenheit zu demonstrieren. Und dies auch noch in ihrer Sprache. Aber schließlich, ob Fidschi, Samoa oder Tonga – die Worte ähnelten sich ja doch. In den drei Monaten Knast, die er auf Tahiti abgerissen hatte, weil er nach dem Geschirrspülen die Restaurant-Kasse geplündert hatte, war ihm der sonderbare Singsang nur so zugeflogen. Gut, er war Malaie, aber war's ein Wunder? Nein, dachte er, die hier stammen zwar von richtigen Menschenfressern ab, und entsprechend dämlich sind sie auch, aber irgendwie ähneln wir uns. Ja, wir sind Inselmenschen, Fischer und Seefahrer und Söhne von Kriegern.

»Wir haben mehr als Geld.« Der Pai pochte mit dem Knöchel auf die Holzfläche des Salon-Tisches: »Wir haben ein Schiff. Wir haben das schönste, das tüchtigste Ausleger-Kanu der ganzen Südsee! Und damit holen wir, was wir brauchen, überall, wo und bei wem es uns gefällt ...«

Der Pai trieb seine Leute zum Heck. Und da standen sie nun versammelt unter dem Sonnensegel. Die Wellen waren höher geworden. Mit abgestellter Maschine trieb der große Katamaran trotzdem ruhig im Wasser.

»Und was machen wir mit denen?«

Die Mündung von Oseas Gewehr deutete auf die beiden blutverschmierten Leichen. Es war das erste Mal, daß Osea überhaupt den breiten Mund aufmachte.

»Die schmeißen wir über Bord. Gutes Haifutter.«

Der Pai blickte hinüber zum Flaggstock, während er sprach. Gelbrot war die Fahne. Und im Zentrum war ein Wappen aufgenäht. Eines mit einer Krone. Na und? Es gab sowieso viel zu viele Fahnen auf dieser Welt. Wichtig war etwas anderes.

»Nein, laßt sie hier. Wir sind noch zu nah unter Land. Soll ich euch mal was sagen? Dies ist eine der tiefsten Stellen im ganzen Meer. Das hat mir mal einer erzählt. So tief ist's hier, daß du sechstausend Männer übereinanderstellen kannst. Und der ganz oben kriegt noch immer keine Luft. Na, was sagt ihr dazu?

Sie sagten nichts. Sie versuchten noch nicht einmal, sich das mit den sechstausend Männern vorzustellen.

»Du meinst, die Leichen könnten abgetrieben werden?« Wieder war es Osea, der fragte. Plötzlich schien er ganz versessen darauf, seine Stimme zu hören.

»Ja. Das ist es. Und nicht nur die Wellen, auch die Strömung würde sie zur Küste treiben. Besser ist, wir warten noch. Und inzwischen werd' ich ...«

Er ließ den Satz in der Luft hängen, ging hinüber zum Flaggstock, schnitt die kleine Fahne ab und warf sie über die toten Gesichter.

Dann nahm er sein Kreuz, küßte es, faltete die Hände und bekam ein ganz frommes Gesicht. Die anderen blieben sprachlos, starrten ihn stumm und wie verlegen an. Die Worte, die der Pai da murmelte, verstanden sie nicht. Irgend etwas hatte es mit der Kirche zu tun, also erschienen sie auch ihnen vertraut. Tanoa kicherte, und das ziemlich laut. Aber dann senkte auch er wie die anderen verlegen grinsend den Kopf.

»Wir empfehlen Dir, oh Herr«, sprach der Pai, »die Seele Deiner Diener und bitten Dich, daß Du sie in Deinen Schoß aufnehmen willst. – Amen.« Dann sagte er wieder sein ewiges »Ave Maria« auf und schloß mit: »Kyrie eleison«.

Von den anderen kam nicht einmal ein Amen.

Wieder war es Osea, der fragte: »Und das Boot? Was ist mit dem?«

Der Pai räusperte sich.

»Lascht die beiden erst mal an der Reling fest. Dann sehen wir weiter. Und das Boot ... nun, den Johnson nehmen wir mit. Den werden wir nochmal brauchen können. Und das Boot? – Da kappen wir einfach die Leine.«

»Hier lassen? Das ist'n gutes Boot. Willst du es einfach ...«

Ma'afu natürlich! Immer derselbe, der widersprach! Und weil er der Älteste der vier Fidschis war, glaubte er, den großen Mann markieren zu müssen.

Das wird noch ein Problem, dachte der Pai. Aber du wirst es regeln. Hat Zeit. Irgendwann ... Bei der passenden Gelegenheit.

»Du hast kein Hirn, Ma'afu. Würde nur irgendwas in deinem sturen Schädel funktionieren, würdest du so was gar nicht sagen. Das Boot wird zur Küste treiben. Soviel ist klar. Und dann? Was passiert dann? – Na sag ... Man wird es finden. Kiel oben oder halb abgesoffen; jedenfalls vollkommen von den Wellen zerdonnert. Und dann?«

Er ließ den Blick über die Gesichter der anderen gleiten. Keiner sagte einen Ton.

»Und dann werden sie sagen: Die armen Schweine. Nein, wahrscheinlich sagen sie das nicht. Denn sie werden dahinterkommen, daß das Boot geklaut ist. Und falls uns einer dieser Typen in Vava'u beobachtet hat, wie wir den Johnson oder die Waffen verladen haben, na dann wird es heißen: Halleluja! Gott sei Dank! Diese schrägen Vögel, die keiner kennt, jetzt sind sie im Sturm abgesoffen ... Und genau das sollen sie auch denken.«

Sie nickten. Dieser Malaie! Dachte um alle Ecken. Wie beim Mah-Jongg. Schlau war er, der Pai!

»So. Und jetzt bleibt hier. Daß keiner in die Kabine geht. Ist das klar? Dort seh' ich mich später um.«

Der Pai stieg die Außentreppe hoch zum Steuerstand und holte erstmal Luft: Nicht zu fassen, lauter Knöpfe. Hier sah es aus wie in einem Flugzeug. Na und, wer brauchte den ganzen Kram schon? Den Anlasser würde er finden, ein Motor ist ein Motor, ein Segel ein Segel. – Und ein Katamaran das schnellste Boot, das es gibt, soviel stand fest.

Er berührte andächtig das schimmernde Holzsteuerrad. So ein Katamaran dreht sich fast auf der Stelle, nimmt jede Kurve, auch die engste. Und dann, die Rümpfe, sie sind wie zwei Lanzen, sind zwei Messer, die das Wasser zerschneiden. Schneller als der Wind ist man dann!

Die Königin unter den Schiffen ist ein Katamaran! Wieder sah er nach vorne durch die Scheibe.

Die Wolken hatten sich weiter zusammengezogen, standen wie dunkle Türme vor dem diesig hellen Grau. Der Pai ergriff das Fernglas und preßte es sich an die Augen, richtete es zunächst nach Westen und ließ den Blick dann langsam über die schwerer werdende See wandern, die schon überall Gischtkronen aufsetzte.

Da! War er das?

Ja, der tanzende helle Punkt dort drüben! Keine Schaumkrone – ein Segel ...

Das Hauptsegel hatte der Franzose eingezogen, aber ganz deutlich war das hochgezogene Dreieck der Gaffel auszumachen.

Und verdammt weit weg war er auch schon ...

Na und, dachte der Pai. Ich hol dich!

Zwischen all den Knöpfen blitzte ihm der runde

Griff eines Schlüssels entgegen. Das war der Anlasser, was sonst!

Er drehte ihn nach rechts, und schon hörte er das dumpfe Blubbern des Motors, spürte ein Zittern unter den Füßen. Er schob den Gang ein.

Wieder nahm er den Kopf hoch und starrte über die weiten, grauen gischtsprühenden Linien, die ihm entgegentrieben: Jetzt komme ich, Franzose! Jetzt komm' ich wirklich! Fahr nur zu, ich hab' meine Hände schon an deiner Gurgel, du weißt es nur noch nicht. Bald bist du deine Ladung los, Dicker. Und wenn du es so gottverflucht dämlich anstellst wie der Alte gerade, dann auch dein Leben ...

Sie hatten eine Menge Seekarten und Fotografien gefunden. Dazu eine Videokamera und eine Kompakt-Pentax mit eingebautem Flash. Dann gab es ein Super-Kofferradio, das jetzt Rock brachte. Der Sender stand wohl in Neiafu, und der Discjockey schien auf Rock zu stehen.

Tanoa hatte nichts dagegen, er tanzte im Salon herum, trug eine Skippermütze auf dem Kopf und stank wie ein ganzer Friseurladen oder ein halber Puff, weil er sich im Bad alles, was irgendwie roch, ins Gesicht gesprüht oder auf der Haut verrieben hatte ...

Und was gab es noch?

Büchsenproviant, in Mengen, und einige Gläser Orangenmarmelade. Außerdem hatten sie Bücher gefunden und einen komischen Sack, in dem nur ein halbes Dutzend langer Prügel steckten, die sie zunächst für eine besondere Form von Kriegskeulen, dann für irgendein unerklärliches Fischgerät gehalten hatten – bis der Pai sie wieder einmal als Holzköpfe titulierte und ihnen erklärte, die Prügel würden zu einem Spiel gebraucht, das die Palangis Golf nannten und das darin bestehe, daß man einen Ball weit über die Wiese in ein Erdloch dresche.

Die Bälle fanden sich dann auch. In einer kleinen, mit einem Reißverschluß versehenen Tasche am Ende des Sacks. Aber zu was waren die schon gut? Sollten sie von ihrem neuen großartigen Kanu aus Bälle ins Meer schlagen?

Am meisten aber waren sie darüber enttäuscht, daß sie kaum Geld gefunden hatten – so, wie es der Pai vorausgesagt hatte.

Alle Schubladen hatten sie durchgewühlt, jedes Buch durchgeblättert, in jeden Küchentopf gefaßt, es blieb immer das gleiche: Zweiundsiebzig US-Dollar, ein paar Lappen französischer Francs, dann noch zwanzig Tonga-Dollars. Und damit hatte es sich schon.

»Was ist mit euch eigentlich los?« schrie der Pai. »Und das Schiff? Ist das vielleicht nichts? – Oder das da?« ...

Er riß ein glasgerahmtes Foto von der Holzwand des Salons, hielt es über den Kopf und drehte einen Kreisel.

Tanoa kicherte und kreischte vor Vergnügen. Auch die anderen lachten. Das sah nun wirklich zu komisch aus: Der Pai und der Mann auf seinem Kopf. Der Mann trug eine Uniform. Er hatte eine breite Brust, über die sich quer ein blaues Ordensband spannte. Blond war er. Und blaue Augen hatte er auch. Das sei der König von Spanien, sagte der Pai.

Ma'afu hob die Flasche Whisky hoch, die er in der Bar gefunden hatte. Alles mögliche war da vorhanden. Den Vat 69 hatte er sofort erkannt. Doch der Pai warf das Foto des spanischen Königs auf die Bank, drehte sich um und hob den Zeigefinger.

»Kein Whisky. Morgen. Nicht jetzt ...«

Als ob wieder einmal die Geister mit ihm verbündet seien, flammte es in dieser Sekunde blau durch die Fenster, und dem Blitz folgte wie ein mächtiger Kesselschlag sofort ein gewaltiges berstendes Donnern.

Der Katamaran, der bisher trotz der höher gehenden See noch ganz manierlich im Wasser gelegen hatte, begann wild zu schaukeln.

»Da seht ihr's. Euch wird das Saufen gleich vergehen.«

Dann war es wie stets bei solchen Gewittern: In immer kürzerer Folge wuschen die Brecher über das Boot, und wenn die Salzwasserflut die Scheiben freigab, war nichts zu erkennen als Schnüre grau hämmernden Regens.

Der Motor trieb das Schiff weiter. Immer neuen Wellenbergen entgegen ...

Oben im Cockpit hatte der Pai den Blick auf den Kompaß geheftet. Er hatte sich die Richtung des Franzosen auf der Kompaß-Anzeige gemerkt, er kannte sie bis auf den letzten Strich. Der Franzose würde also weiter in das Gewitter hineinfahren – und dann in die Nacht.

Schön, er blieb an ihm dran! Ein Katamaran und ein Kopra-Boot, das war ein Unterschied wie zwischen einem Elefanten und einer Katze. Aber Schiff ist nun mal Schiff und See See, und morgen, wenn's hell wird, und er nicht abgesoffen ist ... – wenn wir, Halleluja, ein bißchen Glück haben, ja, dann haben wir ihn!

Wieder das fahle Leuchten dort draußen. Diesmal kam eine ganze Serie von Blitzen. Donner ertränkte das Toben des Meeres.

Und wir werden Glück haben, sagte sich der Pai und

klammerte sich am Steuer fest. Um das Gleichgewicht zu halten, spreizte er die Beine etwas mehr. Und wenn ich die ganze Nacht hier stehe, verdammt nochmal! – Schuldbewußt sandte er seinen Flüchen schnell drei Ave Marias hinterher.

Dann brachte er den Kopf ganz nahe an die Cockpitscheibe.

Dort draußen tanzt der Franzose sicher herum und hat die Positionslichter gesetzt, aber verrückt ist es, zu hoffen, du könntest die bei diesem Scheißwetter erkennen. – Und es würde noch schlimmer kommen! Viel schlimmer! Er mußte etwas dagegen unternehmen.

»Osea, komm mal her.«

Aus dem Klappstuhl im Cockpit löste sich ein Schatten, dann schob sich Oseas breites Gesicht in den fahlen Schein der Kompaßbeleuchtung. Eine Zigarre steckte ihm zwischen den Zähnen. Die hatte er unten in der Kajüte in einer Silberschatulle gefunden. Sie war ihm längst ausgegangen.

»Paß auf, Osea. Siehst du die Nadel? – Achtzehn. Halt den Kahn möglichst immer auf achtzehn. Verstanden? Ich komm' gleich zurück.«

Osea nickte nur. Er hielt die Klappe, wie meist, schon deshalb war er dem Pai am liebsten. Außerdem: Osea war der einzige der vier Kokosfresser, dem man in einer solchen Situation das Steuer anvertrauen konnte.

Der Pai lief durch den Salon ans Heck.

Als er die Schiebetür zurückzog, griff sofort der Sturm nach ihm. In den Wanten und der Takelage heulten tausend Teufel. Und dann kam das Wasser.

Schon in der ersten Sekunde war er naß bis auf die Haut. Aus dem Zwielicht rollten die Brecher heran. Zu unterscheiden, was nun See oder Regen war, das ihm da wie aus Kübeln ins Gesicht schlug, war ausgeschlossen. Zum Glück hatte einer seiner Leute ein Haltetau von einer Reling zur anderen gespannt.

Keuchend und nach Luft schnappend hielt der Pai sich daran fest.

Wieder ein Blitz. - Ein zweiter.

Er duckte sich. Und da sah er sie nun.

In diesem grellen, schrecklichen weißen Licht wirkten sie noch armseliger und verlorener als zuvor. Die Fahne mit der Königskrone hatte ihnen der Sturm längst von den Gesichtern gerissen. Ihre Kleider klebten schwarz an den verrenkten Gliedern. Die Gesichter aber schienen nur aus unnatürlich großen, aufgerissenen Augen zu bestehen.

Nichts Toteres gibt's als Tote. Hitam, sein ehemaliger Chef, hatte das gesagt, kurz ehe es ihn selbst erwischte ... Der Pai hatte den Satz oft gedacht und wiederholt.

Zum ersten Mal seit Jahren fühlte er etwas wie die Regung eines Gefühls: Die alte Frau, wie sie ihn angesehen hatte ... Er klammerte sich fest, kämpfte um sein Gleichgewicht, fluchte das Ave Maria, das sich ihm versagen wollte, als habe er es nie gelernt. Aber es war sowieso Schluß mit Ave Marias und Pater Noster! Deshalb war er schließlich nicht hier draußen ...

Er mußte es hinter sich bringen. Er wußte, warum ...

Es waren die Geister der beiden, ja, die Geister der beiden dort in ihrer Ecke.

Tot? - Was war das schon? Die anderen hatte er ausgelacht, wenn sie mit ihrem Geisterblödsinn anfingen, Ma-afu redete ständig von Geistern, nicht mal eine Dose Bier riß er auf, ohne sich bei irgendeinem Geist zu bedanken. Ob auf den Fidschis oder hier auf Tonga, sie waren alle verrückt mit ihren Geistern. Aber zu Hause, dachte er, zu Hause war es genauso. Die Geister hießen dort Dämonen. Oder Götter. Oder sonst was. Und sie waren überall ...

Der Bug des Katamaran stieg hoch, krachte in das nächste Wellental. Der Schwall Wasser, der sich über den Aufbau ergoß, hätte ihn beinahe mitgerissen: Wasser in den Augen, in der Nase, selbst in den Lungen. Er hustete es aus.

Überall waren Geister oder Dämonen. Jesus hilft dir nicht. Nicht jetzt, nicht hier. Doch die Geister durften nicht stärker bleiben. Das wollten sie ... Er spürte es ...

Der Pai war auf die Knie gefallen.

Die linke Faust hatte er an das Halteseil geklammert, um nicht von Bord gefegt zu werden, mit der rechten Hand tastete er sich zu den leblosen Körpern. Und jetzt, jetzt war er über ihren nassen, fremden Gesichtern mit den aufgerissenen Augen!

»Gleich, gleich. Seid ganz ruhig. Gleich ...«

Er schnitt die Nylonleine durch, die die Leichen an die Reling preßte.

Die Toten bewegten sich. Mußten sie doch, so, wie der Katamaran jetzt wieder hochstieg ... Aber sie bewegten sich nicht nur, sie rollten, rutschten über den überfluteten Plastik-Belag, mit weit ausgebreiteten Armen. Und diese Arme schienen nach ihm zu greifen. Der Pai dachte nur eins: raus! Das muß ein Ende haben! Die wollen dich ... Die wollen uns alle ... Raus mit euch!

Er ließ das Haltetau los und hielt sich nun am Entlüftungs-Stutzen fest.

Er keuchte. Sein Herz hämmerte. Bring es hinter dich ...

Er griff nach der Leiche der alten Frau. Doch mit dem rechten Arm brachte er den leblosen Körper nur bis zur Hälfte über das Schanzdeck hoch. Der Kopf mit dem weit aufgerissenen Mund schlug dumpf gegen den Holm. Ein schreckliches hohles Geräusch war es, das seine verzweifelte Wut noch steigerte: Fort mit euch! Über Bord!

Seine Finger rutschten über den nassen Handlauf, und dann, dann kniete er zwischen den Toten, kniete direkt am Flaggstock. Diesmal nahm er den Mann zuerst. Er schob mit dem Knie nach. Groß war er. Schwer. So verdammt schwer! Aber da half eine Welle, riß den Katamaran zur Seite, und er hatte ihn oben. Schob nach ...

Nun die Frau. Die wog ja nichts. Fort mit ihr ...

Eine neue Sintflut von Wasser hätte ihn ihr beinahe nachgeschickt.

Verkrampft, alle Kräfte angespannt, hielt er sich am Aluminiumrohr des Flaggstocks fest.

»Kyrie Eleison«, rief der Pai, als er wieder Luft bekam. »Heiliger Vater und Heiliger Geist.«

Schließlich waren das Christen gewesen. Auch Christen haben Geister, dachte er, als er sich zur Kajüte zurückangelte. Und ob!

Hinter ihm war nichts als sturmgepeitschte Gischt ...

5

Als Ron Edwards erwachte, krähten draußen die Hähne, gackerten die Hühner, bellten die Hunde. Und er fragte sich als erstes, was dies eigentlich für ein Tag sei: Mittwoch? Donnerstag?

Donnerstag. - Und den Mittwoch, den streichen wir besser. Einschließlich Tauchausflug. Alpträume und alles, was noch so dazugehörte.

Die Fenster waren weit geöffnet, und der blaue, strahlende Himmel erschien wie ein einziges gutes Vorzeichen. Der Bambus und die Pandanus-Blätter vor dem Fenster leuchteten grün wie gelackt. Außerdem: Es roch nach Kaffee. Und, noch besser: im Türrahmen stand eine lächelnde Tama!

Ron streckte sich.

»Dein Kaffee ist fertig. Frühstück, Owaku!«

»Und sonst?« fragte er grinsend.

»Sonst - was? Spiegeleier mit Speck.« Sie kam näher. »Was sonst?«

Ron verzog das Gesicht zu der lustvollen Grimasse, die nun mal zu ihrem Spiel gehörte. Er strich zärtlich über ihre Arme und fühlte die glatte Festigkeit der Haut.

»Wie wäre es damit?«

Sie schlug nach ihm. Und drehte sich geschickt ab,

ehe er das Wickelkleid öffnen konnte.

»Weißt du, was du bist, Owaku?«

»Das schon«, nickte er. »Ein Angeber.«

»Und ein Lügner. Ich kenn dich. Dein Kaffee ist dir lieber als ich.«

»Und die Spiegeleier auch. – Ich schäme mich, Tama.«

Er aß mit einem gewaltigen Appetit und verzehrte zu den Eiern einen ganzen Stapel frisch gebackenes Fladenbrot. In der Nacht mußte es noch geregnet haben, nicht viel, denn die Pfützen waren schon wieder halb von der Sonne aufgesogen. Aber aus den Baumwipfeln stiegen Dampfschwaden. Die Blüten und Pflanzen im Garten schimmerten feucht. Am Fuß der Treppe lag Coral, die kleine weißbraune Hündin, die Tama vor vier Monaten aufgelesen hatte und döste, die Beine genüßlich ausgestreckt, in der Sonne. Ja, die Welt war wieder in Ordnung, auch wenn das Außenriff vor den gewaltigen Gischt-Fahnen der Brecher, die dort anrollten, plötzlich ganz flach und geduckt anmutete.

»Hat ganz schön gestürmt, heute Nacht.« Ron strich Papayamarmelade aufs Brot.

»Nicht nur gestürmt. Auch Blitze. Und am Berg muß es eingeschlagen haben. Ich wollte dich schon wecken. Du hast dich nur umgedreht und so komisches Zeug gemurmelt. Und als du dann endlich richtig geschlafen hast, wollte ich dich nicht wieder wecken und ging selber raus, um den Strom abzuschalten.«

»Toll. Gutes Kind, Tama.«

»Das Wetter kam von Samoa herüber, sagte das Radio. Und was runterkam, prasselte ins Meer.«

Er trank einen Schluck Kaffee nach und sagte: »Ich fahr trotzdem raus. Kommst du mit?«

Ihr Gesicht veränderte sich. Die Augen wurden groß und wachsam. »Zur Bucht?«

Er legte das Messer weg und sah sie an. Dann legte er seine Hand auf ihre Hand und hielt sie fest. »Nein, Tama, das ist vorbei ... Für alle Zeiten. Glaub mir.«

Sie erwiderte nichts.

»Aber das Dorf braucht Holz. Nach so einem Gewitter, da gibt's jede Menge Treibholz, abgebrochene Bäume und Äste, nicht nur in der Lagune. Auch draußen. Was hältst du davon? Machen wir einen Ausflug? Du kannst ja Lanai'ta fragen, ob sie mitkommen will.«

»Die setzt heute Kartoffeln. Und außerdem will sie an Jacks Grab.«

»Na schön, dann eben nur wir zwei. Es wird vielleicht ein bißchen schaukeln, aber was soll's.«

»Was soll's, sagst du? Du bist ein ... wie sagst du immer, ja, richtig, du bist ein Ignorant, Owaku. Auf der ›Paradies‹ ist längst ein Großputz fällig. Und wie soll ich putzen, wenn alles wackelt?«

»Du sollst nicht putzen«, grinste er, »du sollst es wackeln lassen. Und bei mir sein.« –

Draußen empfing sie eine Welt, die aussah, als habe Gauguin sie gerade gemalt: Ocker in allen Tönungen, Rosa, das Rot der Blüten, das Weiß des Muschelsands und das wilde Grün der Blätter. Dann all diese samtbraunen Menschenkörper ...

Leuchtend hell, in strahlendem Türkisgrün aber lag die Lagune. Sie lag ruhig und völlig unbeeindruckt von dem Aufruhr des Meers.

An diesem Morgen zog Ron es vor, das Beiboot an die Davits zu nehmen. Das Wasser könnte es vollschlagen. Als er damit fertig war, zündete er sich erstmal im Steuerstand eine Zigarette an. Dann drückte er den Anlasser.

Der Motor sprang an.

»Seit drei Wochen ist das das erste Mal«, sagte Tama. –

Die Padres behielten recht: Stark im Glauben sein, auch wenn es aussichtslos erscheint, darauf kommt es an.

Wie jetzt, zum Beispiel. In der Nacht rollten die verdammten Wellen haushoch heran, im Katamaran flogen alle Büchsen durch die Gegend. Und was für köstliche Büchsen das waren! Aber wer sollte, konnte bei diesem Aufruhr an Schlafen oder Essen denken? Tanoa kotzte, Lavuka fing sogar an zu heulen, die tapferen Fidschis – das waren vielleicht Seeleute! In die Hosen schissen die sich!

Schließlich aber, die Leichen waren noch keine zwei Stunden über Bord, flauten die verfluchten Böen etwas ab, und man konnte den Katamaran auf Kurs halten.

Als dann schließlich der Morgen heraufzog, geschah das eigentliche Wunder! Kyrie eleison! – Jawohl, die Geister der Nacht waren vertrieben, die Jungfrau hatte seine Gebete erhört! Weit voraus erschien ein kleiner Punkt auf den Wellenbergen, tanzte fast am Horizont. Und das konnte nur einer sein – der Franzose!

Der Pai machte einen Satz vor Freude, und wieder einmal fiel ihm, wie immer bei solchen Gelegenheiten, der Psalm 126 ein: *Wenn der Herr die Stadt nicht behütet, so wacht der Hüter umsonst.*

Der Herr hatte behütet.

Da war er!

Er hatte es doch gewußt. Hatte er nicht, selbst als es ganz schlimm wurde, stets dasselbe gedacht: Jesus hilft! Und dann: Ich krieg dich!

Der Franzose schwamm noch.

Er war nicht abgesoffen, wie die anderen vermutet hatten, diese Kleingläubigen. Mitgenommen war er, das schon, im Fernglas konnte der Pai erkennen, daß der Sturm ihm in der Nacht den Mast geköpft hatte, aber er war noch vorhanden, zusammen mit der ganzen Ware, die er im Puerto de Refugio geladen hatte. Er fuhr noch, jawohl, wenn auch langsam wie eine Schnecke.

Der Pai drosselte den Motor, um den Abstand größer werden zu lassen. Die elende Schaukelei fing aufs neue an. Wenn schon ... Wo steuerte der Franzose nur hin? Das herauszufinden, war wesentlich. Wieder beugte sich der Pai über die Seekarte im Kartenhalter. Und Karten lesen konnte er, Hitam hatte es ihm vor Jahren schon beigebracht. Aber jetzt half es nicht weiter.

Wohin, zum Teufel, fährst du, Dicker? – Wohin?

Nichts liegt vor dir, nichts als Wasser ...

Ihn jetzt zu entern, auf hoher See, fern von jeder Bucht und jedem Festlandversteck, in das man die Ware bringen konnte, dazu fehlte ihm die Lust. Vielleicht ließ es sich nicht vermeiden, aber entwischen konnte er ja nicht. Der Pai beschloß, abzuwarten.

Dann aber – oh Halleluja – noch keine drei Stunden später, erlebte er das wahre Mysterium, sah das Zeichen Gottes, des Herrn.

Der Himmel hatte aufgeklart, die Sonne schien, vertrieb die letzten Nebel, und am Horizont erschienen zart und grau drei Berge, stiegen aus dem Wasser wie aus dem Nichts geboren, formten sich zu einer Insel.

Es war kein Geisterspiel, kein Zauberwerk, keine Luftspiegelung. Es war – Land!

Nicht viel später löste sich von der Küste der Insel aus dem Riff ein Schiff. Es war eine starke weiße Hochsee-Yacht. Sie fuhr direkt auf den Franzosen zu.

Der Pai ließ den Motor im Leerlauf drehen. Die Schraube stand still. Nicht gesehen werden, nicht jetzt. Noch nicht. – Den Zeitpunkt bestimme ich ...

Das letzte Bild, das er im Glas heranholen konnte, zeigte die Motoryacht, die den Franzosen ins Schlepp nahm und zur Insel zog. Zwei Schiffe also? Um so besser!

Denn daß die Insel dort bewohnt sein sollte – der Pai konnte es nicht glauben.

Sie hatten schon eine Menge Baumstämme ausgemacht, zersplittert, vom Anprall an das Riff zerschlagen. Aber dann, außerhalb des Riffs, in einem Einschnitt, unter einem Felsen, den die Leute von Tonu'Ata »Kürbiskopf« nannten, schien die Ausbeute so groß, daß Ron versucht war, nach dem Funktelefon zu greifen. Auch Tapana besaß so ein Ding. Warum überhaupt hatte er es ihm gegeben, wenn der Häuptling den verfluchten Apparat nie in die Hand nahm? Denn dort drüben, einer am andern, die runden, herausgerissenen, naßglänzenden Wurzelstöcke zur See gerichtet, schaukelten friedlich gut zwei Dutzend Tiuna-Stämme im Wasser. Und Tiuna war nun einmal das beste Hartholz, das man hier auftreiben konnte.

»Du kennst ihn doch ...« Tama schüttelte den Kopf. »Du brauchst es gar nicht zu versuchen. Sobald der Apparat zu summen anfängt, schüttelt er den Kopf und rennt aus dem Haus. – Wenn er überhaupt im Haus ist.«

»Ja, richtig. Das ist es. Und ob ich ihn kenne! Aber ich kenne auch mich. Und ich werde ihm das Gerät abnehmen, sobald wir zurück sind.«

»Das wirst du nicht.« Sie warf ihm den üblichen Tama-Blick zu. Der war ebenso freundlich wie entschlossen und sehr, sehr vieldeutig.

Sie hatte ja recht! Der schwarze Hörer mit den Knöpfchen und Leuchtaugen war nun einmal in die Kollektion der Statussymbole Tapanas aufgerückt. Nur, – wieso steckte er ihn sich dann nicht in den Hintern, hing ihn sich um den Hals oder band ihn am Kopf fest? – Doch auch das konnte Ron Tama nicht fragen ...

Er ging mit der »Paradies« wieder auf Steuerbord und zog sie in einer engen Kurve hinaus, der offenen See entgegen.

Die Wellen waren nicht mehr so kurz wie zuvor, kamen aber noch immer mit soviel Wucht, daß der Bootskiel mit hartem, dröhnendem Pochen auf sie niederknallte, ein Lärm, laut genug, um jede Verständigung unmöglich zu machen. Sie umrundeten die Südwest-Spitze der Insel und kamen auf die Luv-Seite, und die Bewegungen des Schiffes beruhigten sich.

Bis zum Horizont zeichneten nun Schaumkronen das Meer. Aber hier, in Ufernähe, dämpfte die Strömung seinen Aufruhr.

»Hast du keinen Hunger, Owaku?«

Er schüttelte den Kopf: »Ich? Nach all den Spiegeleiern? Wie kommst du darauf?«

»Weil ich Hunger habe. Ich geh runter und hol mir ein paar Kekse.«

Gerade als er wieder die Richtung wechseln wollte, um die Lagunen-Einfahrt aufs Korn zu nehmen, sah Ron das Schiff. Besser gesagt – er sah drüben, im Südosten, sich etwas auf den Wellen abzeichnen, von dem man mit viel Fantasie vermuten konnte, daß es sich um ein Schiff oder einen Schiffsteil handeln könnte.

Es war ein schwarzer, vertikaler Strich, der unruhig hin und her tanzte.

Ein Mast.

Ein Boot vielleicht?

Oder irgendein Trümmerstück, das dort trieb?

Er griff zum Glas und hatte Mühe, den Strich wiederzufinden, doch dann ... Ja, es war ein Mast. Der untere Teil eines Mastes, an dem die Spitze abgebrochen schien.

Ganz deutlich, wie hin und her schwingende Fadenenden, waren die abgerissenen Wanten zu erkennen, ein Teil der Takelung hing herab. Segel oder auch nur Reste von Segeln waren nicht auszumachen.

Was immer dort draußen schwamm, es schien sich kaum zu bewegen. Aber Schiff oder Wrack – die Erkenntnis traf ihn wie ein Schock: Außer der »Roi de Tahiti« war das dort das erste Zeichen der Außenwelt, das in den Jahren, die er hier verbrachte, vor Tonu'Ata auftauchte. Wie oft hatte er sich danach gesehnt! Die Augen hatte er sich wundgesehen! – Und jetzt? Wer war das? Wer, Himmelherrgott, konnte das sein, der da hilflos und wie er selbst vor Jahren vom Sturm abgetrieben in den Wellen schaukelte?

Er griff zum Bord-Telefon: »Tama!«

Sie gab keine Antwort, aber da war sie schon selbst, eine Rolle Kekse in der Hand, einen mit Marmelade beschmierten Keks dazu noch zwischen den Zähnen.

»Dieses blöde Marmeladezeug! Jetzt hab' ich's schon an den Haaren.«

»An der Nase auch.«

»Was ist denn mit dir? Was machst du für ein Gesicht? Nimm mal.« Sie hielt ihm die Kekse hin. »Ich geh runter und wasch mich.«

»Da ist ein Lappen. Und da nimm das Glas. Dort draußen – siehst du nichts?«

»Was denn?«

»Ein Schiff.«

Sie blickte ihn nur an. Und ihr Gesicht beherrschte das gleiche erregte, ungläubige Staunen, das er selbst empfand. Dann hatte sie das Glas an den Augen. »Wo, Owaku? Ich ... ich seh nichts.«

»Weiter rechts.«

Die Haut an ihren Wangenknochen spannte sich, ihr ganzer Körper erstarrte: »Ich weiß, wer das ist, Owaku!«

»Aber du siehst doch nichts als den Mast.«

»Ich hab' auch das Schiff gesehen. Ein bißchen wenigstens. Die Farbe. Das ist Schibe, Owaku?«

Schibe? – Gilbert Descartes.

Ron stieß die Luft aus seinen Lungen.

»Na dann«, sagte er. »Auf den war ich schließlich schon immer gespannt ...«

Ein derartiger Bastard von Schiff war Ron noch nie vor die Augen gekommen: Der Steven fast rund, der weitgewölbte, plumpe Rumpf klinkerbeplankt, und da der Besitzer anscheinend nicht ausreichend Farbe hatte auftreiben können, schwarzgrün, ja zum Teil braungescheckt gestrichen. Auch diese Farbkombination war verkrustet und verfleckt. Der Rumpf sah aus, als sei er vom Ausschlag befallen. Am Bug stand in weißer Schrift: ECOLE II.

Was sollte das nun wieder? Was sollte das alles überhaupt?

Nicht nur das Alter, auch das Wetter hatte dem Schiff gewaltig zugesetzt. Die Mastspitze war gebrochen, die abgerissenen Wanten pendelten hin und her, und die dunkle, nasse Masse auf dem Kajütendach war wohl das Großsegel, das die Besatzung geborgen hatte. Und auch die Fock war eingeholt. Aber das Schiff trieb nicht, es fuhr!

Tatsächlich: Langsam, wie eine Schildkröte zwar, kam er näher und näher, eine dicke, schwarzgraue Wolke von Dieselqualm hinter sich herziehend. Es fuhr auf sie zu.

»Wen hat er denn noch an Bord, Tama?«

»Niemand. Schibe fährt immer allein.«

»Im Ernst?«

»Was heißt im Ernst? Tust du doch auch!«

»Doch nicht mit einem solchen Steinzeit-Kahn. Das kann man doch gar nicht!«

»Schibe schon«, sagte sie.

Ron drückte das Okular des Glases so fest gegen die Augen, daß die Haut schmerzte. Sechzehn Meter, schätzte er. Und bei der Breite brachte er es auf gut fünfzig Tonnen. Tama hatte recht: Alles, was er erkennen konnte, war die einsame Figur, die nun gerade aus dem Steuerhaus kam und sich an einer Wante festhielt.

Ron nahm Fahrt zurück, fuhr einen Bogen um das merkwürdige Schiff und kuppelte aus.

»Ich kann's nicht glauben.« Tama wurde ganz andächtig. »Es gibt ihn noch! Ja, das ist er, das ist Schibe. Sieh doch!«

Er sah nichts. Der Skipper dort drüben war wieder in seinem Steuerhaus verschwunden, aber sie hatte schon immer die besseren Augen gehabt – außerdem, wer sonst auch könnte es sein?

Nun vermochte Ron die Einzelheiten genau zu erkennen. Er hatte Fotografien der alten Kopra-Kutter gesehen, die früher den Handelsverkehr zwischen den Inseln besorgten. Das Ding da drüben mußte mindestens siebzig Jahre auf dem Buckel haben, und trotz seiner Kakadu-Bemalung schien es kräftig in Schuß.

Schon in den zwanziger Jahren waren solche Kutter von Insel zu Insel gefahren, um die Kokosschnitzel für die Öl- und Margarine-Produzenten einzusammeln. Und hier also, dicht vor seiner Nase, schaukelte eines dieser legendären Boote und brachte den Mann, der selbst längst Legende geworden war ...

Jetzt! Jetzt kam er aus seinem Verschlag von Steuerstand!

»He! He, Schibe!«

Tama stand auf den Zehenspitzen, ruderte mit beiden Armen in der Luft und lachte.

»Werf ihm die Leine rüber, Tama.«

Er hatte mit dem Ruder zu tun. Und der Mann dort? Rons Vorstellung hatte ihm Gilbert Descartes in allen Varianten entworfen – ein solcher Typ war nie darunter gewesen. Nein, einen Kerl mit einer Yul-Brynner-Glatze, Preisboxer- oder Kirmes-Ringerschultern, bekleidet mit einem zerrissenen roten Hemd, dessen Enden am Bauch verknüpft waren, und dazu einer gestreiften, unter den Knien abgeschnittenen Clowns-Hose – wer soll sich so etwas ausdenken?

Zu dem Rundschädel auf den mächtigen Halsmuskeln gehörte ein gleichfalls rundes, fast faltenloses Gesicht mit einer winzigen Stahlbrille. Es war das Gesicht eines fetten, braungebrannten chinesischen Mandarins, aber auch ein wenig das Gesicht eines alterslosen Kindes. Der Bursche dort mochte so alt sein, wie er wollte, irgend etwas ging von ihm aus, das Ron an ein Kind erinnerte und ihm Descartes sofort sympathisch machte.

Jetzt winkte er zu ihnen herüber: »He, Tama! Wie geht's dir? Was macht der große Häuptling?« Und das alles sagte er in fließendem Tongaisch.

»Tapana wird sich freuen. Und wie, Schibe!«

»Und Lanai'ta? Ist sie immer noch hübsch?«

»Wirst du ja sehen, Schibe.«

Ron gab wieder etwas Gas. Bei diesem Wellengang konnte es verdammt gefährlich werden, noch näher heranzugehen.

Nun wußte er, was ihn an Gilbert Descartes am meisten beeindruckte: Der Kahlkopf mit der Brille hatte die ganze Nacht über einen Sturm durchlaufen, der ihm das halbe Boot zerklopft hatte; er mußte also seit vierundzwanzig Stunden am Steuer stehen, von all den Problemen und der ganzen Arbeit, die ihm das Wetter aufgehalst hatte, abgesehen: Der Mast gebrochen, die Maschine offensichtlich gleichfalls im Eimer, eine Lenzpumpe, die pausenlos Dreckwasser spuckte. Und was war? Er lachte und freute sich, als hätte er einen Sonntags-Ausflug bei strahlendem Wetter hinter sich.

»Wo hast du denn diesen Luxus-Dampfer her, Tama?« schrie er gerade. »›Paradies‹ heißt er auch noch! Ist Tonu'Ata jetzt ein Paradies für Millionäre – oder was?«

»Wirf endlich die Leine, Tama.« Ron kämpfte noch immer um den Abstand zwischen den beiden Schiffsrumpfen. Außerdem, die Frage gefiel ihm nicht. Überhaupt nicht.

Er nahm das Mikrophon, um über den Lautsprecher Kontakt aufzunehmen und kam sich prompt komisch dabei vor. Kaum war dieser Bursche aufgetaucht, jagte er ihm Komplexe ein. Lächerlich!

»Descartes! Hier gibt's keine Millionäre. Aber im Augenblick haben Sie wohl andere Sorgen. Sie wurden ja ganz schön durchgebeutelt.«

»Na, es gab schon Schlimmeres.«

Descartes brauchte keinen Verstärker, ihm reichten die beiden mächtigen Hände, die er, zu einem Trichter geformt, an den Mund hielt. Und vielleicht hätte er auch auf sie verzichten können: Seine Stimme, ein dunkler Bariton, entsprach dem Ausmaß seines Brustkorbs. »Und wer sind Sie, Skipper? Ist ja ein tolles Ding, das Sie da fahren.«

»Ich heiße Edwards. Ron Edwards. – Was ist mit Ihrer Maschine los?«

»Im Eimer ist die noch lange nicht. Ich glaube, es ist die Dichtung. Krieg ich wieder hin. Und in der Zwischenzeit komm ich mit dem Segel weiter. Den Mast kann ich bei euch richten. Das Segel jedenfalls ist heil geblieben.«

»Über den Motor reden wir, wenn wir in der Lagune sind. Jetzt machen Sie mal die Leine fest. Ich schleppe Sie rein.«

»Ai-ai, Skipper! D'accord.« Der Glatzkopf hob die Hand und winkte vergnügt. –

Als die »Ecole« endlich ruhig in der Lagune lag und verankert war, hielt Ron seine »Paradies« mit dem Bootshaken fest, damit Descartes an Bord kommen konnte.

Erst jetzt sah er, daß der andere hinkte. Er turnte zwar geschickt wie ein Affe herüber, aber mit dem Bein war irgendwas nicht in Ordnung. Das Knie schien versteift. Na ja, wenn er diesen alten Eimer allein durch den Sturm gesteuert hatte, spielte ein kaputtes Kniegelenk wohl auch keine Rolle.

Sie schüttelten sich die Hand. Descartes blinzelte ihn aus braunen, freundlichen, amüsierten Augen an. »Ehrlich: Mit Ihnen habe ich nicht gerechnet.«

»Aber ich mit Ihnen. – Und das seit drei Jahren.«

»So lange sind Sie schon hier?«

»Zwei Jahre und acht Monate, um es genau zu sagen.«

»Da sind Sie in diesem Luxusliner angekreuzt? Das Prachtstück heißt auch noch ›Paradies‹, wie sinnig! – Wie haben Sie denn dieses Paradies überhaupt gefunden?«

Gilbert Descartes blickte hinüber zum Strand, wo inzwischen das ganze Dorf zusammengelaufen war und die ersten Kanus ins Wasser geschoben wurden. Er winkte.

»Gefunden ist die Übertreibung des Jahres.« antwortete Ron. »Und ich kam nicht im Luxusliner an, wie Sie so schön sagen. Von wegen, Mann! Ich kam so an, wie Sie heute auch hätten ankommen können: halb ersoffen. Im Schlauchboot... Mein Schiff ist mir irgendwo dort draußen unterm Hintern weggerutscht. Der Sturm hat Kleinholz daraus gemacht. Und daß es ein Tonu'Ata gab, woher sollte ich das wissen? Ich konnte es gar nicht glauben. Aber ich war heilfroh...«

Die Augen hinter der Brille wurden ernst. Jetzt blickten sie Ron an, als würden sie Maß nehmen.

»Kann ich mir vorstellen. – Und woher kamen Sie?«

»Oh«, sagte Ron, »das ist eine lange Geschichte. Ich kann sie Ihnen ja noch erzählen, falls Sie darauf neugierig sind. Aber jetzt ... sehen Sie mal, jetzt haben Sie gleich was anderes zu tun!«

Descartes rieb sich die kurze, dicke Nase. Zum ersten Mal war auch an seinem Gesicht abzulesen, was hinter ihm liegen mußte. Wie auf einem körnigen Film bildeten sich unter all dem Braun der Gesichtsfarbe helle, weißliche Flecken. Auch die Augen schienen tiefergesunken zu sein. An den Winkeln zeichneten sich Falten ab.

Aber schon drehte er sich wieder um und hinkte zur Backbord-Reling, hielt sich dort mit beiden Armen fest und brüllte aus gewölbter Brust den heranschießenden Kanus sein »Malo e lelei« entgegen, den tongaischen Willkommensgruß. –

Im Geleitzug, umgeben von wasserflirrenden Paddeln und begeisterten, braunen, lachenden Menschen erreichten sie den Strand.

Dort hatte sich Tapana aufgebaut. Ein Tapana in vollem Ornat, den Staatsrock um die Hüften, auf der Brust all die Muschel-, Fisch-, Korallen- und Haizahn-Ketten, die ein Ereignis wie Schibes Wiederkehr nun mal verlangte.

Und hinter ihm seine Söhne, dann die Dorfältesten und schließlich das Volk. Die jungen Männer hatten ihre Speere dabei, und damit fuchtelten sie wild und lachend in der Luft, als Afa'Tolou, Tapanas ältester Sohn, Descartes aus dem Beiboot an Land half.

Schibe aber strahlte sie alle an. Es war ein Strahlen, das sich schwer beschreiben läßt, so begeisternd-freudig und freundlich, als wäre für jeden einzelnen sein Herz geöffnet.

Dann humpelte er einige Schritte über den Sand, um dann etwas zu tun, was ungemein pathetisch und daher wie alles Pathetische reichlich lächerlich und dennoch sehr anrührend wirkte. Ron kannte es nur von dem Herrn mit dem weißen Papst-Käppchen, wenn er aus seiner Alitalia-Boeing stieg.

Und auch Schibe kniete sich nieder, beugte sich weit nach vorne und küßte den Strand von Tonu'Ata.

Die Menschen waren ganz still geworden und sahen zu, wie der Wind mit dem zerfetzten Hemd des dicken Franzosen spielte.

Dann schrien sie alle los.

Er sprang auf, lachte und warf die Arme hoch, als wolle er sie segnen, ließ sich von ihnen in die Mitte nehmen, und im Geleit gingen sie zum Haus, während Ron erklärte, daß Schibe dringend Schlaf brauche, weil G'erenge, der Meeresgott, um ein Haar ihn und sein Schiff und all die schönen Dinge, die es gebracht hatte, in die Tiefe gerissen hätte.

Und dies wiederum sahen sie alle ein.

Osea trug seit einiger Zeit die Yachtkappe des Toten auf dem runden Schädel. Und das war ein prächtiges Stück: Khakifarben, der Schild mit goldenen Blättern bestickt, eine richtige Kapitänsmütze.

Der Pai beugte sich vor, blitzschnell wie immer, riß Osea die Mütze vom Kopf und warf sie mit Schwung über Bord.

Keiner sagte ein Wort. Osea aber nickte. Eine solche Mütze, nein, die bringt keine Kraft. Bei dem, was ihnen bevorstand, würde sie nur eines bringen – Unglück.

Das Meer hatte sich im Laufe des Tages wieder etwas beruhigt. Die Stunden quälten sich dahin. Wie langsam doch die Zeit verstrich!

Am Vormittag hatten sie die Hälfte der Konservendosen aufgebrochen, die sie in der Küche gefunden hatten, und sich das Frühstück ihres Lebens geleistet. Dann wurde noch einmal, unter den mißtrauischen Augen des Pai, der Salon und die beiden Kabinen bis in die letzte Schublade durchstöbert. Selbst die Bücher hatten sie durchgeblättert. Nichts. Nichts als eine Handvoll Münzen in einem Tongeschirr. Münzen aus allen möglichen Ländern, die sie nicht kannten. Kreditkarten, Scheckbücher – die ja. Aber was ließ sich damit schon anfangen?

Aber es war ein wunderschönes Schiff, dieser Katamaran. Und dem Pai blutete das Herz bei dem Gedanken, daß er ihn aufgeben mußte. Doch es gab keinen Ausweg. Sie würden die Ware des Franzosen an Bord nehmen, und auch das, was sie auf der zweiten Yacht finden würden, die den Franzosen heute morgen zur Insel geschleppt hatte. Ja, und dann? Dann würden sie für den ganzen Kram ein Versteck suchen. Nicht dort drüben, das war zu unbequem, die Insel lag zu weit ab. Auf einer anderen unbewohnten Insel, die leichter zu erreichen war, würden sie ein Versteck einrichten und dann den Katamaran versenken.

Zu schade, wirklich! Doch auf dem verdammten Ding mußten sie schließlich jedem auffallen. Schon bei der ersten Kontrolle, im ersten Hafen waren sie dran.

Aber diese Überlegung behielt er für sich.

Am Nachmittag schliefen sie ein paar Stunden. Der Pai hatte den Treibanker geworfen: Immer fein hinter der Kimm bleiben! Die dort drüben in den Schiffen auf der Lagune würden früh genug erfahren, mit wem sie es zu tun hatten.

Dann, am Nachmittag, begannen die Männer des Pai die Waffen zu reinigen. Sie nahmen die MP und die Sturmgewehre bis auf die Läufe und die Kammern auseinander, säuberten sie, ölten sie ein, prüften die Anzahl der Patronen in den Magazinen, sahen auch die Ersatzrahmen nach, und schließlich begann der Pai die Handgranaten in den Tragsack zu schichten.

Dann kam die Dämmerung. Der Pai untersagte seinen Leuten, Licht anzumachen. Aber weil er sie kannte, legte er den Kippschalter der Sicherung um. Es wurde langsam Zeit …

Wenig später startete der Pai den Motor und setzte den Katamaran wieder in Fahrt. Auf niedrigsten Tourenzahlen führte er ihn langsam über den Horizont.

Er riß das Glas hoch. Ja, dort, wo die Lagune einen kleinen Hafen bildete, lagen die beiden Schiffe. Sie waren deutlich zu erkennen. Der Kahn des Franzosen und daneben eine ziemlich moderne Hochsee-Yacht. Wahrscheinlich ein Ausländer. Was denn sonst? Ein Palangi, der eine Insel gefunden hatte, die es gar nicht gab. Und bewohnt konnte sie nicht sein. Sonst wär' sie doch auf irgendeiner Karte verzeichnet.

Über den Bergen dort drüben hing der rosa Glanz des Abends. Sie war gar nicht so klein, diese Insel. Und ziemlich hübsch.

»Das ist sie«, sagte Osea neben ihm.

»Was soll denn das heißen?«

»Ich hab' von dieser Insel schon gehört.«

»Auch das noch! Und von wem?«

»Von meinem Großvater.«

Der Pai schüttelte nur den Kopf. Er hatte jetzt an Wichtigeres zu denken. Der Ausländer dort drüben – das Schiff war ganz schön groß. Vielleicht hatte es zwei, sogar drei Mann Besatzung. Na und? Um so besser. Denn das gab nochmals Beute.

Aber was sagte Osea da? Er drehte den Kopf. »Was hast du gesagt?«

»Ich hab' gesagt, daß die Insel bewohnt ist.«

»Du bist doch verrückt! Wieso denn das? Bewohnt. Sie ist nirgends verzeichnet. Nicht auf einer der Karten, die hier rumliegen.«

»Ich weiß es aber.«

Der Pai hatte, wie immer, Mühe mit Osea. Jedes seiner Worte mußte er hüten wie eine Kostbarkeit. Aber schließlich brachte er ihn doch zum Reden, und was er dann von ihm hörte, war eine ebenso dürre wie komplizierte Geschichte von seinem Großvater und dessen Vater und Oseas Ahnen überhaupt, die früher in ihren Kriegskanus gleichfalls nach Norden gefahren seien, um dort auf einer einsamen, weit abgelegenen Insel von den Männern das »Mana« zu rauben, indem sie sie totschlugen und verzehrten und dann die schönsten Frauen mitnahmen.

»Na großartig«, sagte der Pai. »Nicht nur Kokos-Fresser, auch Menschenfresser. Und auf hübsche Weiber wart ihr schon immer scharf.«

»Ja«, Osea lachte. Das tat er selten. Aber er schien sehr stolz. Die Frauen dieser Insel seien nicht nur schön gewesen, habe ihm sein Großvater erzählt, sie hätten auch etwas ganz Besonderes gehabt.

»Und was soll das gewesen sein, Osea?«

»Perlen. Die schönsten Perlen der Südsee«, erwiderte Osea. »Perlen, wie sie auf keiner Insel je getaucht worden sind. Die allerschönsten, prächtigsten Perlen gibt's dort.«

Der Pai schwieg. Und der schwieg lange. Wieder nahm er das Glas an die Augen: Perlen ... dachte er.

Wenn das stimmt? ... Aber was war das? Diese Lichtpünktchen? Ja, jetzt sah er es ganz deutlich. Lichter schimmerten dort.

Er gab Osea das Glas. Osea stieß einen gepreßten, hellen Ton aus. Es klang wie ein Pfeifen. Dann lachte er. »Siehst du? Ich habe es gesagt!«

»Was sind die Lichter? Was bedeuten sie?«

»Die Lichter? Die feiern ein Fest, Pai. Wenn wir näher kommen, wirst du auch Trommeln hören. Die feiern ein Fest für den Franzosen. Und was werden sie tun? Viel, viel trinken. Sie trinken die ganze Nacht hindurch. Und mit ihren Mädchen werden sie in die Büsche gehen. Dann wieder Kawa trinken. Und was tun wir, Pai? Ganz einfach: Wir laufen rum und sammeln sie alle ein.«

Es war die längste Rede, die der Pai je von Osea gehört hatte. »Wir laufen rum und sammeln sie alle ein.« ... So einfach würde es nicht werden. Viele Lichter, das bedeutete viele Leute ... Na wenn schon! Viele Leute mit vielen Perlen. Es war nicht zu glauben!

Der Pai kuppelte aus und legte den Kopf in beide Hände. »Kyrie Eleison«, schrie der Pai und versuchte sich vorzustellen, was sie dort drüben alles erwartete ...

Vielleicht würde es einen, vielleicht auch zwei Tage dauern. Oder drei ... Wer wußte das schon? Doch ein Fest würde es werden, ein gewaltiges Fest!

Die Schweine waren bereits geschlachtet, die Kawa-Wurzeln zusammengetragen, die Fischer hatten Hummer aus den Felsbänken geholt und Fische gefangen; eine freudige, fiebrige Erwartung legte sich über das Dorf.

Den ganzen Tag über ging es so. Da kreischten Hühner, quiekten die Ferkelchen, die in die Erdöfen wandern mußten, und sie, die »Umus«, mußten mit neuen Steinen ausgekleidet werden, ehe sie das Feuer aufnehmen konnten.

Die schweren Baumtrommeln wurden herausgeholt und eingestimmt. Frauen und Mädchen machten sich schön, wuschen sich ihre Haare, salbten sich gegenseitig und schminkten sich. In den Wurzelbottichen wurde das Kawa für die Zeremonie angerührt, das Kawa, das den Göttern gehörte, die Herzen weit machen und das Fest so richtig in Schwung bringen sollte.

Schon am Vormittag hatte der Tapana angeordnet, die beiden großen Kriegskanus zu Wasser zu bringen und sie im Turnus mit seinen Söhnen und den Söhnen der Dorfältesten zu bemannen.

Draußen in der Lagune schaukelte Rons »Paradies« neben der »Ecole II«. Die jungen Männer, die verhindern sollten, daß irgendwelche Freunde das Schiff erkletterten, um sich dort umzuschauen, sangen schwermütige Lieder.

Sie langweilten, nein, ärgerten sich. Sie ärgerten sich darüber, daß die anderen an den Festvorbereitungen teilnehmen konnten. Schibes Schiff war Tabu. Gestohlen hätte keiner etwas, natürlich nicht. Aber Vorsicht ist nicht nur der bessere Teil der Tapferkeit, sondern auch der Vernunft. Die Leute von Tonu'Ata waren nun einmal zu neugierig, welche Herrlichkeiten Schibe nach drei Jahren zum ersten Mal auf ihre Insel brachte.

Vermutlich waren solche Kästchen dabei, die Musik machten, wie Owaku sie besaß. Und Scheren hatte er sicher mitgebracht, Saatgut, das konnten sie dringend brauchen. Dann Stoff, Nadeln, Garnzeug. Auch Nylonseile und neue Netze.

Doch zuerst kam das Fest ...

»So eine Scheiß-Talje klemmte«, erzählte Gilbert Descartes. »Ist mir eigentlich noch nie passiert. Ich kam einfach mit dem Segel nicht zurecht. Ich kriegte es nicht runter. Es war noch gar nicht dunkel, aber der Sturm legte da gerade so richtig los. Na schön, ich versuchte und versuchte es wieder und wieder – und da war's passiert: Das Segel knallte durch, und der halbe Mast kam gleich mit. Was blieb mir schon übrig, als das Wetter auf den Kiel zu nehmen? Ja, und da hab' ich wohl den armen alten ›Freddy‹ ein bißchen überdreht. Jedenfalls wollte zunächst ein Ventil nicht mehr mitspielen, und dann begann der Ärger mit der Dichtung. Lag wohl daran, daß ich einfach zuviel zu tun hatte und mich nicht um ›Freddy‹ kümmern konnte. Wie denn? Aber das hat er mir wohl ziemlich übelgenommen. Er ist ja auch nicht mehr der Allerjüngste.«

»Wieso eigentlich Freddy?« lächelte Ron.

»Wieso? Weiß auch nicht ... Kannte mal einen, der mich an ihn erinnerte. Der war auch nicht umzubringen. – ›Freddy‹ ist ein Cummings. Baujahr '24. Das sind noch immer die besten Schiffsdiesel der Welt.«

»So?« Ron sah wieder zur Lagune hinüber, die still und in unschuldigem Frieden vor sich hin strahlte. Ganz deutlich war die plumpe Form des Bootes zu sehen, das da draußen schwamm.

Sie saßen auf der Terrasse des Hauses. Der Abend war gekommen, und im Westen hing ein Hauch von Flamingo-Rosa über den Palmen.

Vom Dorf drangen aufgeregte Stimmen und der Bratenduft ungezählter Erdöfen herüber.

Descartes hing völlig entspannt in seinem Stuhl.

Sechs Stunden Schlaf schienen ihm genügt zu haben.

»Ron Edwards.« Das runde, freundliche Gesicht wirkte nachdenklich. »Amerikaner, was? Woher denn? Aus welcher Stadt?«

»Amerikaner deutscher Abstammung«, wich Ron einer direkten Antwort aus. »Und wo kommen Sie her?«

»Oh, gar keine so einfache Frage. Wer einige Zeit hier wohnt, muß sich das richtig überlegen, finden Sie nicht?«

»Ja«, sagte Ron. »Stimmt. Aber vielleicht läßt es sich klären.«

»Lyon. Da war ich mal Lehrer. Die Stadt der Händler und der Krämer. Für mich die Stadt mit der größten Zentrifugalkraft der Welt. Kennen Sie Nikolaus von Kues?«

Ron schüttelte den Kopf.

»Auch ein Deutscher. Der lebte irgendwo an der Mosel, glaube ich. Na, jedenfalls ... Nikolaus von Kues vertrat die Auffassung, eine Linie sei nichts anderes als die Entfaltung des Punktes. Lyon war mein Punkt. Heute sehe ich mich mehr als Linie, verstehen Sie?«

Ron versuchte es. »Was haben Sie denn Ihren Schülern beigebracht? Philosophie?«

»Richtig! Sie sind Hellseher! Und es waren meist Schülerinnen. Hübsche, junge, freche Dinger. Und von keinem, auch nicht dem kleinsten Gedanken angekränkelt. – Kann ich nochmal sowas haben?« Er deutete auf die Flasche Courvoisier. »Gelegentlich bin ich stolz, Franzose zu sein. Das zumindest haben wir geschafft – einen guten Cognac herzustellen.«

Ron goß ihm erneut das Glas voll. Die Flasche war nun halb leer. Die letzte. Und dazu noch die Flasche, die er nach seiner Begegnung mit dem Hai angebrochen hatte.

»Salut!« Gilbert Descartes hob sein Glas. »Wieso siezen Sie mich eigentlich ständig, Ron? Ist das noch das deutsche Erbe oder was?«

»Nun ja, Sie sind der ältere. Und dazu noch Philosoph.«

»Älter schon«, sagte Descartes melancholisch, »Aber Philosoph? Außerdem, Sie haben mich reingeschleppt. Und sich auch noch das schönste Mädchen von Tonu'Ata ins Haus geholt. Sie müssen also ein verdammt netter Kerl sein – oder außer über die Yacht noch über andere großartige Dinge verfügen. Sag mal, was ist denn aus Lanai'ta geworden?«

»Das fragst du nun schon zum zweiten Mal.«

»Wieso denn nicht? Tapanas Mädchen sind ja schließlich schon als ganz junge Gören bei mir auf dem Schiff herumgeklettert. Unglaublich geschickte Schwimmerinnen und Taucherinnen waren das. – Hat sie einen Mann?«

»Ein Kind. – Der dazugehörende Mann ist tot.«

»Das tut mir leid ...«

»Lanai'ta wohnt gleich dort drüben.« Ron deutete auf den braunen Giebel, der sich hinter den Bambusstauden hochschob, die den Garten begrenzten. Er überlegte, doch es widerstrebte ihm, die Geschichte von Jack, seinem Hubschrauber und der Schlacht um die Perlenbucht zu erzählen. Das hatte Zeit.

Im Dorf drüben rührten sich die ersten Trommeln. Es waren die helleren, kleinen Baumtrommeln, die die heranwachsenden Jungen spielten. Sie übten.

Hinter der kleinen komischen Brille schlossen sich Descartes Augen. Er wirkte vollkommen entspannt. »Hast du eigentlich noch Nomuka'la gekannt, den Medizinmann?«

»Ja.«

»Das war ein interessanter Mann. Der war Philosoph, wirklicher Philosoph. Auf seine Art. Er war klug. Sehr klug. Wir haben uns so oft unterhalten. Er ist tot, sagte mir Tama.«

Ron nickte.

Und wieder dachte er an den weißen Hai, an den gestrigen Tag – und an den Alptraum, der ihn in der Nacht verfolgt hatte ...

»Hast du Erfahrungen mit Haien, Gilbert?« fragte er aus seinen Gedanken heraus.

»Ich?« Das runde, entspannte Gesicht war zum Himmel gerichtet. Die Augen hatte Descartes noch immer geschlossen. Er wirkte beinahe träumerisch. »Ich glaube schon. Oh ja. Ich bin viel getaucht. Früher.«

»Jetzt nicht mehr?«

»Du hast mich doch gefragt, warum ich so lange weg war. Willst du den Grund wissen?« Er beugte sich nach vorne, zog den Stoff dieser unmöglichen gestreiften Hose am rechten Bein hoch, und zum Vorschein kam ein verformtes, von bläulichen Narben bedecktes Knie.

»Ich hatte das klassische Pech. Ich bin tatsächlich an Deck auf einer Bananenschale ausgerutscht. Das Ergebnis siehst du. Zwei Jahre k.o.... Zunächst ein halbes Jahr Klinik in Pangai. Dort gab es einen netten jungen Kerl, Hendrik Merz, Doktor Hendrik Merz, – auch ein Deutscher übrigens – der sich alle Mühe machte, mein Bein wieder einigermaßen hinzukriegen. Hat er auch. Bloß nicht ganz ... Na schön, man muß im Leben die Dinge nehmen, wie sie kommen. Und eine Zeitlang dachte ich mir tatsächlich: vielleicht ist es ein Wink des Schicksals, such dir einen anderen Job. Als ich in Puerto de Refugio zurück war, legte ich die ›Ecole‹ an die

Mole, kaufte ein Paar schöne weiße Hosen und ein weißes Hemd und sagte mir: Was soll's? Ein ganzes Leben von Insel zu Insel zu schippern hat doch keine Zukunft. Die liegt im Tourismus. Also spielte ich den Touristen-Betreuer und brachte den Leuten das Segeln bei. Da kamen auch eine ganze Menge, Touristen, das übliche Volk. Sogar Landsleute aus Lyon und Toulouse. Für die war ich so eine Art Original. Jedesmal, wenn sie mich fragten, was ich denn hier in der Südsee täte, hatte ich dieselbe Frage für sie ... Übrigens, ich machte da eine interessante Feststellung: Die Frauen und die Mädchen, die dabei waren, lernten schneller als die Männer – was ja nicht ganz der Erfahrung entsprach, die ich als Lehrer in Lyon machen mußte. Aber wer weiß, vielleicht stehen wir am Beginn des Zeitalters der Frauen?«

Er hielt sein Glas in der Hand und betrachtete es lächelnd. »Wieso hast du mich vorher nach Haien gefragt?«

Ron erzählte ihm das Erlebnis in der Bucht.

»Ach ja?« Descartes Lächeln war ganz plötzlich verschwunden. »Du bist einfach mit deinem Luxusliner in die Bucht reingefahren und hast dort Anker geworfen? Warst du oft dort?«

»Also, den Luxusliner sollten wir doch besser streichen, Gilbert. Ohne ihn würdest du wahrscheinlich noch immer irgendwo dort draußen rumgurken. Zu Punkt zwei: Ja, ich war oft dort.«

»Und da gibt's Haie? Dieses Exemplar, von dem du da redest, war wahrscheinlich ein weißer Hai. Die werden so groß. Und sie sind nicht nur selten und gefährlich, im allgemeinen meiden sie solche Stellen.«

»Das habe ich mir auch gesagt – vorher.«

»Hast du schon öfters Haie dort gesehen?«

»Ja.«

»Und seit wann?«

Ron zögerte. »Seit etwa zwei Jahren“, antwortete er schließlich.

Descartes stellte sein Glas weg und sah ihm direkt in die Augen. Der Blick war scharf, sachlich und drängend. Ron fühlte sich unbehaglich.

»Wußtest du, daß für die Leute hier die Bucht heilig ist?«

»Ja nun . . .«, wollte Ron beginnen.

»Wußtest du es?«

»Ich . . . wie soll ich es dir erklären . . . Ich konnte es mir zusammenreimen.«

»Ob du es gewußt hast, hab' ich gefragt!«

»Ja. - Und dir ist wohl auch klar, was ich suchte. Mein Gott, was führen wir hier für einen albernen Eier-Tanz auf.«

»Richtig.« Gilbert Descartes hatte sein altes, freundliches Lächeln wieder aufgesetzt, wenn es auch undurchsichtig wirkte. »Es ging um die Perlen, nicht wahr?«

»Siehst du. Auch dir ist bekannt, woher sie kommen.«

»Aber klar! Ich werde dir jetzt eine andere Frage stellen. Du brauchst sie mir nicht zu beantworten. Wieso auch? Wir kennen uns ja kaum . . . Nur wir beide kennen diese Insel. Und beide, das habe ich gesehen, beide lieben wir sie. Und beide sind wir auch froh, daß außer uns da draußen so ziemlich niemand herumläuft, der sagen kann: ›Ah, Tonu'Ata! Da muß ich mal hin. Das muß man gesehen haben. Unberührte Südsee-Idylle und so, . . . ist doch was‹ Solche Leute gibt's nicht.«

»Auf was willst du hinaus?«

»Daß wir beide an dem Geheimnis von Tonu'Ata eine Art lebenswichtiges Interesse haben.«

»Und die Frage?«

»Ja, die Frage ...« Wieder schloß Descartes die Augen. »Du kamst im Schlauchboot hier an. Schiffbrüchig. Hättest du Geld oder Schecks dabei gehabt, hätten die dir ja nun auch nichts genützt. Dann bist du im selben Schlauchboot wieder von der Insel losgepaddelt, wie du mir erzähltest. Und kamst tatsächlich irgendwo an. Und dort, Ron? Gab's da das viele Geld auf dem Konto?«

»Nein.« Vielleicht war es ein Fehler, vielleicht sogar eine Riesendummheit, sich diesem Mann gegenüber zu offenbaren. Aber er wollte es. Es war wie ein Zwang.

»Siehst du.« Descartes Hand legte sich schwer auf sein Knie, und seine Stimme war leise und ganz nah: »Dann kann ich dir den Rest der Geschichte erzählen: Du hast die Perlen gesehen und hast Tama gefragt, woher sie kommen. Dann bist du mit ihr in die Bucht. Und ihr habt dort getaucht. Tama war schon als Mädchen eine der besten Taucherinnen der Insel. Ihr habt so viele Perlen geholt, wie ihr konntet, du hast die Perlen auf deine Wahnsinnsreise mitgenommen, sie irgendwo verscherbelt ... Stimmt's?«

Ron gab keine Antwort. Das Rosa über den Palmen hatte sich zu einem feurigen Rot verfärbt. Und das Trommeln dort drüben wurde stärker und stärker.

»Und mit all dem Geld hast du dir dein wunderschönes Boot gekauft und bist voller Illusionen hierher zurückgefahren«, beendete Descartes seinen Satz.

Sie schwiegen beide.

»Du hast also wirklich auch von den Perlen gewußt, Gilbert?« fragte Ron nach einer Weile.

»Natürlich! Was dachtest du? Die Mädchen tragen sie, und da wird man schließlich neugierig.« Die Antwort war entwaffnend und richtig.

»Aber ... ich meine, wieso eigentlich ...«

»Warum ich nicht dasselbe getan habe wie du? Wo doch echte Südsee-Perlen kaum mehr zu finden sind, hier aber die Mädchen alle damit herumrennen? Ist es das?«

»Ja«, nickte Ron. »Was glaubst du, wie oft ich mir darüber den Schädel zerbrochen habe.«

»Du kennst mich nicht. Das ist es.« Descartes scheuchte einen Moskito fort, der sich auf seiner Stirn abgesetzt hatte. Nun landete er auf dem kahlen Hinterkopf. Er klatschte nach ihm und erwischte ihn wieder nicht.

»Nun, Ron, die einfachste Antwort wäre vielleicht: Weil ich nicht so bin wie du. Aber das klingt mir zu pharisäerhaft. Ich lasse jedem seinen Weg. Wie sonst soll ein Mensch zu sich selbst finden? Nur, ich gehe meinen eigenen. Und dazu gehört nun mal, daß ich akzeptiere, ja, daß ich mich dem füge, was die Lebensvorstellung anderer Menschen aufrecht hält, ihren Traditionen, zum Beispiel, ihrem Glauben, ihren Gesetzen - was immer du willst. Natürlich sah ich die Perlen - und wußte, woher sie kamen. Aber für die Menschen hier waren diese Perlen etwas, das nichts mit Geld zu tun hat. Für sie waren sie, nun, sagen wir heilig. Oder tabu ... Also waren sie es auch für mich.«

Ron schwieg.

»Hör zu, Ron! Nimm es nicht als Vorwurf.« Wieder legte sich die Hand auf sein Knie. »Ich will doch nicht den Moralapostel spielen. Und schon gar nicht gegenüber dir.« Er lachte. »Vielleicht liegt's auch daran, daß ich keinen Satelliten-Peiler brauche und von automatischen Steuerungen und all den prächtigen Dingen, die du mir aufgezählt hast, nicht viel halte. Sollen wir jetzt über Fortschritt reden? Er ist das Opium, das die Menschheit vergiftet. Aber darüber sind wir uns ja klar … Nein, mein Lieber, mir reicht mein kleiner Eisschrank auf der ›Ecole‹. Für den brauche ich zwar eine Batterie, aber die füllt mir ›Freddy‹ mit links. Und das ist es dann auch schon.«

»So?« fragte Ron kampfbereit. »Und dein ›Freddy‹? Was machst du mit ihm, wenn ich dir nicht den Zylinderkopf mit meiner Maschine glattschleife?«

»Oh, du wirst lachen, sowas kann man auch mit der Hand!«

Schon der Auftakt war der eines großen, wahrhaft denkwürdigen Festes.

Sechs Feuer brannten auf dem Dorfplatz. Fackeln erhellten den Palmenwald. Und über den Wipfeln oben hing klar geschnitten, wie ein silbernes Amulett, der Mond.

Aus den Erdöfen aber stieg herrlicher Bratengeruch, und vor dem Haus des Häuptlings Tapana sammelten sich die jungen Männer, die Kriegskeulen in den Fäusten, zum Kailao, dem traditionellen Kriegstanz.

Nun setzten die Baumtrommeln ein, die Krieger formten ihren Kreis, die Keulen flogen hoch, die muskulösen, glänzenden Schenkel zuckten, die Kriegsgürtel leuchteten, die Festschürzen flogen, maschinengleich und immer heftiger stampften die Füße, stampften Feinde, Dämonen und böse Geister in den Sand, während die Trommeln lauter und lauter, immer heftiger und wilder schlugen.

Dann erschien Tapana. Er war umgeben von seinen Ältesten, den Aristokraten des Stammes von Tonu'Ata. Jeder hielt sich in dem Abstand, der seinem Rang entsprach. Tapana wirkte wahrhaftig wie ein Fürst: Aus dem bestickten Kopfputz ragten hohe, farbige Vogelfedern, der große Körper funkelte im Licht, Perlmuttplatten der schwarzen Austern waren auf den Pandanus-Baststoff seines Festgewands genäht. Er blieb vor dem Haus stehen. In der Hand hielt er das Häuptlings-Zepter, eine prächtig geschnitzte Zierkeule. Er war der Herr der Insel. Und er zeigte es.

»Großartig sieht er aus«, flüsterte Descartes. »Nicht?«

Ron Edwards nickte und dachte an den Tag, als Tapana mit geöffnetem Bauch in seinem Haus gelegen hatte und Jack und Dr. Rudeck versucht hatten, all den Eiter abzupumpen und keiner mehr einen Pfifferling auf sein Leben gegeben hätte ...

Sie hatten sich etwas abseits auf eine Flechtmatte gesetzt. Ein paar Dosen Bier hatten sie auch mitgenommen. »Weißt du«, hatte Descartes gesagt, »dieses Kawa ist nicht so sehr meine Sache ...«

Auch Rons Sache war es nicht. Kawa mochte zwar aufputschen, für ihn schmeckte es wie gepfeffertes Spülwasser. Dort drüben, bei den Männern, kreisten schon die Kokosschalen. Sie tranken, was das Zeug hielt.

»Jetzt gibt's gleich Ansprachen, Gilbert.«

»Eine Rede gehört zu jedem Fest. Was glaubst du, wie oft ich das schon über mich habe ergehen lassen?«

Tapana sprach als erster und winkte zuvor würdevoll zu ihnen herüber. Um die gute Göttin Onaha ging es und all die guten Geister der Verwandten, Väter und Ahnen von Tonu'Ata, die das Leben des Bruders Schibe beschützt und ihn und sein Schiff nach so langer Zeit wieder zur Insel begleitet hätten ... Und da es so viele Geister waren, wurde Ron richtig schläfrig. Er drehte sich um, um sich die nächste Bierdose aus dem Karton zu klauben.

»Lieber Himmel, ist sie schön!« sagte Descartes da.

Ron wandte den Kopf.

Tama stand auf dem Dorfplatz. – Meine Tama, ja, mein Wunderwesen, dachte er zärtlich.

Ihr Haar schien zu knistern, der schlanke Körper mit seinen festen, hohen Schenkeln, der zarten Taille, den hohen Brüsten und dem zurückgebogenen Hals, er schien wie eine einzige leuchtende Flamme.

Wieder setzten die Trommeln ein. Ihr Pochen trieb Tamas Arme empor, ließ ihr Becken kreisen, so daß der Tanzschurz aufflog. Noch immer tanzte sie allein. Die Perlen funkelten, ihr dunkles Haar schimmerte.

»Wunderbar ist sie!« Gilbert Descartes hatte ein ganz begeistertes Gesicht, riß sich die Brille von der Nase, putzte sie, als könne er nicht glauben, was er sah.

Und Tama tanzte ...

Nun war es Nacht.

Zu sagen gab es nichts mehr. Jeder wußte Bescheid. Auf dem großen stabilen Beiboot des Katamarans hatten sie den Johnson montiert. Es besaß einen stabilen Stahlrahmen, und die Bodenplatte innen war aus gestanztem Aluminium. Ein richtiges Landungsboot. Der Pai war voll Anerkennung.

Osea würde steuern. Und Osea würde es auch sein, der das Boot während des Überfalls bewachte.

Je näher der Katamaran im Schutz des Berges an die Insel herankam, desto stärker war das dumpfe, rhythmische Klong-klong der Trommeln zu vernehmen.

»Hört euch das an!«

Lauter war es geworden, schneller, dabei war es kurz vor Mitternacht.

Sie streichelten ihre Waffen. In einer Stunde würde alles vorüber sein, hatte der Pai gesagt. Man würde sehen. Frauen gab's dort sicher, darauf kam's an.

Leise tuckernd schlich sich das Boot in den Mondschatten. Das Rauschen der Bugwelle überdeckte nun die Trommeln und das Singen, das die Nachtbrise von der Insel herübertrug.

»Das sind viele«, flüsterte Lavuka.

»Angst, Kleiner? Was glaubst du, wie schnell das ganz wenige werden, wenn wir loslegen. Es wird sein, wie wenn du einen Stein in einen Eimer wirfst. Wir sind ein großer Stein. Ein Fels sind wir.«

»Oh ja«, sagten die anderen im Chor, »Ein Fels!«

»Und wir haben die besten Trommeln.«

»Ja.«

Der Pai strich über den Segeltuchbeutel, der an seiner Seite hing. Die zehn Eierhandgranaten wogen schwer. Er genoß das Gewicht.

»Hier – die werden sie zur Hölle trommeln. Amen.«

»Amen«, kam es flüsternd zurück.

»Zuerst nehmen wir uns die Palangis vor. Sie sind auf dem Fest. Das Fest wird für sie gefeiert. Die anderen, die wir finden, treiben wir in eine Hütte. Und wenn sie nicht vernünftig sind, gibt's den großen Trommelwirbel. Jawohl. Bong ... bong ... bong ...«

Sie nickten nur. Aber da war keiner, der lachte.

»Das Meer hat Owaku ausgespuckt, Schibe. Ja, ausgespuckt hat es ihn. Wie eine zermanschte Seegurke.«

Antau war wieder mal in Fahrt. Im Laufe des Festes hatte er sich einfach zu ihnen gesetzt. Den Kopf hielt er schief, der zahnlose Mund lachte. Einmal hatte er versucht aufzustehen und war gleich wieder umgekippt. Kawa. Zuviel Kawa. – Na und? Sein Geist war wie beflügelt, eine herrliche Nacht war es, gegessen hatten sie wie Könige, Schweinchen, Hühner, Langusten, Fische, Früchte. Ja, und nun wollte, nun mußte Antau es loswerden.

»Er war arm, Schibe ... Er war halb tot. Ein armer, armer, halb toter Palangi ... Sein Schiff gab es nicht mehr. Stimmt's Tama? Sprech ich die Wahrheit?«

Sie lag ausgestreckt neben Ron. Sie trug wieder ihr rostbraunes Kleid. Ihr Kopf lag in seinem Schoß, und sie nickte. Vermutlich hätte sie nun zu allem genickt. Sie war wie ein schläfriges Kind, schläfrig und zum Abküssen. Ich bring sie ins Bett, nahm sich Ron vor.

»Aber wir haben ihn aufgenommen», sagte Antau, und nun klang er sehr feierlich: »Wir haben ihn aufgenommen wie einen Bruder. Und warum? Weil wir noch Sitte und Anstand kennen. Wir haben ihm eine Hütte gegeben und Essen und ihn gekleidet. Und ihm ein Kanu gebaut. Und Tapana gab ihm Tama, seine Tochter. Und Owaku hat Tapana seine Geschenke zurückgegeben: Er hat ihn geheilt! Er hat ihm das Leben gerettet.«

»Hör doch auf, Antau! Überhaupt war das nicht ich, sondern Jack Willmore. Und dieser Doktor aus Pangai.«

»Die sind tot, Owaku«, gab Antau sachlich zu bedenken, »du aber lebst. Und du hast meine alte Mutter geheilt. Und das Kind meiner Schwester, die kleine Nia. Du hast viele geheilt. Und Perlen geholt ... Und nun bist du nicht nur unser Bruder, sondern auch ein mächtiger und reicher Mann. Du hast das Licht aus den weißen Kästchen gebracht. Und Musik aus Kästchen. Und all die anderen herrlichen Dinge. Wir kennen dein Schiff, das schöner ist als der Palast des Königs, der irgendwo hinterm Meer wohnt. Und wir wissen auch, was du dort auf dem Schiff treibst, wenn du nachts mit Tama hinüberfährst. Wir hören die Musik ...«

Descartes lachte. Er lachte, wie nur er lachen konnte, so laut, daß selbst die, die noch immer bei ihren Kawa-Schalen lagen, die Köpfe hoben.

»Hör auf, Antau.«

»Aber nun will ich dir etwas sagen, Owaku: Deine Idee mit dem schwarzen Schlauch, der Wasser ins Dorf und bis in mein Haus bringen soll ...«

Ron hob die Hand und wußte nicht so recht, wieso ... Auch sein Kopf war schwer, wie zugekleistert. Nicht vom Kawa, sondern vom Spatenbräu aus München. Auch da galt: In warmen Nächten sollte man nicht zuviel davon trinken.

»Was hast du, Owaku?«

Ja, was hatte er? Genau definieren konnte er es nicht. Eine Welle von Unbehagen stieg in ihm auf; wie die Wahrnehmung einer Bedrohung – ja, wie damals, kurz bevor er seinen Motorrad-Unfall erlitt und den Wagen gar nicht sehen konnte, der ihn streifte ...

»Was guckst du immer dort rüber, Owaku?«

»Weil mich irgend etwas da stört, Antau«, war er schon fast bereit zu antworten. Weil sich etwas geändert hat ... Etwas liegt in der Luft, irgend etwas, das nicht hierher gehört. Er schwieg, doch er spürte es ganz deutlich: Das Unheil kommt von dort drüben, wo das große Feuer flackerte, das inzwischen zu einem Haufen glühender Äste herabgebrannt ist, in dem noch einzelne Flammen tanzen ...

Sie erhellten den Kreis junger Mädchen, die am Boden saßen. Eben noch hatten sie getanzt, die Oberkörper mit den jungen Brüsten nackt, gelacht hatten sie und die traditionellen Tapas, die mit Blumen- und Fisch-Ornamenten bemalten Hüfttücher, fliegen lassen. Nun klatschten sie in die Hände und sangen, und an den schlanken jungen Hälsen schimmerten die Perlen, die ihnen ihre Mütter geschenkt hatten.

Dahinter aber wuchsen Stämme. Palmenstämme ...

Auch sie, wie die jungen Körper, waren rot überhaucht vom Schein der Flammen ... Ja, Ron fühlte: Dort war es! Dort hatte er auch etwas gesehen. Etwas? – Schatten ...

In seinem Schoß seufzte Tama, halb träumerisch, halb glücklich.

Antau starrte ihn an.

Gilbert Descartes sagte: »Da kriegst du nun schöne Geschichten erzählt und hörst nicht mal zu. Was, verdammt, ist mit dir los? Sind es die Mädchen? Darüber solltest du eigentlich hinweg sein. Das schönste liegt sowieso hier.«

»Sei ruhig, Gilbert ... Bei den Palmen – siehst du nichts?«

Zunächst hatte er an ein Liebespaar gedacht. Doch die beiden Schatten, die sich ins Dunkel duckten, waren keine Liebenden. Und sie hatten sich bis zum Rand des Platzes geschlichen.

»Tama?« Er schüttelte sie: »Tama ... Tama.«

Sie öffnete die Augen und lächelte.

In diesem Augenblick fiel ein Schuß.

Tama stieß einen unterdrückten Laut aus, Descartes drehte den Oberkörper, im Gesicht nichts als fassungsloses Staunen.

Tama war aufgesprungen. Ron riß sie wieder zu Boden und blickte aus weit aufgerissenen Augen zu den beiden Männern hinüber, die jetzt aus dem Schatten der Bäume in den Lichtkreis des Dorfplatzes traten.

Der Anblick machte ihn fassungslos, denn es war vollkommen unwahrscheinlich. Es schien, als seien die beiden aus der Nacht gekommen, um sich auf dem Dorfplatz zu materialisieren. Aber da standen sie und hielten kurzläufige, moderne Automatwaffen in den Fäusten. Sie hielten sie so, als seien sie bereit, den Abzug durchzuziehen. Der Kleinere trug ein rotes Stirnband um den Kopf. Zu dem Ersatzmagazin, das an seiner Schulter hing, schleppte er noch einen prall gefüllten Segeltuchbeutel mit.

Noch mehr Munition? dachte Ron. Oder hat er vielleicht Handgranaten da drin? Sieht ganz so aus …

»Merde«, fluchte Descartes. »Scheiße. Das gibt's doch nicht!«

Jetzt war Ron froh, daß er sich zuvor diesen Platz gewählt hatte. Sie drückten sich in den Schutz der beiden riesigen Bananenstauden.

Seine Gedanken rasten. Er wußte bereits, was er zu tun hatte. Aber noch wartete er. Wer war das? Wieviele waren es? Und … was wollten sie?

Nach all dem Lärm des Festes wirkte die Stille, die sich auf das Dorf senkte, wie ein Mantel aus Blei.

Der Mann mit dem roten Stirnband zeigte weiße Zähne. Er grinste die Mädchen an. Dann ging er langsam, die Waffe schlenkernd, lässig wie ein Spaziergänger in die Mitte des Platzes.

Dort blieb er stehen, ließ den Kopf kreisen, riß die MP hoch, schwenkte sie im Halbkreis und jagte dicht über die Köpfe der Menschen, die seinen Auftritt wie in Trance verfolgten, einen Feuerstoß aus dem Lauf.

Wieder war es so still wie zuvor.

Der Mann drehte sich um und ließ den Blick über die erstarrten Dorfbewohner wandern. Plötzlich riß er den linken Arm hoch und brüllte mit einer grellen, hohen, überkippenden Stimme: »Hinlegen! Jeder! In den Sand! Die Arme nach vorne.«

Und sie gehorchten.

Sie warfen sich in den Sand.

Uns hat er nicht gesehen! Ron sog den Atem durch die zusammengebissenen Zähne. Er kann uns nicht gesehen haben. Dabei steht Gilbert, dieser Verrückte, noch immer.

»Los! Bloß weg«, flüsterte Ron.

»Zur Lagune?«

»Nein. Ins Haus, Gilbert. Dort hab' ich eine kleine Überraschung für die Kerle.«

Er ergriff Tamas Handgelenk, wollte sie mitziehen, als er den Schrei hörte. Über die Schulter blickte er zurück. Sein Herz setzte aus ...

Aus dem Längsschatten, den das Fale, das Langhaus des Häuptlings, warf, rannte eine Gestalt heraus. Ein Mann. Einer der jungen Männer von Tonu'Ata. Und er lief gebückt. Das verhieß nichts Gutes. Noch weniger gefiel Ron, daß er einen Speer in der Hand hielt ...

Wer ist das? Er ist, er muß wahnsinnig sein!

Zunächst hatte Ron bei dem Anblick an Afa'Tolou, Tamas Bruder, gedacht, und wie in einer Fotoblende schob sich ein zweites Bild in sein Bewußtsein: Fai'Fa, der älteste der Häuptlings-Söhne, wie er damals den

Speer schleuderte, um dann seinen sinnlosen Tod zu erleiden …

Doch das war lange her. Der, der da herausrannte, gehörte nicht zur Tapana-Familie. Nein, das war Alatu, einer der Söhne von Seiva, und Alatu galt als bester Hai-Jäger des Dorfes.

Ron kannte und mochte ihn. In der Woche zuvor noch hatte er Alatu einen langen, scharfen Bambussplitter aus dem Unterarm gezogen. Alatu hatte sich den Splitter geholt, als er die Auslegerholme seines Kanus mit Bambus belegen wollte. Die Wunde war so groß gewesen, daß Ron sie nähen mußte. Es war der rechte Arm, er erinnerte sich genau - und mit diesem verletzten rechten Arm hob er nun den Speer.

Er brachte ihn nicht einmal über den Kopf.

Wieder knallten Schüsse.

Und nun schrien die Menschen von Tonu'Ata, schrien, ausgestreckt am Boden liegend, die Hände in den Sand verkrallt, und ihre Stimmen vereinigten sich zu einem einzigen Chor der Ohnmacht und des Schmerzes.

Alatu aber hörte den Schrei nicht mehr.

Die Salve hatte ihn erfaßt. Es war, als griffe eine Faust nach ihm, eine Faust, die seinen Körper hochriß, ihn in einem schrecklichen Todeswirbel um die eigene Achse drehen ließ und dann zu Boden schmetterte. Blut floß aus seinem aufgerissenen Leib in den Sand, die Hand zuckte noch immer, als suche sie den Speer.

Und während Ron dies alles beobachtete, geschah, zeitsynchron bis auf die Sekunde, das zweite Drama: Aus dem Ring der Mädchen schnellte ein Frauenkörper hoch, begann zu rennen, rannte mit hocherhobenen Armen und geballten Fäusten dem Mörder entgegen …

Dann, in schrecklicher Wiederholung, ereignete sich das gleiche: Der Lauf der Waffe spuckte Feuer, die Einschläge erfaßten den schlanken, halbnackten Leib, brachten ihn wie eine unsichtbare Wand zum Halten, warfen ihn zur Seite, in den Sand …

Tama schluchzte: »Vanaia! Das … das ist Vanaia, seine Schwester! Vanaia … Vanaia … Sie haben sie umgebracht …«

Nomuka'la! – Rons verzweifelter Zorn suchte Namen. Was ist? Wo bis du jetzt? Du hast es gesehen. Wo sind deine Götter? Ruf die Geister, los schon! Wo steckst du? Wieso hilfst du nicht? Weil du nicht kannst? – Da sind sie! Keine Palangis, oh nein, miese Killer, miese, dreckige Kanaken-Killer! Und sie töten dein Volk …

Und noch etwas dachte er: Es sind nicht nur die beiden Schweine auf dem Platz. Die ersten Schüsse kamen aus dem Palmenwald. Das bedeutet: Es gibt noch mehr von diesen Irren …

Sie rannten. Sie liefen gebückt und so lautlos wie sie konnten.

Das Haus lag im Dunkel. »Mach kein Licht, Tama.«

»Meinst du, ich bin dumm?«

Wieviele waren es? Sein Kopf ratterte die Fragen herunter. Und wenn nun irgendeiner im Haus wartet? Nein, die Drahtschlinge der Gartentür war genau so eingehakt, wie er sie hinterlassen hatte. Er schob sie hoch.

»Wo ist Gilbert, Tama? Verdammt nochmal, wo ist Schibe?«

»Da kommt er.«

Ja, er kam. Was heißt kam – er schaukelte heran wie ein Schiff bei hohem Wellengang; er humpelte, das schon, aber auf eine neue, merkwürdige Weise, die eher an ein Schlingern erinnerte.

»Endlich, Mensch.«

»Was soll das, Ron?«

»Wirst du gleich sehen.«

Descartes grunzte irgendwas, das Ron nicht verstand. Er lauschte. Vom Dorf kam kein Laut. Was trieben diese Ratten? Wer waren sie? Tonu'Ata, dein Tonu'Ata, die »unbekannte Insel«, - und jedesmal, Himmelherrgott nochmal, jedesmal, wenn ein Fremder hier auftaucht, stellt er sich als Mörder, Bandit oder Killer heraus.

Oder als Pirat. Denn das waren sie wohl: Piraten!

Und als er das Wort »Piraten« dachte, fiel ihm noch etwas ein: Der Artikel, der ihn damals dazu gebracht hatte, die Kalaschnikows zu kaufen. Die Waffen hatten ihm gegen Pandelli geholfen, ja - aber wieso hatte er sie damals in Papeete unbedingt haben wollen? Weil im »Depêche de Tahiti« irgend etwas von Piraten zu lesen gewesen war, einer Bande, die unter Führung eines Malaien angeblich die Samoa-Gruppe unsicher machte.

Angeblich? Nein, das waren sie! Und der Typ mit dem roten Stirnband - war er Malaie? Kein Polynese, das war sein erster Gedanke gewesen, auch keiner aus Melanesien, Bali, hatte er gedacht, Bali oder Indonesien ...

Zum Teufel, woher diese Ratten stammten, war jetzt nicht wichtig. Wichtig war nur eines: Sie zu stoppen, ehe es noch weitere Tote gab.

»Hör zu, Ron, was tun wir hier? Wieso gehen wir nicht auf dein Schiff? Oder auf die ›Ecole‹?«

»Hast du Kalaschnikows auf der ›Ecole‹, Gilbert?«

»Was?«

»Kalaschnikows. Russische Sturmgewehre. Munition ... Hast du sowas?«

»Ein Kleinkaliber hab' ich. Damit schieß ich wilde Ziegen.«

»Hier kannst du Ratten schießen, Gilbert. Na los! Komm ...«

Sie nahmen die Haupttreppe. Ron wollte die Taschenlampe vom Haken nehmen, aber das Mondlicht war so hell, daß sie kein Licht brauchten.

Tama war bereits vorausgelaufen, in die kleine Kammer zwischen Küche und Schlafzimmer, in der sie das Bettzeug und die Fensterblenden aufbewahrten, die sie während der Regenzeit brauchten. Sie hatte Matten, Leintücher und Kissen von der länglichen Kiste geräumt, in der die Sturmgewehre lagen. Dann öffnete sie die erste, so geschickt, kühl und überlegt wie ein Soldat.

Meine Tama ...! In diesem Augenblick bewunderte Ron sie mehr, als er sie je bewundert hatte. Kriegerblut, was sonst? Das Erbe ihrer Vorfahren. Und das waren nun mal die großen polynesischen Eroberer, von denen in jedem Buch zu lesen war. – Piraten also, jawohl, verdammt nochmal, Piraten wie diese Scheiß-Burschen dort.

Sie hielt ihm die gefüllten Magazine entgegen. »Ich nehm' den Revolver, Owaku.«

»Den Teufel wirst du! Du wirst hierbleiben.«

»Ich? Nie! – Außerdem: Was ist, wenn sie ins Haus kommen?«

Sie hatte recht.

Er gab Gilbert eine der Kalaschnikows und drei Magazine.

»Kannst du mit sowas umgehen? Sieh mal, hier, das ist der Spannschieber.«

»Ach nein? Was noch? – Spar dir die Luft für nachher. Ich kenn' solche Dinger.«

»Ich dachte immer, du bist ein friedlicher Händler.«

»Bin ich. Der friedlichste, den's gibt. Gerade deshalb hab'ich mich immer gefragt, zu was ich drei Jahre bei der Legion abreißen mußte. – Jetzt weiß ich's.«

Dieser Gilbert war noch immer für eine Überraschung gut. Händler, Philosoph. Jetzt auch noch Legionär ...

»Na, dann zeig mal, was du gelernt hast.«

Dazu bekam Gilbert Descartes bereits zehn Minuten später seine erste Gelegenheit.

Sie hatten das Haus verlassen und beschlossen, sich dem Dorfplatz von der Lagunenseite her zu nähern. Die Palmen standen dort weit auseinander, viel weiter als auf der anderen Seite. Mondlicht gab es, und außerdem noch die breiten Sandwege, über die die Fischer von Tonu'Ata zu ihren Booten gingen und die nun unangenehm hell, fast weiß durch die Palmen führten.

Ron sah einen dicken Palmenstamm, den ein Hurrikan schon in der Jugend zur Erde gedrückt hatte, so daß er, sich beinahe waagerecht zwischen die anderen Stämme schiebend, eine Barriere bildete.

Eine gute Deckung! Er kauerte sich mit Tama hinter den Stamm. Descartes kam erst Sekunden später, hinkend und viel zu aufrecht, zu sorglos für Rons Geschmack.

»Herrgott, komm schon runter«, zischte er. »Zieh den Kopf ein, Gilbert.«

Das tat er, hockte sich schnaufend neben Ron in den Sand. Legionär war er? Na, wenn dieser Ex-Legionär so weitermachte, dann gute Nacht! Ron schob Zweige zur Seite. Sein Herz schlug schneller bei dem Anblick, den der Dorfplatz nun bot.

Alatu und seine Schwester lagen noch immer dort, wo dieses Schwein mit dem Stirnband sie niedergeschossen hatte, etwa zehn Meter links neben dem großen Häuptlings-Fale. Sie hatten Alatu wohl auf den Rücken gedreht. Arme und Beine waren ausgestreckt. Alatu wirkte sehr einsam dort auf dem Sand. Er sah aus wie ein Gekreuzigter.

In der Mitte des Platzes hatten die Piraten, soweit er es erkennen konnte, die Menschen in Gruppen getrennt. Die Älteren, Frauen und Männer, lagen wir zuvor, das Gesicht in den sandigen Staub des Platzes gepreßt, die Arme weit nach vorne gestreckt. Um sie hockten im Kreis, regungslos wie kleine Puppen, die Kinder.

Tapana konnte er nirgends entdecken.

Das Bild jedoch, das Ron am meisten zusetzte, war das der Mädchen und Frauen. Sie bildeten eine lange Kette vor dem Eingang von Tapanas Fale. Die Feuer waren inzwischen weiter niedergebrannt, waren nichts als riesige Glutnester. Aber die Piraten hatten wohl die Fackeln entdeckt, die für das Fest vorbereitet worden waren, und einige davon in einem Halbkreis um den Eingang von Tapanas Haus in den Sand gesteckt. Ihr düsteres rotes Licht ließ die Gruppe noch wehrloser, noch dramatischer erscheinen.

»Das sind keine Menschen», flüsterte Tama neben ihm. »Tiere sind das. Nein, Teufel.«

Das waren sie wohl.

Da kauerten sie im Schatten, starrten, hielten den Atem an und konnten nichts unternehmen. Gar nichts.

Der Mann mit dem roten Kopfband war kein Polynesier. Er war Malaie, man sah deutlich den asiatischen Augenschnitt, er mußte dieser Malaie sein, über den die »Depêche« berichtet hatte. Er hielt die MP schußbereit, den Finger am Abzug, an der Hüfte. Der Lauf mit dem häßlichen, kurzen Schalldämpferrohr war auf die Frauen gerichtet. Ron zweifelte nun keine Sekunde länger, daß er sofort wieder schießen würde, falls ihm etwas nicht paßte. Der Typ war in der Lage dazu.

»Sie treiben sie ins Haus, Owaku.«

»Still, Tama ...«

»Still? Wir können doch nicht zusehen! Und wenn sie sie alle umbringen? Was wollen die von ihnen?« In Tamas Augen glänzten Tränen. Ihr Blick war so flehend, daß er wußte, er würde ihn nie vergessen.

»Siehst du das?« fragte Gilbert leise.

Ja, Ron sah es! – Jedesmal, wenn eine der Frauen und Mädchen im Hauseingang verschwand, mußte sie den Kopf nach vorne neigen, und der zweite Bursche, der größere, ein breitschultriger, athletischer Kerl, riß ihr mit raschem Griff die Perlenkette vom Hals, um sie auf die Bastmatte fallen zu lassen, die neben ihm im Sand lag.

»Es sind Dämonen ... Es sind Teufel ... G'erenge hat all seine bösen Geister über uns gebracht, Owaku.«

Er konnte Tamas Empörung verstehen: Die Perlenketten – sie waren die Freude der Frauen! Über Generationen waren sie zu ihnen gelangt, nicht nur ihr Stolz waren sie, auch Schutz und Erinnerung. Und nun, nun wurden sie geraubt! Und niemand konnte etwas tun. Keiner der Krieger Tonu'Atas konnte es verhindern. Und vielleicht wog diese Demütigung noch schwerer als der Verlust.

Ron zwang sich zur Ruhe. Er atmete tief durch und versuchte, seine Gedanken unter Kontrolle zu bringen. Gut, da waren diese beiden Schweine. Aber es gab noch mehr von ihnen. Wo war der dritte, der vom Wald her Alatu erschossen hatte? Sie hatten sich das clever ausgedacht: Zwei handelnde Akteure, die anderen unsichtbar im Dunkeln, stets bereit zu töten.

»Wieviele sind es? Was meinst du, Gilbert?«

Der schwere Mann neben ihm zuckte mit den Schultern. »Weiß nicht. Viele nicht. Drei oder vier vielleicht. – Ich glaube, du hast recht: In der Tasche hat er Handgranaten. Das ist Krieg, was die hier machen. Nein, das ist Oradour ...«

Durch Rons Kopf geisterte ein flüchtiges Erinnerungsbild: Oradour? Zweiter Weltkrieg, ja ... und die SS hatte die Bewohner des französischen Dörfchens in eine Kirche getrieben und alle ermordet ...

»Was ist, Gilbert?« Er verstand es nicht, verstand noch weniger, als der Franzose aufstand. »Wo willst du hin? – He?«

Descartes hob nur die Hand. Mondschein lag auf seinem Gesicht, und es war ein anderes Gesicht als das, das er kannte. Gelassen ja, rund auch, aber erstarrt wie zu einer Maske.

Ehe ihn jemand zurückhalten konnte, lief er am Stamm entlang, lautlos, mit einer Geschicklichkeit, die Ron ihm nie zugetraut hätte. Er sah Descartes den breiten Ziehweg zur Lagune überqueren und mit den Schatten der Büsche dort verschmelzen.

»Tama! Du rührst dich nicht, hörst du?«

Es war wohl sinnlos, ihr das zu sagen. Solche Sätze nahm sie nicht an. Er lief los, und sie folgte sofort. Hintereinander überquerten sie den Weg, und da waren die Büsche, da war auch Gilbert, er hörte den heftigen, gepreßten Atem, ehe er ihn sah. – Und er war nicht allein.

Vor ihm ausgestreckt, die Schultern unter Gilberts Knien und wild wie ein zuckender Fisch mit den Beinen um sich schlagend, lag ein dunkler Männerkörper. Ein Gesicht konnte Ron nicht erkennen, Descartes' Bauch verbarg es, nur das Kinn sah er, Descartes' mächtige rechte Hand hielt es umklammert. Nun schob sich seine zweite Hand nach unten, faßte wohl den Hinterkopf des anderen, und da war ein kurzes, hartes knackendes Geräusch. Die heftig kämpfenden Beine fielen herab, wurden schlaff, zuckten noch einmal und blieben still.

Descartes stand auf und wischte die Hände am Stoff seiner schmutzigen Leinenhose ab, als müsse er sie säubern.

»Mein Gott, Gilbert ...«

»Ja, mein Gott! Schön gesagt!« Descartes' Brille funkelte. »Wo steckt er? Und was will er hier wieder anrichten?« Seine Stimme war weniger als ein Flüstern, die Worte kamen monoton und traurig: »Er hat mich lang in Frieden gelassen. Seit dreißig Jahren hab' ich sowas nicht mehr machen müssen. Seit Indochina ... Meinst du, es gefällt mir?«

Wieder kauerten sie sich in den Sand. Er war warm, war wie eine vertraute Berührung. Eine Pfütze Mondlicht lag auf dem Gesicht des Toten. Es war ein junges Gesicht. Es wirkte friedlich, fast kindlich.

Gilbert schüttelte den Kopf und stieß seufzend den Atem aus.

»Wenn wir jetzt mit deinen großartigen Spritzen auf dem Platz losknallen, bringt das gar nichts. Nur noch mehr Tote. Das hat keinen Zweck, Ron ... Laß sie ihre Perlen einsammeln ... Wir sehen uns besser hier um. Dann gibt's keine Überraschungen. Wie sind sie bloß hierher gekommen?«

»Wie? Mit einem Schiff ... Und vom Schiff mit dem Boot.«

»Das ist mir auch klar. Und noch was glaub ich: Sie haben ihr Boot abgesichert. Dort ist eine Wache. Die knöpfen wir uns jetzt vor.«

»Dann schneidest du ihnen den Rückzug ab«, sagte Ron.

»Rückzug? Ich sage dir, das sind ganz wenige. Außerdem, du hast recht: denen schneiden wir den Rückzug ab! Und nicht nur das ... Von denen laß ich keinen mehr raus! Was hier geschieht, das werden sie nie mehr wiederholen!«

Ron begegnete Tamas Blick. Er fand keine Antwort. Er dachte an die Frauen dort drüben in der Hütte. Und an die Handgranaten, die der Bursche mit dem roten Stirnband, ihr Anführer, mit sich herumschleppte.

Gilbert hatte recht ...

Das Boot lag an der Westseite des Riffs, dort, wo die Lagune so schmal und so flach wurde, daß man sie zu Fuß durchwaten konnte und wo der Berg sich so steil und schroff ins Meer senkte, daß er das Mondlicht mit seinem großen, keilförmigen Schatten abfing.

Der Mann am Ufer war nicht auszumachen, aber sie sahen in regelmäßigen Abständen den roten Lichtpunkt seiner Zigarette. Und sie sahen das Boot ... weiter draußen. Dieser längliche Schatten, der sich kaum von der Dunkelheit abhob, war wohl das Schiff, mit dem sie gekommen waren.

Die Kalaschnikow in Rons Hand schien schwerer zu werden. Nutzlos war sie. Ein einziger Schuß – und vorne im Dorf würden die Handgranaten detonieren, die Maschinenpistolen loshämmern, das allgemeine Abschlachten beginnen.

Und jetzt?

»Gilbert?«

Der Franzose gab einen Laut von sich – keine Antwort, nur ein mürrisches Knurren, das dann wie ein Seufzen verklang.

Der Mond hing über dem Meer, weiß und vollkommen uninteressiert, die Lagune funkelte in seinem Licht, die Wellen rollten gegen das Riff, und das Rauschen, mit dem sie sich brachen, verebbte, kam wieder und wieder.

So friedlich war alles, und ewig spielte sich dasselbe ab: Eine Nacht, geschaffen, um ein Fest zu feiern. Oh ja ... Und nun?

Von wo waren sie gekommen? Wieso waren sie gekommen? Warum waren es immer die Mörder, die kamen? Nein, sie durften nicht zurück. Keiner.

Rons Hand schraubte sich um den Kolben der Waffe. Tama, die neben ihm kauerte, legte ihre Hand auf sein Knie. Die Hand zitterte.

»Es wird alles gutgehen, Tama.« Es klang wie ein Schwur. Sie erwiderte nichts. –

»Ron«, flüsterte Gilbert, »wie ist das ... Am Berg entlang, kommt man da direkt ans Riff? Oder muß man durchs Wasser?«

»Weiter rechts, ja. Da schiebt sich die Wand ins Meer.«

»Wie weit ist das?«

»Nicht weit. Hundert Meter.«

»Stein? Oder Geröll?«

»Fels«, sagte Ron.

»Na dann, gehen wir.«

Gilbert legte Tama die Hand auf die Schulter und drückte sie nieder. Diesmal wehrte sie sich nicht. Sie blieb ...

Ron ging voraus. Er kannte jeden Strauch, jeden Baum, jede Silhouette, den Weg hätte er im Schlaf gefunden. Manchmal blieb er stehen, um mit angespannten Nerven zu warten, bis Gilbert aufholte. Dann lauschte er in die Nacht. Vom Dorf war noch immer nichts zu hören. Kein Geräusch war zu vernehmen, nichts als das Knacken eines Zweiges, der unter Descartes' Sohlen zerbrach. Aber das Plätschern des Wassers überdeckte es.

Sie hatten den ersten der Basaltblöcke erreicht, den der Vulkan vor langer Zeit herabgeschleudert hatte. Schräg lag er im Sand. Er war mit nassen Flechten bewachsen. Gleich dahinter begann ein Vorsprung, eine Art schräge Plattform, die bis zum Meer führte.

Sie trugen beide ihre leichten Bootsschuhe. Als das Fest begann, hatten sie sie angelassen, um die Füße vor Skorpionen oder Dornen zu schützen. Nun waren sie froh darum. Die leichten Gummisohlen schluckten jeden Laut und verhinderten das Abrutschen auf dem Fels.

Descartes war stehengeblieben. Seine Hand lag auf Rons Schulter, die Finger drückten sich in sein Fleisch.

Ron verstand: Das Boot! Es lag dort im Wasser, wo er es vermutet hatte – am Ende der Lagune und am Beginn des Berges. Die Zigarette war nun nicht mehr zu sehen. Der Mann dort wurde verborgen von dem schweren, schwarzen Vulkanbrocken, der die Bucht abschloß ...

Sie sahen sich an.

»Scheiß-Knie«, flüsterte Gilbert. »Hilf mir hoch.«

»Einen Dreck werd' ich. Das ist meine Sache.«

»Red' keinen Unsinn. Sowas kannst du nicht. – Nun mach schon.«

Vielleicht war es die unbeugsame Entschlossenheit in Descartes' Stimme, oder es war Rons Unsicherheit, die aus der Erkenntnis rührte, daß Gilbert wohl recht hatte. Er nickte.

Sie waren nun dicht am Fels. Ron verschränkte beide Hände, um ihm hochzuhelfen, doch Descartes schüttelte den Kopf. »Die Schulter reicht. Geh in die Knie.«

Ron gehorchte, spürte das Gewicht auf den Schultern, ein Gewicht, das jeden Muskel zittern ließ, er hörte ein schabendes Geräusch, und das war lauter als das Wasser, es schien in seinen Ohren zu donnern. Nun spürte er den Franzosen nicht mehr. Er war oben. Er hatte sich wohl hochgezogen.

Dann ging alles ganz schnell. Da war ein Schrei. Und es war nicht Descartes' Stimme, die schrie. Es war die seines Opfers.

Ron zog sich selbst hoch, rutschte, schaffte es erst im zweiten Anlauf. Dann war er oben, sah das Boot und daneben, halb im Wasser, eine leblose Form. Die Wellen bewegten sie hin und her.

Er fühlte, wie sich irgendwas in ihm zusammenzog. Schweiß rann in Bächen über sein Gesicht und seinen Körper, etwas vibrierte an seinem Rücken, war wie ein heißes, rasendes Flimmern, das in der Mitte der Wirbelsäule begann und sich über den ganzen Körper ausbreiten wollte.

Reiß dich zusammen, sagte er sich. Gilbert hat recht: Ratten! Keiner soll zurück!

»Zieh mich hoch«, hörte er die unterdrückte Stimme des Franzosen. »Los schon, gib mir die Hand.«

»Aber das Boot, Gilbert«, flüsterte er.

»Scheiße nochmal! Du hast recht. Hab' ich gleich.«

Gilbert stand bis zu den Knien im Wasser. Ron sah, wie er sich bückte, hörte das Klappern des Paddels, er hob es hoch, warf es ihm zu: »Da! – Ich nehm den Verteiler raus.«

Ron versuchte das Paddel an der Felskante zu zerbrechen, – nein, das würde zu laut werden. Er schob es an der Kante des großen Felsens in die Tiefe, so daß es zwischen zwei anderen Steinbrocken verschwand.

Als er an seinen Platz zurückkam, hatte Descartes bereits das Motorgehäuse des Außenborders abgenommen und den Verteilerkopf entfernt. Er warf ihn ins Wasser.

»Komm schon, Ron, hilf mir.«

Ron zog ihn hoch, und da stand Gilbert nun, schwarz, naß, selbst wie ein Teil des Felsens.

Und dann kam die leise, fast gleichgültige Stimme, die für ihn so fremd klang, als habe er sie nie gehört: »Beinahe hätte er meine Brille erwischt. Hätte noch gefehlt ... Jetzt wird's brandeilig, Junge. Wir müssen zum Dorf zurück. Weiß der Teufel, was diesen Verrückten noch so alles einfällt.«

»Vielleicht wollen sie auf unsere Boote?«

»Klar wollen sie das. Aber noch haben sie zu tun. Und wenn, nehmen sie ihr eigenes Dinghy. Die suchen nicht nach unseren. Wenn sie jetzt schon kämen, hätten wir sie ... Aber so einfach machen sie es uns nicht. Die sind noch dabei, das Dorf zu durchfilzen oder die Frauen zu schikanieren – wenn ihnen nicht noch was anderes einfällt! – Los, komm schon!«

Sie liefen den Weg zurück, den sie gekommen waren.

Tama wartete an der Stelle, an der sie sie verlassen hatten. Sie richtete sich hoch, Angst und Verzweiflung verzerrten ihr Gesicht: »Vorhin hat jemand geschrien. Im Dorf. Es war so schrecklich. Und ich ... ich muß immer an Lanai'ta denken ...«

Ihre Schwester war in ihrem Haus geblieben. Seit Jacks Tod nahm sie an keinem der Feste mehr teil. Außerdem hatte ihr Kind, der kleine Jacky, Fieber.

»Sie sind noch im Dorf, glaub mir. Laß uns auch dort hingehen. Und ganz leise bleiben, Tama.«

»Und dann?«

Ja, dann …

Ron überlegte. Er hatte eine vage Vorstellung von dem, was nun kommen würde, er hatte sogar so etwas wie einen Plan. Wenn sie etwas verhindern mußten, war es, erkannt zu werden, ehe sie eine klare, saubere Schuß-Möglichkeit bekamen, denn darüber war er sich klar: Sobald sich die Killer der Gefahr bewußt wurden, würden sie entweder blind in die Menge feuern oder sich die Menschen als Geiseln nehmen. Die einzige Lösung, die ihm einfiel, war die, in Tapanas Haus einzudringen, um von innen, von dort, wo die Verbrecher es am wenigsten erwarteten, nämlich aus der Gruppe der Gefangenen heraus, das Feuer zu eröffnen.

Er besprach es mit Gilbert.

Descartes hob zur Bestätigung die Hand: »D'accord. Aber wenn noch einer rumläuft, von dem wir nichts wissen?«

Darauf gab es keine Antwort.

»Hilft alles nichts«, entschied Descartes. »Ein schlechter Plan ist besser als gar keiner. Wir müssen es probieren.«

Doch dann, als sie den Rand der Palmenbepflanzung erreichten, hatte sich alles geändert. Schon der erste Blick bewies, daß keine Zeit mehr zur Verfügung stand, daß ihnen nichts blieb als zu handeln. Ron fühlte, wie sein Mund trocken wurde und wie in ihm etwas aufwuchs, etwas Dunkles, Schweres, das ihm den Atem abschnürte. Nein! dachte er. Nein! Diese Tiere, die Schweine ...

Sie hatten das Feuer vor Tapanas Haus wieder angeschürt, vielleicht hatten die anderen das auch für sie besorgen müssen. Doch nun loderten große, fast mannshohe Flammen hoch und erhellten die ganze Szene, den Platz, die Fales, die Menschen - wie in einer teuflisch verrückten Theater-Inszenierung.

Der Anführer, der Malaie mit dem roten Stirnband, stand beinahe in der Mitte des Platzes. Sie waren nicht mehr zu zweit - nun waren es drei. Einer, ein riesiger, barfüßiger Kerl in dreckigen weißen Jeans und einem grünen T-Shirt, stand vor Tapanas Fale und bewachte mit einer Waffe den Eingang. Und da war der dritte, der sich gerade bückte. Er beugte sich zu zwei kleinen, gekrümmten, blutenden Kinderkörpern, die im Sand lagen.

Es war Ron, als sei die Zeit außer Kraft gesetzt, als wäre der objektive Fluß der Sekunden durch etwas anderes ersetzt, das ihren Rhythmus fast zum Stillstand verlangsamte ...

Das Bild dort schien von den Rändern zu verblassen, nun sah er nichts mehr als diesen Mann und sein starres, stumpfes, gleichgültiges Gesicht; sah nichts als einen nackten, dreckigen Männerfuß, dessen Zehen ein totes Kind in die Seite stießen, es zur Seite schoben wie ein Stück Holz, es zur Seite rollten - etwas, das ihm weniger wert schien als Holz, das nichts war, nichts als tote Materie, nichts als ein Kind mit durchschnittenem Hals ...

Er hörte sein Herz dröhnen. Von irgendwo, weit entfernt, kam ein Stöhnen. Es kam von Gilbert Descartes, und dann wieder das Wort: »Oradour ...«

Plötzlich begann die Waffe in seiner Hand zu tanzen.

Wer als erster durchzog, ob Gilbert oder er – Ron wußte es nicht. Wahrscheinlich, so schien es ihm später, begann Descartes als erster zu feuern. Entscheidend aber blieb dieser überwältigende Eindruck der Gleichzeitigkeit der Ereignisse, der Gleichzeitigkeit der Gefühle und des Handelns, der Gleichzeitigkeit dieses überwältigenden Hasses, der gar keine andere Möglichkeit ließ, als es zu tun, egal, was die Folgen sein mochten: Es gab keine andere Wahl!

Der Ekrasit-Gestank der Salven stach in seine Nase, das grelle Geräusch der in rasendem Tempo aufeinanderfolgenden Detonationen von Gilberts Kalaschnikow drohte ihm die Trommelfelle zu zerreißen.

Ja, draufhalten! Schon hatten sie das halbe Magazin verschossen, und es war gar nicht notwendig. Die Mörder lagen längst am Boden, das Fleisch zerrissen von den Einschlägen der Kugeln.

Dann jedoch ...

Er hatte ihn vergessen! Der dritte dort, der den Eingang von Tapanas Haus bewachte ... Da kam er heran, kam aus dem Blauschleier des Pulverdampfs heraus, rannte, die Waffe an die Hüfte gedrückt, den Abzug durchgezogen, in wildem, verrücktem Zickzack über den Platz auf sie zu, schoß, ja, schoß noch immer ... Ganz deutlich konnte Ron die winzigen Flämmchen erkennen, die die Mündung seines Sturmgewehrs ausspuckte, während in ihm nichts war als eine große Leere, als ein Gefühl, dies alles schon einmal erlebt zu haben – damals, als Pandelli in die Bucht kam und sich das gleiche abspielte, so verrückt, so unwahrscheinlich, damals wie heute. Unwahrscheinlich wie irgendeine brutale Szene aus einem dieser amerikanischen Vietnam-Thriller. Und wie ein Film war dies hier auch: ein Film, der sich zur Zeitlupe verlangsamte. Der Mann, der dort rannte und auf sie schoß, und dicht neben ihm Gilbert, der bereits wieder seine Waffe losbellen ließ – der Platz, die Menschen, die alle erneut auf dem Boden lagen ... Die Angst, ihre Angst, seine Angst ...

Dann traf Ron ein Schlag.

Da war kein Schmerz, auch schien der Schlag nicht heftig, nur so, als habe ihn jemand mit einem Stock gestoßen, zunächst an die Schulter, dann gegen den Arm. Und der Arm wurde schwach, so unbegreiflich schwach, daß Ron die Waffe nicht länger halten konnte. Auch sich selbst nicht. – Ja, er taumelte, fiel zu Boden, in den Sand. Vor ihm waren Blätter und Gras. Irgend jemand schrie: »Ron! – Ron!«

Und er war froh, daß alles vorüber war. – So froh ...

6

Rons alter Freund Patrick Lanson war der erste, der am Pier von Pangai über die Gangway rannte. Es war gut, ihn zu sehen. Das vertraute Gesicht mit dem grauverstrubbelten Haar schien sich nicht viel verändert zu haben, obwohl Ron Mühe hatte, es wahrzunehmen. Denn die Dinge begannen vor seinen Augen undeutlich zu werden, die Stimmen auch ...

Aber was Patrick jetzt brüllte, das bekam Ron mit: »Zum Teufel«, schrie Pater Patrick Lanson. »Wieso kommst du in diesem dämlichen Kahn angeschaukelt, statt den Hubschrauber zu rufen?«

»Ein Priester flucht nicht.« Ron versuchte zu grinsen, es wurde nichts daraus. Und er zweifelte auch, ob Patrick oder sonst jemand seine Worte überhaupt verstand. Das wiederum war ihm ziemlich egal.

»Der Verband hier ...« trompetete Lanson, »was soll das? Du hast ja die ganze Schulter kaputt!«

»Den Arm auch« fügte Gilbert hinzu.

»Aber wieso, zum Teufel nochmal ...« fing Patrick wieder an.

»Du weißt doch ...«

»Ja, daß du nicht alle Tassen im Schrank hast, das weiß ich. Du mit deinem ›unbekannten Paradies‹ ... Verrückt bist du doch.«

Und dann kamen die weißen Kittel mit einer Trage und legten ihn darauf.

»Total übergeschnappt ist er«, tobte Patrick Lanson weiter. »Ins Irrenhaus müßte er ... Aber paßt auf, geht trotzdem vorsichtig mit ihm um.«

Was schreit der so? Was tut Patrick überhaupt hier in Pangai? Ron dachte es, dachte es mit Mühe, dabei war es ihm ziemlich gleichgültig. Alles war ihm gleichgültig. Er hatte nur noch einen Wunsch: Auf irgendeine Weise in ein Bett zu kommen, nicht mehr die Schmerzen ertragen zu müssen, zu schlafen und zu vergessen. – Ja, zu vergessen ...

Vielleicht war es wirklich verrückt gewesen, die »Paradies« zu nehmen, um ihn nach Pangai zu schaffen.

Als sie sechsunddreißig Stunden zuvor feststellen mußten, daß niemand auf Tonu'Ata die Wunden des Terrors überlebt hatte, waren sie losgefahren. Nur einen gab es, den man zusammenflicken konnte: Ron ...

Bei seiner Selbstmord-Aktion hatte der letzte der Piraten ihn gleich zweimal erwischt: Mit einem Schulterdurchschuß, der das Schlüsselbein brach und einem zweiten Treffer, der seinen linken Arm durchbohrte, die Oberarm-Vene aufriß und den Knochen zerschmetterte.

Gilbert hatte die Blutung sofort mit einer Staubinde zum Stillstand gebracht. Daß dies so leicht gelang, hatte Ron wohl dazu gebracht, den beiden zu verbieten, den Notarzt-Hubschrauber des »King-Topou-Hospitals« in Pangai in Marsch zu setzen. Nein, er wollte keinen Hubschrauber mehr auf der Insel sehen. Nach allem, was mit Jack Willmore geschehen war, nach allem, was heute wieder passiert war – keinen Hubschrauber!

Langsam erschien es ihm wirklich so, als bleibe die Anonymität von Tonu'Ata ihr einziger Schutz.

»Hör zu, Gil.« hatte er gesagt: »Es sind nur anderthalb Tage auf der ›Paradies‹. Das ist doch nichts. Das schaff' ich doch mit links.«

»Natürlich … Du hast einen Schußbruch. Zwei Schußbrüche sogar.«

»Ich hab' aber jede Menge Schmerzmittel …«

»Du bist ein Idiot!«

Und Tama betete es erregt nach: »Du bist ein Idiot. Und wie …«

»Du kannst Komplikationen bekommen. Eine Embolie … Fieber …«

»Nehm ich in Kauf. Ich will niemand mehr hier auf der Insel sehen. – Und du doch auch nicht.«

Er hatte die Augen geschlossen gehabt und sich wirklich fertig gefühlt. Fertig und zerstört. Es waren nicht die Schmerzen gewesen, es war eine Müdigkeit, die keinen anderen Gedanken zuließ, als diesen: Sie dürfen nicht wiederkommen! Keiner darf wissen, daß es Tonu'Ata gibt! Natürlich, es würde sich als Illusion herausstellen, es war unvernünftig und irrational zu glauben, daß sich die Insel-Abgeschiedenheit auf die Dauer aufrecht halten ließe, aber er klammerte sich daran.

In sein benommenes, von Medikamenten, den Schmerzmitteln und all dem Penicillin getrübtes Bewußtsein waren die Stimmen und die Totengesänge vom Dorf gedrungen. – Drei Kinder! hatte Ron gedacht. Und dazu noch Alatu, und Vanaia, Alatus Schwester … Und weder du noch Gilbert konnte es verhindern … Versucht haben wir es, das ja, und wäre Gilbert nicht neben mir gewesen, wäre alles viel, viel schlimmer gekommen. Aber was nützt das den Toten ...

Doch trotz seiner Schwäche blieb in ihm die felsenfeste Überzeugung, daß er keinen Hubschrauber brauchen würde und daß es besser sei, wenn Gilbert ihn mit der »Paradies« nach Pangai ins Hospital brächte.

Dann aber waren sechsunddreißig lange Stunden gekommen, in denen er sich und diesen Entschluß verflucht hatte.

Tama war in Tonu'Ata geblieben, dies nicht nur, weil die Trauer um die Toten es gebot, auch die Sorge um Lanai'ta zwang sie dazu. Lanai'ta hatte einen Zusammenbruch erlitten. Am Fest hatte sie nicht teilgenommen, doch als dann die Schüsse fielen, war Lanai'ta zum Dorfplatz gerannt und hatte das grausige Geschehen aus einem Versteck heraus beobachtet – und sie hatte all das Furchtbare ein zweites Mal erlebt, das den Tod Jack Willmores begleitete.

Von da an war sie unansprechbar. Von krampfartigem Zittern geschüttelt, lag sie auf dem Bett in ihrem Fale.

Es würde vorübergehen, das ja, sicher sogar – aber wie konnte Tama sie in diesem Zustand alleine lassen? Und wer sollte sich um Jacky kümmern?

Kaum war Tonu'Ata außer Sicht geraten, hatte es begonnen: Das Fieber griff nach Ron. Es trocknete seine Haut aus, trieb sein Herz an, ließ ihn zittern – vor Kälte zittern, und all seine Versuche, sich nichts anmerken zu lassen, nützten nichts.

Die ganze Zeit über war er auf dem Klappstuhl im Cockpit gesessen, um Gilbert Gesellschaft zu leisten und um ihn so gut als er es in seinem Zustand konnte, die Technik zu erklären.

Denn Gilbert hatte sich geweigert, die Steuerautomatik einzustellen: »Einen solchen Unsinn kannst du mir nicht zumuten. Automatisches Ruder, automatische Peilung, ja, was denn sonst noch? Du, du hockst unten im Salon oder liegst auf deinem Hollywoodbett, und das Ding da kracht in die nächste Fähre? Fürze sind das doch. Einer von diesen vielen technologischen Fürzen, mit denen die Menschheit nicht nur die Welt, sondern auch noch sich selbst umbringt.«

Und so war Gilbert hinterm Steuer und er in seinem Klappstuhl geblieben. Doch dann fror er, so sehr, daß seine Zähne klapperten und es Gilbert den Kopf herumriß.

»Mensch, ich sag dir doch schon die ganze Zeit ... Laß mal sehen.«

Er griff nach seinem Handgelenk. »Los, los! Runter in dein Bett. Kannst du gehen?«

»Klar kann ich es.« Descartes hatte ihn gestützt, die Schulter schmerzte höllisch, aber er landete im Bett, und Gilbert riß eine neue Antibiotika-Pulle auf und machte eine Spritze fertig.

»Gilbert ... Hast du ...«

Der mächtige Mann blickte über die Schulter zurück. »Sicher. – Hab' ich. Den Kurs hast du ja angegeben. Und daß selbst ich in der Lage bin, so einen blöden Knopf zu drücken, wirst du mir ja wohl zugestehen. Die Automatik läuft.«

Grimmig betrachtete Gilbert Descartes die Spritze in seiner Hand. Die Fähre zwischen Tongatapu und Pangai verkehrte zwar nur einmal in der Woche, aber hier ging es um ein Prinzip. Er setzte die Spritze fast zärtlich an und stach so geschickt ein, daß Ron überhaupt nichts spürte.

»Ich geh trotzdem wieder hoch und guck raus.«

Ron nickte. »Ich bin ganz froh, daß du um die Wege bist, Schibe ... Hab' ich dir das schon mal gesagt?«

»Nein«, sagte Descartes mürrisch. »Du kannst dir's auch sparen.«

Ron versuchte sich so zu drehen, daß der Schmerz etwas abklang, doch das dunkle tiefe Pochen in seinem rechten Arm blieb.

Die Erschöpfung griff nach ihm, zog ihn in den Schlaf und dann in einen Traum, der ihn in seine Kindheit zurückversetzte. Winter war es, er jagte mit seinen neuen Schlittschuhen über einen kleinen, zugefrorenen kreisrunden Eifel-See. Dort, wo der Schnee die Eisfläche freigab, schien sie beinahe schwarz, und plötzlich hing ein zartes, gläsernes Knistern in der Luft. Über das Eis zogen sich Risse, ein Loch klaffte auf, und in dem Loch trieb etwas – trieben drei ertrunkene Kinder und starrten ihn an ...

Ron riß die Augen auf. Neben seinem Bett stand Descartes. »Was ist denn, Junge? Ich hab' dich bis oben schreien gehört. Schmerzen?«

Ron schüttelte den Kopf: Schmerzen, ja, doch das war's nicht ...

»Wir haben es nicht mehr weit, Ron. Und das Krankenhaus hab' ich auch angefunkt. Ich hab' schließlich noch 'n paar Freunde dort. Hendrik, den jungen Deutschen, der mich damals zurechtflickte, konnte ich nicht erwischen. Aber da war einer, der dich kannte.«

Ron hatte ihn nur angesehen. Er fühlte sich zwar unendlich schwach, aber die Spritze schien das Fieber wieder etwas gesenkt zu haben.

»Ein Mann namens Lanson«, erklärte Gilbert da. »Patrick Lanson. Scheint ein Pfarrer oder so etwas zu sein. Kannst du mit dem Namen etwas anfangen?«

Ron nickte. »Ja.«

»Na, der wartet wahrscheinlich schon am Pier auf dich. Und 'nen Krankenwagen bringt er auch gleich mit. Er war ganz aufgeregt, als ich ihm erzählte, der Ruf käme von der ›Paradies‹ und ich würde den kranken Skipper an Land bringen – an Land, ins Krankenhaus.«

Und so kam es dann auch. Kaum hatten sie an der Mole von Pangai festgemacht, kam Patrick Lanson angerannt. Und von der Straße, Pangais einzigem Stolz, denn an ihr reihten sich alle Häuser und Geschäfte des großen verschlafenen Dorfes, rollte der Krankenwagen.

»Na, was sagst du jetzt?« Ron lächelte Descartes an und versuchte die Hand zu heben, doch das ging nicht.

»Geschafft, Gilbert.«

»Da würd' ich erstmal abwarten«, meinte Descartes ...

Das »König Taufa'ahau Tupou IV Hospital« auf der Insel Lifuka lag etwa sechs Kilometer südlich von Pangai in der Lichtung eines Palmenwaldes. Und es lag herrlich. Die Aussicht von den kleinen, modernen Pavillion-Bauten, die sich um den großen Innenhof gruppierten, der auch dem Hubschrauber des Hospitals als Landeplatz diente, führte auf er einen Seite in die grüngoldene Dämmerung der Palmen und auf der anderen Seite zu einem traumhaft schönen, kilometerlangen, schneeweißen und einsamen Strand.

Gilbert Descartes hatte keinen Blick dafür. Unbehaglich saß er auf der Vorderkante seines Rattan-Sessels. Die kleine Terrasse diente dem Chefarzt, Dr. Knud Nielsen, als Warteraum und Besprechungszimmer. Nielsen war Däne, ein kompakter, etwas fetter Mann mit einem blonden Kinnbart und einer hohen Stirn über der randlosen Brille. Er hatte beinahe farblose grünliche Augen.

Descartes kannte ihn. Fast täglich hatte er ihn schließlich hier im Spital erlebt – und das zwei Jahre lang. Er wußte auch, was es bedeutete, wenn Nielsen, so wie jetzt, die Gelenke seiner Finger knacken ließ.

»Eine unmögliche Bescherung haben Sie mir da angebracht, Gilbert.«

»Also unmöglich ... Und was heißt denn hier ›angebracht‹, Herr Doktor? Was sollte ich denn tun, Ihrer Meinung nach?«

»Genau die gleiche Frage stellt sich mir jetzt auch.«

»Warum?«

»Gilbert, Sie wissen doch, wie das hier ist. Ich bin Internist. Mach zwar Chirurgie mit ... was bleibt einem schon übrig – in einer solchen Situation wird jeder zum Allrounder, der überall seine Finger reinhängt, wenn er muß. Also nehm' ich mir Blinddärme, Gallenblasen, selbst gynäkologische Probleme oder Tumore vor, aber ...« Knud Nielsen faltete die Hände auseinander und spielte mit seinem Drehbleistift.

»Bitte, Doktor«, drängte Descartes. »Ist es so schlimm?«

»Schlimm, schlimm ... In solchen Fällen sagt man immer: er hat Schwein gehabt. Ein Riesenschwein. Aber so sicher bin ich mir da noch nicht.« Er ließ den Bleistift fallen und beugte sich nach vorne. »Wenn wir rein an den Leuchttisch gehen, dann kann ich's Ihnen an den Röntgenaufnahmen zeigen. Das Schlüsselbein macht keine Probleme, das kann man verdrahten. Und auch die Wunde wird wieder zuheilen. Aber dieser Oberarm-Schußbruch ... Die Kugel hat den Knochen total zerfetzt. Dreck und Splitter sind dann in das umliegende

Gewebe eingedrungen. Wir müssen sie einzeln wieder rausspülen. Jeden. Daher auch das Fieber. Die Ausschußwunde ist so groß, daß auch dort jede Menge Dreck eindringen konnte. Weiß der Teufel, was das für ein Geschoß war. Sieht aus, als sei die Spitze abgefeilt worden oder irgend so'ne Schweinerei. Jedenfalls hab' ich sowas noch nie gesehen. Gott sei Dank bleiben wir hier von derartigen Fällen auch verschont. – Bisher wenigstens ...«

Gilbert sah ihn an. Und weil ihm nichts Rechtes einfiel, nahm er, wie immer in solchen Situationen, seine Brille ab und begann sie zu putzen.

»Das führt mich gleich zu Punkt zwei, Gilbert: Wir müssen Meldung machen. Und zwar der Polizei.«

»Im Augenblick hab' ich andere Sorgen, Doktor.«

»Na, Sie gefallen mir! Kommen hier an, mit einem Schwerverletzten, erzählen mir diese fürchterliche Räubergeschichte von den Piraten, die Ihr Boot überfallen haben, und dann haben Sie's überhaupt nicht mehr eilig mit der Polizei.«

»Was heißt denn Räubergeschichten? Natürlich mach ich Meldung. Aber im Moment ist es mir wichtiger, zu wissen, wie es mit meinem Freund jetzt weitergehen soll.«

Doktor Nielsen nickte: Der Arm ist es. Die Schulter ist wirklich kein Problem. Ich hab' Ihnen doch gerade erklärt ...«

»Ja, das haben Sie, Doktor.«

»Nein ... Nicht ganz. Das Wichtigste wissen Sie noch nicht: Wenn wir dem Mann den Arm erhalten wollen, müssen wir den Knochen wieder aufbauen. Das geht nun mal nur durch eine Nagelung. Verstehen Sie, – das Fieber können wir runterdrücken, aber was nützt das?

Da muß ein Nagel rein. Und der würde dann auch wieder die Kallusbildung anregen ... Aber ich kann das nicht. Ich kann nur darauf warten, bis der Kreislauf wieder stabil ist und dann den Arm abschneiden.«

»Soll das ein Witz sein, Doktor?«

»Ich wollte, es wäre so.«

»Aber Sie brauchen doch gar nicht zu operieren. Sie haben doch Hendrik. Und Hendrik ist hervorragend. Gerade auf diesem Gebiet. Der hat doch auch mein Knie wieder hingekriegt.« Er grinste schief: »Mehr oder weniger hingekriegt, jedenfalls. Aber er ist gut, das weiß ich.«

»Das weiß ich auch. – Aber mit Doktor Hendrik Merz ist nicht zu rechnen.«

»Was, zum Teufel, soll das heißen?«

»Kommen Sie, ich hol uns einen Whisky.«

Nielsen stand auf, sah über die tiefblaue Wasserfläche, sog die Luft ein und verschwand in seinem Arbeitszimmer. Nach drei Minuten kam er zurück mit einem Tablett, einer Flasche, einem Eisbehälter und zwei Gläsern ...

Gilbert schüttelte den kahlen Schädel. »Vielen Dank. Nicht für mich. Nicht jetzt.«

»Na, dann für mich.« Der Chefarzt schenkte sich drei Fingerbreit Whisky ein, griff nach einem Eiswürfel, ließ ihn fallen und nahm einen Schluck pur. »Wenn ich an Hendrik denke, dann brauch selbst ich das? Hendrik ... Eine Tragödie ist das. Eine Schande! Ich weiß, daß Sie ihn sehr mochten, wir alle mochten Doktor Hendrik Merz. Jeder hier, jede Schwester, jeder Patient. Na gut, ich werd's Ihnen erklären ...«

Nielsen sprach nicht zu ihm, er sprach, das Gesicht zum Strand zugewandt, und je mehr er sagte, je länger die leise monotone Stimme fortfuhr zu erzählen, desto starrer wurde das runde Gesicht Gilbert Descartes. Dabei brauchte es doch nur wenige Worte, um zu verstehen: Der junge Chirurg Dr. Hendrik Merz hatte in der Klinik ein Mädchen kennengelernt und sich verliebt, oder, wie es Dr. Knud Nielsen ausdrückte: »Er ist der leider ziemlich weit verbreiteten Illusion erlegen, der Liebe seines Lebens begegnet zu sein.«

Das Objekt dieser Liebe war Mary, eine junge englische Studentin, die auf der Yacht ihrer segelbegeisterten Eltern nach Pangai gekommen war. Mary war wegen irgendwelcher ungeklärter Unterleibsblutungen ins Hospital gekommen und von Dr. Hendrik Merz behandelt worden, der eine Zyste feststellte, ziemlich harmlos, aber doch behandlungsbedürftig. Hendrik Merz nahm die Operation selbst vor, eine Schwester, die noch in der Ausbildung stand, assistierte bei der Anästhesie.

»Sie muß das Betäubungsmittel überdosiert haben. Versehentlich natürlich.« Dr. Nielsen sah hinaus aufs Meer: »Und Hendrik hatte wohl in dieser Sekunde seine Augen und seine Aufmerksamkeit woanders. Jedenfalls kam es zu einem Kreislaufkollaps und dann zum Herzversagen. Er brachte sie nicht mehr zurück. Sie ist ihm, wie es bei uns so schön heißt, auf dem Tisch geblieben ... Und von dem Tag an war mit ihm nichts mehr anzufangen.«

Descartes schluckte. »Kann ich mir vorstellen«, sagte er schließlich. »Und wann war das?«

»Vor vier Monaten. Aber dann kam es noch schlimmer: Hendrik fing an zu saufen, kam betrunken in den Dienst und war kaum mehr zu gebrauchen. Doch das reichte ihm noch nicht. Er nahm Tabletten.

Amphetamine. Er holte sie aus der Hospital-Apotheke. Er wurde dabei erwischt, und mir blieb nichts anderes übrig, als ihn rauszuschmeißen. – Er ist noch immer irgendwo hier in der Gegend. Aber nun ist er ein Wrack, psychisch wie körperlich ...«

Gilbert Descartes schwieg. Dann deutete er zu der Flasche: »Krieg ich jetzt auch einen?«

»Natürlich.« Der Arzt goß ein.

»Amphetamine, sagen Sie? Das sind doch diese Mittel, die high machen – oder täusche ich mich?«

»Es gibt die verschiedensten Sorten. Ich kenne nicht alle, ich bin kein Neurologe. Und was heißt ›high‹, – gut, es sind Antidepressiva, aber wenn man eine Depression überwindet, braucht man ja noch lange nicht glücklich zu sein.«

»Das meinte ich nicht. – Und er nimmt Alkohol dazu, sagen Sie?«

»Literweise. Eine üble Kombination.«

Wieder schwieg Descartes lange. Dann sagte er: »Haben Sie zufällig eine Zigarette?«

»Nicht zufällig. Ich habe immer welche. Leider.« Dr. Nielsen griff in die Tasche und schob ihm ein Päckchen zu. Gilbert Descartes zündete die Zigarette an, sog den Rauch tief in die Brust und sah ihm nach, wie er in leichten, kleinen Wölkchen vom Wind erfaßt wurde und davontrieb.

»Ich habe lange nicht mehr geraucht. Genau gesagt seit neun Jahren nicht ... Ich werde auch nicht mehr rauchen ... Nur die da, die zieh ich durch.« Und dann sagte er noch etwas: »High ist ein sonderbares Wort, nicht? Und gar nicht so unzutreffend. Es heißt ›hoch‹. Verhält es sich nicht auch mit den Schmerzen so? Schmerz kann schweben lassen ... Er befreit von allen

Dingen, die uns sonst so wichtig sind. Aber das bedeutet auch, daß er den Absturz mit sich bringt. Und so sucht man nach einer neuen Kompensation, nach einem Zustand, der so intensiv wie die Liebe sein kann – oder der Schmerz.«

»Kluge Sätze.«

Gilbert Descartes schüttelte den Kopf. »Erfahrung, Doktor. Ich kannte mal einen, der hat genau dasselbe durchgemacht.«

»Und wer war das?«

»Ich.«

Dr. Knud Nielsen nickte. »Hab' ich mir gedacht«, sagte er.

Als Gilbert Descartes das Krankenhaus verließ, sah er einen Mann, der quer über den Hof auf einen feuerwehrrot gestrichenen Jeep zuging. Es war dieser Patrick Lanson, der Priester, Rons Freund.

Gilbert blieb stehen.

Lanson kam auf ihn zu: »Kann ich Sie mitnehmen?«

»Ja, das können Sie«, sagte Descartes.

»Ich war bei ihm«, sagte Lanson. »Aber er ist so schwach, daß er kaum sprechen kann. Er hat die meiste Zeit geschlafen. Und das ist wohl gut so. – Habe ich Ihnen schon erzählt, daß ich ihn auf der Styler-Mission von Telekitonga kennengelernt habe? Da kam er eines Tages an, kam buchstäblich angepaddelt, kam von irgendeiner Insel, über die er nicht sprechen wollte. Aber ich mag ihn. Und eigentlich bin ich ganz froh, daß ich für ein paar Monate hierher versetzt wurde. So kann ich ihm wenigstens helfen …«

»Sie vielleicht. Aber die Ärzte nicht. Sie können ihn hier nicht operieren. Und fortschaffen auch nicht.

Zumindest nicht in diesem Zustand. Sie müssen warten, bis er einigermaßen wieder hochkommt.«

»Sie haben mit Nielsen gesprochen?«

Gilbert Descartes nickte. »Er könne nichts machen, sagt er, weil Hendrik Merz ausgefallen sei.«

»Ausgefallen ist gut«, erwiderte Lanson trocken. »Man könnte auch sagen, daß aus einem guten Arzt eine unzurechnungsfähige Alkohol- und Drogen-Ruine geworden ist.«

»Das könnte ich, aber das will ich nicht sagen.«

Pater Patrick Lanson legte Descartes die Hand auf die Schulter: »Kommen Sie. Gehen wir zum Jeep. Fahren wir nach Pangai.«

»Pater, Sie kennen doch die Situation hier. Läßt sich für Hendrik gar nichts unternehmen?«

»Sie mögen Hendrik wohl?«

»Das wurde ich heute schon mal gefragt. Ja. Ich humple zwar, aber er hat mir mein Bein gerettet. Und er ist ein feiner Junge. Nur ein bißchen zu sensibel.«

»Was nicht unbedingt ein Fehler ist. Manchmal allerdings schon ... Aber um Ihre Frage von vorhin zu beantworten ...« Sie hatten den Jeep erreicht, Lanson blieb stehen: »Unternehmen läßt sich in dieser Lage kaum etwas. Das ist es ja. Sehen Sie: Als König haben wir auf Tonga eine nette Dreizentner-Majestät. Er hat zwar eine Leibwache, unser König, und einen Mercedes 600 und ein paar Motorräder, die er seinem Mercedes vorausschicken kann, aber leider nicht viel mehr. Geld zumindest hat dieser Staat nicht. Und daher auch nicht für den Gesundheitsdienst ... Und käme unser netter, dicker König nicht jedes Jahr im Oktober hierher, nach Pangai, um Urlaub zu machen, die Landwirtschafts-

Messe zu eröffnen und ein paar unschuldige Fische aus dem Pazifik zu reißen, gäbe es hier vermutlich nicht einmal ein Hospital. Die paar Ärzte seines Reiches werden natürlich in Nuku'Alofa gebraucht. So sieht's aus, mein Lieber. Und wenn Nielsen Manschetten hat, wenn er sich selbst nicht traut, zum Messer zu greifen, dann ...«

»Bleibt nur einer.«

»Richtig. Dann bleibt nur Hendrik.«

Patrick Lanson hatte sich hinter das Steuer gesetzt und startete den Motor. Gilbert Descartes nahm den Sitz neben ihm ein.

»Bringen Sie mich bitte zu ihm.«

»Ich weiß doch gar nicht, wo er wohnt! Das letzte, was ich hörte, war, daß er sich irgendwo bei Toto verkrochen hat – das ist so eine Art Eingeborenen-Pension.«

Descartes zog einen Zettel aus der Brusttasche seines Hemdes. »Hier! Dr. Nielsen hat mir das gegeben.«

Der Jeep fuhr an, doch nun drückte der Pater die Kupplung und brachte ihn wieder zum Stehen. Er nahm den Zettel vor die Augen. »Oh«, sagte er, »nicht die allerfeinste Adresse. Aber ich begleite Sie, wenn es Ihnen nichts ausmacht.«

Manchmal hatte Gilbert Descartes eine Art, die Dinge auszusprechen, daß sie zerstreut und völlig bedeutungslos wirkten. Er sprach irgendwohin, an seinem Gegenüber vorbei zu den Palmwipfeln hoch. Aber etwas war dann an seinem schweren Körper, das wuchtig, beinahe drohend erschien.

»Ich gehe wohl besser allein zu ihm.«

»Selbstverständlich«, versicherte der Pater Patrick Lanson hastig. »Ich habe nicht das Geringste dagegen. Wieso auch?«

Der Motor des Jeeps heulte, das Chassis klapperte, und die Räder schlugen immer wieder krachend in Schlaglöcher.

Für einen Pfarrer fährt er wie ein Henker, sagte sich Descartes, aber schließlich, er muß es ja wissen: Ob Pfarrer oder Missionar, stets ist er mit Gott im Bund, – an ein Gespräch jedenfalls war nicht zu denken.

Descartes hielt sich am Beifahrergriff fest und blickte nach vorne. Die Windschutzscheibe war umgeklappt, und er konnte die heiße, staubige Luft riechen. Links kamen wieder der endlose, menschenverlassene Strand und der Pazifik zum Vorschein, rechts zogen sich nur Büsche und verbranntes Gras dahin, aus denen einzelne Reklameschilder wie die Boten einer fernen, unwirklichen, außerirdischen Welt hochragten.

Er sah einen gewaltigen, aufgeblasenen, weiß-schwarz gestreiften Michelin-Mann, dann kam eine Sony- und eine Nissan-Reklame mit Mädchen und schließlich das Schild: »WELCOME TO PANGAI«. Auf einer Anhöhe im Westen der langen Häuserzeile, die den Ort darstellte, stand ein Viereck aus schönen alten Bäumen.

Patrick Lanson hob den Arm und deutete hinüber: »Da können Sie im Oktober den dicken Tupou erleben – das heißt, falls man Sie ranläßt. Ich hatte mal die Ehre, Seiner Majestät beim Tischtennis-Spiel zusehen zu dürfen. Drei Zentner Fett und Hände so groß wie die Schläger. Aber er hat gewonnen.«

Ein zweirädriger Pferdekarren, beladen mit Zuckerrohr, kam aus einer Kurve. Er kam genau in der Mitte der Fahrbahn, und der alte Mann, der ihn steuerte, hockte ganz oben auf seiner Stengelladung und hatte das Kinn so dicht an der Brust, daß nur die Oberseite seines kreisrunden, zerlöcherten Strohhuts zu erkennen war. – Er pennte.

»Paß auf! Halt dich fest.«

Mit kreischenden Reifen und einem aberwitzig riskanten Manöver schaffte es Patrick Lanson, den Jeep an dem scheuenden Pferd vorbeizubringen, und dabei lachte er, lachte tatsächlich.

»So ist das halt hier!«

Gilbert Descartes nickte. Sein Knie begann zu schmerzen. Er hatte es angeschlagen. Die Schmerzen brachten seine Gedanken zu Hendrik Merz: Drogensüchtig? Ein Säufer? Einer, der die ganze Zeit herumhängt, unfähig, etwas zu tun? – Er versuchte es sich vorzustellen, es gelang ihm nicht... Er sah den Mast der Radiostation und dann den ersten der vielen kleinen Glockentürme der Kapellen und Missionen.

»Wieviele laufen eigentlich hier am Sonntag mit der weißen Kragenbinde rum, Pater?«

Patrick Lanson ließ den Jeep langsamer rollen. »Fragen Sie mich das nicht. Zuviele jedenfalls... Es ist wie überall auf den Tongas: Nicht nur wir, die katholische Mission oder die Presbyterianer, jede Sekte hat langsam Geschmack an den Inseln gefunden.«

»Vor allem die Wesleyaner, nicht wahr?«

»Die waren sogar die ersten.«

Die Wesleyan-Church, vor allem ihre donnernden, moraltriefenden Messages, ihre Radiosendungen kannte Gilbert Descartes gut genug. Wer schon konnte ihnen entgehen? Du brauchst nur eine der Tonga-Stationen einzuschalten, dachte er, schon schlägt dir einer dieser Puritaner seine Bibelstunde und irgendwelche bigotten Appelle um die Ohren, wettert gegen westliche Unzucht, gegen Touristen und Yacht-Besatzungen, gegen Frauen, die »nackt« am Strand herumlaufen, verlangt Strafen, jawohl, drakonische Strafen gegen die Unsitte des Oben-ohne-Badens, fordert Anzeigen und Denunziation ... Zum Kotzen! Vor allem in einem Land, in dem der Körper einst als ein Geschenk der Götter gegolten hat.

Aber einem katholischen Missionar konnte er solche Argumente wohl nicht anbieten. Und an Tonu'Ata, an die einzige Insel, die deshalb von den Missionen verschont geblieben war, weil sie sie nicht kannten, an Tonu'Ata wollte er jetzt sowieso nicht denken. Nicht jetzt ...

Am Pier von Pangai lag ein größeres Schiff: Die Fähre der »Shipping Corporation of Tonga«, die wöchentlich einmal festmachte. Die Ladebäume waren ausgeschwenkt.

Descartes sah einen Mann mit Offiziers-Schulterstücken auf dem weißen Hemd, einen riesigen, dunkelhäutigen Burschen lachend eine Handvoll Kaugummi in die Luft werfen. Die Chiclets vollführten aluminiumblitzende Bögen und regneten auf ein halbes Dutzend kleiner Jungens herab, die sich schreiend darum balgten.

Bisher waren sie keinem anderen Fahrzeug begegnet. Doch nun kam ein dunkelblauer Landrover um die Ecke: Ein Polizei-Fahrzeug. Unwillkürlich zog Descartes den Kopf ein: Klar doch, wir werden Meldung machen, ich tisch' euch schon noch meine Märchen auf, – aber dann, wann's mir paßt ...

Sie fuhren etwa fünfzehn Minuten und immer nach Norden. Die Straße zum Flugplatz hatten sie verlassen. Die Räder des Jeeps pflügten über die Sanddecke eines Karrenwegs. Einmal konnte Gilbert zwischen den

Büschen eine Art Wegweiser ausmachen, ein verwittertes, zugespitztes Brett, das an einen Stamm genagelt war. Aber der Regen hatte die Schrift längst bis auf einen unleserlichen Rest fortgewaschen.

Descartes' Spannung wuchs ...

Der sonderbare Pater Patrick hatte mit dem Steuern zu tun, und zu Auskünften war er offensichtlich nicht aufgelegt. Na gut, aber dies hier schien der Arsch der Welt zu sein oder der Arsch von Lifuka: Nichts als Wildwuchs, nichts als junge Palmensträucher, die sich das Leben streitig machten. Vögel, das ja. Zwei Kakadus hatte er vorhin auffliegen sehen und dann einen ganzen Schwarm von Tokos.

Der Weg machte nun einen Bogen nach links.

Patrick Lanson fuhr langsamer, hielt schließlich an und stellte den Motor ab.

Sie standen am Rand einer Senke. Dort unten wucherten die verschiedensten Pflanzen, hochblättrige Aronstäbe, Bananenstauden, eine Gruppe von Brotfruchtbäumen, Kassava-Büsche, Palmen. Der Boden mußte sehr fruchtbar sein. Irgend jemand hatte wohl versucht, einen Garten anzulegen. Aber das kleine Viereck war bis auf einen kümmerlichen Rest schon längst wieder von wildem, wucherndem Grün überdeckt.

Aus dem Blättergewirr schoben sich die Dächer von sechs Gebäuden. Das größte war quer zur Senke erbaut. Eine Holztreppe führte zu einer wackeligen Veranda, auf der Wäschestücke flatterten. Das Palmwedeldach schien als einziges einigermaßen in Ordnung. Die anderen fünf waren kleinere Fales – die Art von Bungalow-Hütten, die in den Guest-Houses, den Gästehäusern der Südsee-Inseln, angeboten wurden ... Nur, daß hier wohl keine

Gäste mehr kamen. Die Hütten befanden sich in einem schauerlichen Zustand. Aus dem Inneren der ersten wuchs Bambus. Und bis auf ein einziges hatten Regen und Wind die Dächer ziemlich zerstört.

»Ich bleibe hier. Gehen Sie ruhig. Ich dreh nur um.«

Descartes nickte.

»Sunshine-Lodge« stand auf dem Zettel, den Dr. Knud Nielsen ihm gegeben hatte. Nach viel Sonnenschein sah das hier nicht aus. Auf dem Zettel war der Name: »Sione Manukia«, vermerkt. Und »Mrs. Manukia« konnte er auch auf dem blauen Plastikeimer lesen, der, mit einem Draht an einem Stock angebunden, in halber Höhe des Fußwegs angebracht war und wohl als Briefkasten diente.

Und da war sie nun.

Zunächst hatte er sie gar nicht gesehen. Die vom Wind zerrissenen Blätter einer großen Bananenstaude hatten sie seinem Blick verborgen.

»Wer sind Sie?«

»Guten Tag, Miss Manukia«, sagte Gilbert. »Entschuldigen Sie bitte, wenn ich störe. Mein Name ist Descartes. Gilbert Descartes.«

»Hab' ich nie gehört.«

»Ich komme vom ›König Tupou-Hospital‹. Doktor Knud Nielsen hat mich geschickt.« Es war die naheliegendste und wohl auch wirksamste Lüge, die ihm einfiel.

Er lächelte so herzlich, wie es ihm möglich war.

Er hatte eine ganze Menge Lächeln für sie bereit, aber er kam nicht sehr weit damit. Sie schwieg ihn an. Sie war groß, sehr groß für eine Frau von den Inseln. Sie mochte an die fünfzig oder vielleicht älter sein, ihre Haut spannte sich an den breiten Wangenknochen, doch rechts und links der Mundwinkel wies sie viele kleine, wie mit einem feinen Stichel gegrabene Fältchen auf. Die hohen, schön gezeichneten schwarzen Brauen und ihre Haare steckten in einem durchlöcherten, altersdünnen violetten Frotteetuch, das sie als Turban geschlungen hatte. Sie trug Turnschuhe und fleckige, schmutzige Jeans, über die eine blaurot geblümte Nylonbluse hing. Sie war früher gewiß einmal eine hübsche, sehr hübsche Frau gewesen, doch dieses »früher« schien lange her. Das Leben hatte sie mitgenommen; und was ihre Eitelkeit, – falls sie überhaupt noch welche aufbrachte – wohl am meisten traf, war die Tatsache, daß sie gerade noch zwei Schneidezähne besaß. Einen im Unter-, den anderen im Oberkiefer.

Es berührte Descartes, wie sie jedesmal, wenn sie sprach, die Hand vor den Mund nahm: Eine braune, lange Hand mit abgebrochenen, korallrot gefärbten Nägeln.

Nun hatte sie sie wieder oben. »Ich weiß schon ... Sie wollen zu Hendrik.«

»Ja. Ich bin ein Freund von ihm.«

»Geht aber nicht.«

»Nein? Ist er nicht da?«

Sie schwieg.

Natürlich war er hier! Seine Nase sagte es ihm. Im Haus befand er sich nicht, gleich dort rechts aber, noch keine dreißig Meter von dem kleinen, mit Muscheln bestreuten Vorplatz entfernt, auf dem sie standen, war eines der Bungalow-Fenster weit geöffnet, und von der Kante des rechten Flügels baumelte ein schwarzweiß gestreifter Männershort wie eine Signalfahne. Es war der Bungalow, an dem das Dach noch einigermaßen in Ordnung schien.

»Sie könnten ihm ja Bescheid sagen«, schlug Descartes vor.

»Und warum sollte ich?«

»Richtig. – Ich geh besser gleich selber rüber.«

»Moment mal«, sagte sie hastig. »Sie müssen das verstehen, Mister. Das geht nicht. Auch wenn ich wollte ... Er schmeißt mich raus. Und wenn ich gewußt hätte, wie er sich aufführt – das sag ich Ihnen, wenn ich das nur die kleinste Ahnung gehabt hätte – dann wäre er nicht hier. Nie ... Sie können sich gar nicht vorstellen, was ich für einen Ärger habe!«

Nein, das konnte er nicht. Er nickte jedoch mitfühlend.

»Sie haben gesagt, Sie sind ein Freund von ihm?«

»Ja.«

»Haben Sie Geld?«

Das verschlug ihm für einen Augenblick die Sprache. Es kam zu abrupt. »Wieso?«

»Wieso, wieso! – Na, Sie sind gut! Weil ich Angst um mein Geld habe. Er ist jetzt schon über elf Tage hier. Er hat mir erst mal dreißig Dollar bezahlt. Das war schon in Ordnung ... Aber dann fing's an: Könnten Sie mir nicht eine Flasche Gin mitbringen, Miss Manukia? Und am nächsten Tag: 'ne Flasche Whisky. Und Sie kennen doch die Preise ... Ich hab' das dreimal gemacht, dann wurde es mir zu teuer. Und zuviel auch. Aber er wollte das Zeug – unbedingt. Er fing an zu betteln. Er sagte, ich könnte doch im General-Store aufschreiben lassen. Das täten die auch. Und so kam es. Sie kannten ihn schließlich. Ich ließ die Flaschen anschreiben, endlos – aber dann war Schluß. Nix mehr zu machen, sagten die im General-Store. Und: Was für'n Jammer um den Kerl ...«

»Stimmt«, sagte Descartes.

»Na also. Jeder kennt ihn doch hier! Und jeder sagt das: Was für ein Jammer! Aber ich soll's ausbaden. Was hilft das mir? Gehen Sie ruhig rüber, Sie werden schon sehen ...«

Gilbert Descartes ging.

Die Türe des Bungalows war mit grüner, abblätternder Farbe bedeckt. Ein Zettel war darauf angenagelt. Ein kariertes Blatt, das wohl aus einem Notizblock gerissen wurde. »No entry« stand drauf. Kein Eintritt. Knapper konnte er es nicht bringen!

Descartes klopfte.

Keine Antwort, kein Ton, nichts, das verraten würde, daß es hinter der Tür jemanden gab, der sich bewegt, ja, auch nur geatmet hätte.

Der Estrich des Vorplatzes war morsch und eines der Dielenbretter bereits durchgebrochen. Descartes ging um das kleine Haus herum zu dem offenen Fenster. Es gab einen Vorhang, doch Hendrik hatte ihn nicht zugezogen.

Der Franzose schob den Kopf hinein. Der Raum hatte etwa drei bis vier Meter im Quadrat, und das größte Möbelstück darin war das Eisenbett in der gegenüberliegenden Ecke. Auf dem Bett lag eine fleckige Matratze, das dazugehörende Leintuch war ein zusammengeknülltes graues Häufchen am Boden.

Auf der Matratze aber lag ein Mann.

Hendrik Merz.

Dr. Hendrik Merz trug nichts am Leib als einen knappen Slip. Lang und dünn hatte Gilbert ihn stets in Erinnerung gehabt, aber daß er so mager werden könnte, wäre ihm nicht in den Sinn gekommen. Der Körper des jungen Arztes lag in einer sonderbar unbequem verrenkten Stellung, diagonal über dem Bett. Der Kopf schien am anderen Matratzenende über die Kante zu hängen, so daß von ihm nichts als ein mit struppigem Bart bewachsenes Kinn sichtbar war. Der Brustkorb, kantig wie der eines Skeletts, bildete über der Magensenke ein dunkles Schattendreieck. Die Beine wiederum waren leicht angezogen und seitlich gelagert, Beine, so mager, daß die Kniegelenke geradezu unförmig verdickt erschienen.

Gilbert Descartes spürte, wie sich ihm das Herz zusammenzog. Du lieber Himmel! Wie ein Toter! Und womöglich ... Nein, deutlich konnte er erkennen, wie das Zwerchfell arbeitete und den Bauch leicht anhob und wieder senkte.

Er beugte sich vor: »Hendrik! Hendrik! Wach auf!«

Er bekam keine Antwort. Nun hörte er das leise, röchelnde Atmen. Und noch etwas nahm er wahr: Einen schweren, säuerlichen, unangenehmen Geruch, der ihm aus dem Zimmer entgegenströmte.

Der Fensterrahmen saß nicht allzu hoch. Er kam auch mit schmerzendem Knie ohne weiteres hinein. Als er sein Gewicht auf die Dielenbretter brachte, war ein knirschender, ächzender Laut zu vernehmen.

Der Mann auf dem Bett röchelte und röchelte weiter. Er regte sich nicht.

Auf dem Boden waren Kippen verstreut.

Eine leere Whisky-Flasche rollte weg, als er sie mit dem Fuß berührte. Die Blätter einer alten Ausgabe des »Times-Magazins« waren im ganzen Zimmer verstreut. Und überall sah er Kippen und Brandlöcher. Der Geruch wurde stärker.

Gilbert Descartes holte tief Luft und kämpfte nieder,

was an Mitgefühl und Trauer in ihm hochkriechen wollte. Er beugte sich über das Bett, nahm diese Halbleiche an beiden Schultern und rückte sie sich erst mal zurecht.

Hendrik Merz gab einen kurzen, verquollenen Laut von sich, der halb wie Stöhnen, halb wie Protest klang. Sein Mund stand weit offen. Und der dunkle Wirrbart, der ihn umrahmte, machte diesen Anblick noch schlimmer.

Descartes überlegte. Eine Küche gab es nicht, aber eine der Ecken der Hütte war zu einer Art Notküche ausgebaut worden. Er konnte weder einen Wasserhahn noch einen Eimer entdecken. Immerhin stand auf dem Bord eine angebrochene, halbvolle Flasche Mineralwasser. Er nahm sie und stellte sie neben das Bett.

Dann bückte er sich wieder, zog mit dem linken, mächtigen Arm Hendrik Merz' Kopf leicht an und gab ihm mit der rechten Hand zwei kräftige Ohrfeigen, wobei er darauf achtete, die Stärke des Schlags gerecht auf die rechte und die linke Wange zu verteilen. Sofort anschließend goß er ihm das Wasser über den Kopf.

Hendrik Merz riß die Augen auf. Tief lagen sie in ihren Höhlen, über den Augäpfeln lag ein Schleier, der Gilbert Furcht einjagte und ihn überlegen ließ, ob es besser sei, die Prozedur zu wiederholen – oder ob er womöglich zu weit gegangen war. Doch dann wurde der Blick klarer ...

»Du?« flüsterte Hendrik Merz.

»Ja.« Gilbert Descartes nickte.

Hendrik Merz' rechter Arm kam hoch, es war eine rührende, fast kindliche Geste, und es sah aus, als bettle er um Hilfe.

Descartes wollte nach der Hand greifen, da spreizten sich die Finger, wurden zu fünf Krallen, und die Hand schlug nach ihm. In letzter Sekunde konnte er mit einer raschen Drehung des Kopfes vermeiden, daß sie ihn traf.

Hendrik Merz fing an zu zittern, es war ein langsames, konvulsivisches Zittern, das seinen ganzen Körper überlief. Die Hände waren nun zu Fäusten geballt, schlugen auf die Matratze, und aus dem aufgerissenen Mund floß Speichel. Die Zähne klapperten gegeneinander. Schließlich kam die Stimme, ein hohes, gellendes Wimmern zuerst, dann Worte: »... du hast sie gebracht ... Du ... du hast sie hier reingebracht ...«

Descartes überlegte. Eine weitere Ohrfeige? – Nein.

»Sieh doch, sie krabbeln dir auf dem Kopf herum ... und an den Wänden ... überall an den Wänden ... Nein ...«

Vielleicht war auch das nicht das Richtige, aber Descartes packte die mageren Schultern, schüttelte sie hin und her.

»Nein ... nein, bitte ... bitte ... Sie sind ja an den Wänden, am Boden ... seit du da bist ... Siehst du nicht ...«

»Was, zum Teufel nochmal?«

»Ameisen ... Weiße, riesige Ameisen ...«

Hendrik Merz krümmte sich, schlug mit den Knien nach ihm: »Ameisen ... dort ... Schaben ... weiß ... alle weiß ...«

Descartes ließ den zuckenden, um sich schlagenden Körper aufs Bett zurückfallen und wich einige Schritte zurück: Tremens. Alkohol-Koller. Was sonst? Solche Szenen kennst du doch. Stefan, der Ukrainer in der Legion, und der Kleine, dieser Algerier, die haben damals Ratten gesehen ... Und wenn du nichts unternimmst, wenn er nicht sofort irgendwelche Beruhigungsmittel kriegt, wird's ganz kritisch.

Mein Gott, dachte er, das hast du dir nun wirklich anders vorgestellt ...

Descartes lief zur Tür, rannte hinaus, über den grasbewachsenen Weg zum Haupthaus. Die Frau war nirgends mehr zu sehen.

Aber dort oben stand Lansons Jeep.

Der Pater hatte inzwischen gewendet. Ganz gemütlich hockte er hinterm Steuer und rauchte seine Pfeife. Jetzt hatte er Gilbert gesehen und sprang aus dem Wagen.

»Was ist denn?«

»Hören Sie, Pater, der Weg geht fast bis ans Haus. Er ist nur ein bißchen überwachsen, macht ja nichts. Legen Sie den Rückwärtsgang ein, kommen Sie runter, so nah als möglich.«

»Hendrik?«

»Ja, Hendrik. Geht ihm verdammt dreckig. Er hat eine Alkoholvergiftung oder sowas. Er tobt.«

Lanson nickte nur, sprang wieder ins Auto und ließ den Motor an.

Gilbert Descartes rannte zurück. Als er die Tür aufstieß, kam ihm Hendrik Merz auf allen Vieren, den Kopf in einem schrecklichen Winkel abgebogen, den Mund weit aufgerissen, entgegengekrochen.

Er riß ihn auf die Beine, der Kopf pendelte zurück, und er sah mit Schrecken, wie sich die Gesichtshaut jäh zu einem fahlen Wachston veränderte. Aus Hendriks Mund drang ein unverständliches Blubbern, die Augen verdrehten sich, bis nur noch das Weiße sichtbar war, und der Körper wurde schlaff.

Kurz entschlossen nahm Gilbert Descartes ihn auf die Arme und trug ihn hinaus, den Weg entlang, dann ein Stück Hang hoch bis zu der Stelle, wo der Jeep auf ihn wartete.

»Jesus bei der Kreuzabnahme«, sagte der Pater erschrocken. »Mein Gott, wie sieht der denn aus?«

Sie versuchten Hendrik gegen die Kühlerhaube zu stellen. Umsonst. Die Beine sackten ihm weg.

»Ateminsuffizienz.« Lanson strich über das schweißnasse Gesicht. »Ganz kühl ist er schon. Sehen Sie die Hautfarbe. Eine Zyanose. Er hat Sauerstoffmangel im Gewebe. Er braucht sofort Sauerstoff! Los schon ... Sie setzen sich auf den Rücksitz, Gilbert, der ist zwar elend klein, aber was macht's. Sie können ihn ja auf dem Schoß halten, nicht?«

Descartes nickte. Nun war er froh, Lanson bei sich zu haben. Er verlor nicht die Nerven und wußte, auf was es ankam. Er hob den Körper in den Wagen. Schwer war er nicht. Dann setzte er sich und nahm den Bewußtlosen wie ein Kind in beide Arme, und der Jeep fuhr ab.

Noch einmal warf Descartes einen Blick in den Rückspiegel. Die Häuser dort unten lagen so verlassen wie zuvor. Niemand war zu sehen ...

Für den Weg zum »Sunshine-Lodge« hatten sie vierzig Minuten gebraucht, nun schafften sie dieselbe Strecke beinahe in der Hälfte der Zeit. Lanson fuhr wie ein Henker. Und als sie wieder nach Pangai reinkamen und den Pier entlangdonnerten, nahm er nur ganz selten den Finger von der Hupe.

Um die Fähre hatten sich inzwischen eine Menge Leute versammelt. Sie stoben auseinander. Die entgeisterten Gesichter mit den aufgerissenen Mündern huschten an Gilbert Descartes vorbei. Er hielt Zeige- und Mittelfinger leicht gegen die schweißige Haut von Hendrik Merz' Hals gedrückt. Manchmal glaubte er ein fernes, undeutliches Pochen zu spüren, doch wie konnte er bei dieser Wahnsinnsschüttelei sichergehen?

Lanson brachte den Jeep mit blockierenden Reifen vor der Aufnahme des Hospitals zum Stehen. Steine und Sand flogen auf, und am Fenster erschien das runde, dunkle Gesicht einer Schwester, die Descartes noch nie gesehen hatte. Sie schien solche Szenen gewöhnt. Sie winkte, ja, sie lächelte sogar, dann kam sie schon herausgeschossen, ein weißgekleideter, dickbusiger und jeder Situation gewachsener Spital-Engel.

»Toni!« brüllte sie. »Anofu! – Na, wird's bald!«

Zwei Eingeborene erschienen mit einer Tragbahre. Sie legten den Bewußtlosen vorsichtig darauf und rannten mit ihm ins Gebäude.

Descartes war beeindruckt.

Die Schwester hieß Ulla. So nannten sie sie wenigstens. Descartes hatte sich unter »Ulla« stets ein langbeiniges, blauäugiges Wesen vorgestellt, aber sie war nichts als eine dicke, kompetente, gutausgebildete, umsichtige Insulanerin. Sie hatte bereits den Karren mit dem Sauerstoffgerät herangerollt und hielt die Maske bereit.

»Hendrik, Hendrik«, sagte sie dabei und lächelte nicht länger. »Hendrik ... was machst du bloß? Sieh mal, Hendrik, wird schon was nützen. Muß einfach ...«

Und dann bedeckte die schwarzlappige Gummimaske die Mitte seines Gesichtes, und Ulla beugte sich mit den mächtigen braunen Keulenarmen über ihn, in die die kurzen Ärmel des Schwesternkleides einschnitten, und begann sein Herz zu massieren.

»Herrgott nochmal«, keuchte sie, »wo steckt denn der Nielsen nur? Wann kommt denn dieser Knallkopf? Warum ist er nicht schon längst da?«

Gilbert Descartes mochte diese Frau, ja, er mochte sie sehr ...

Nielsen kam, setzte seinem roten, fettgepolsterten Gesicht mit der Goldbrille sofort den Feldherrn-Ausdruck auf, gab leise Befehle, nahm die Spritzen, die man ihm reichte und stach ein. Es waren kreislaufstützende Spritzen und andere, die beruhigen und die Wahnvorstellungen bekämpfen sollten, von denen man ihm berichtet hatte.

Dann wurde Descartes hinausgeschickt. Sie fingen damit an, Hendrik Merz den Magen auszupumpen.

»Kommt er durch?« Descartes fragte es von der Tür her.

Nielsen sah kurz auf. »Klar kommt der durch. Warum nicht?«

Descartes zog leise die Tür hinter sich zu, ging in den Warteraum der Aufnahme und versuchte sich erneut vorzustellen, was alles zusammenkommen mußte, um einen Jungen wie Hendrik Merz in eine solche Situation zu treiben.

Ein Mädchen namens Mary ...? Le piège de l'amour, die »Falle der Liebe«? Aber es war ja nicht die Liebe allein, die Falle hatte ein anderer gestellt ... Himmelherrgott, ob Hendrik nun an ihrem Tod schuld war oder nicht, in einer solchen Situation gibt man sich immer selbst die Schuld, vor allem dann, wenn man so empfindsam ist wie er.

Es hielt ihn nicht länger in dem Raum mit den kahlen Holzbänken. Das Ambulatorium erinnerte ihn an das Vorzimmer einer Leichenhalle. Er stand auf und ging hinaus.

Lansons roter Jeep stand noch immer vor dem Eingang.

Gilbert Descartes sah sich um und sah die verlorene Gestalt des Missionars drüben im Krankenhaus-Garten. Er saß unter einem Pfefferbaum auf einem großen Kalksteinbrocken, die Schultern nach vorn gebeugt, den Kopf gesenkt, und von der Ferne sah es aus, als lese er in seinem Brevier.

Gilbert Descartes beschloß, ihn zu stören. Als er näher kam, erkannte er, daß Pater Lanson nicht las, sondern seine Hände betrachtete.

»Warum setzen wir uns nicht auf eine Bank? Wäre doch bequemer. Vor allem für mein Knie.«

Der Pater blickte auf, fuhr sich durch die grauen Haare, nickte und stand auf.

Eine Zeitlang saßen sie schweigend nebeneinander und blickten hinüber zu dem milchweißen Brandungsstreifen am Strand.

»Hendrik kommt durch. Nielsen behauptet es wenigstens. Wir brauchen uns keine Sorgen zu machen, sagt er.«

»Mach ich mir aber ...« gestand Patrick Lanson.

Descartes nickte.

»Es ist schon sonderbar«, fuhr der Pater fort, »ich habe mir das gerade überlegt: Im Leben laufen die Dinge immer in Phasen ab. Selbst hier, auf einem so abgeschiedenen, friedlichen Platz wie dieser Insel. Monatelang langweilt man sich zu Tode, nichts geschieht, und dann, an einem einzigen Tag, erwischt es gleich zwei Freunde. Es ist so, als habe jemand die Karten ganz mies gemischt. Können Sie das verstehen?«

»Fragen Sie doch Ihren lieben Gott. Der besorgt das Mischen.«

»Der ist auch Ihrer.« Patrick Lanson drehte den Kopf. Zum ersten Mal fiel Descartes auf, wie grün seine Augen waren. Atoll-grün, Lagunen-grün, hell und durchdringend. »Ja, er ist auch Ihr Gott, ob Sie den Gedanken nun mögen oder nicht.«

»Nun ja ...«

»Aber vielleicht haben Sie recht«, fuhr Lanson unberührt von dem Einwurf fort, »vielleicht hatte Gott einen schlechten Tag. Wissen Sie ...« Er zögerte.

»Gilbert. Gilbert Descartes.«

»Ja, natürlich. Entschuldigen Sie, wenn ich den Namen vergessen habe. – Wie ist es überhaupt, Sie waren doch lange hier, so lange, bis Ihr Knie wieder ausheilte ... Warum haben wir uns eigentlich nie gesehen?«

»Weil Sie damals noch in Telekitonga waren und ich äußerst ungern in die Messe gehe – und Sie vermutlich genauso ungern in die Kneipen. Obwohl es hier ja nichts gibt, das diesen Namen verdient. Aber im Ernst: Ich hab' fast die ganze Zeit im Krankenhaus verbracht. – Doch Sie wollten noch etwas anderes sagen.«

»Ah ja, richtig. Ich habe darüber nachgedacht, auf welche merkwürdige, ja, sogar erschreckende Weise das Leben dieser beiden, das Schicksal Hendriks und Rons, plötzlich miteinander verknüpft wurde. Es ist doch wohl so: Falls Hendrik nicht auf die Beine kommt, besteht die Gefahr, daß Ron seinen Arm verliert. Wenn nicht noch was Schlimmeres passiert.«

Ein Toko flog vor ihre Schuhspitzen auf den Weg, pickte irgendwas auf und flog wieder weg. Descartes sah ihm nach.

»Ich hoffe, daß Sie das zu dramatisch sehen, Pater. Ron wird sich erholen. – Und schließlich gibt es noch immer den Flieger nach Tongatapu.«

»Möge Gott es so fügen. Ich bete schon die ganze Zeit darum.« Wieder das schwache Lächeln: »Das wird Sie ja wohl nicht stören?«

Descartes schüttelte den Kopf.

Der Pater streichelte seine Hand. »Gilbert, ich hab' Sie bisher nicht gefragt, aber jetzt will ich es doch tun: Was ist in Wirklichkeit mit Ron passiert? Woher kommen diese Schußverletzungen?«

»Ich hab's Ihnen doch schon erklärt.«

»Erklärt? Das ist ja wohl die Untertreibung des Jahres! Sie haben mir in vier oder fünf Sätzen eine Geschichte aufgetischt, an der ich schon die ganze Zeit herumkaue, ohne sie zu kapieren. Und die Polizei wird sie Ihnen auch nicht ohne weiteres abnehmen, das kann ich Ihnen jetzt schon sagen. Na, hören Sie, es ist aber auch zu ungewöhnlich: Piraten, die Ihr Boot überfielen, als Sie mit Ron auf hoher See herumkreuzten, Piraten, die ...«

»Die es gar nicht gibt in der Südsee, gar nicht geben darf – oder?«

»Nein, es gibt oder gab eine Bande unter der Anführung eines Malaien. Das stimmt schon. Ich hab's sogar in der Zeitung gelesen. Und im Radio haben sie auch darüber berichtet. Aber diese Typen haben die Fidschis und Samoa unsicher gemacht.«

»Und das ist ja so schrecklich weit weg von hier«, spottete Gilbert.

»Ich sagte doch, daß ich es nicht für so unwahrscheinlich halte, daß es hier eine einzelne Bande geben mag. Man wird sie erwischen. Und dann ist wieder Ruhe. – Das ist es nicht.«

»Was dann?«

Wieder der grüne, eindringliche Blick: »Hören Sie, ich

kenne Ron. Wir haben uns lange unterhalten. Zunächst wollte ich gar nicht glauben, was er mir damals erzählte – daß er auf einer Insel wohnt, die noch immer ohne jeden Kontakt zu den anderen Inseln oder zur Außenwelt ist. Eine Insel, die niemand kennt, die noch nicht mal auf den Karten auftaucht.«

»Und das hat er Ihnen gesagt?«

»Meinen Sie, ich lüge Sie an? Er hat es mir gesagt. Er wollte sein Mädchen hierherbringen ... So konventionell oder vielleicht auch so gläubig ist er noch immer, daß er Wert darauf legt, daß ich sie traue. Nun, vielleicht war das nur ein Einfall oder ein Scherz. Nun, ich habe dieses Mädchen kurz kennengelernt, als er einmal mit seinem Boot auf der Fahrt nach Papeete hier bei uns vorbeikam ... Gut, die Frage, die sich für mich ergibt, ist ganz einfach: Kennen Sie die Insel?«

Descartes schüttelte den Kopf. »Nein.«

»Nein? – Wie kam er dann auf Ihr Schiff?«

Descartes blickte einem zweiten Toko nach. »Kann ich Ihnen erklären, Pater: Wir haben uns getroffen – auf hoher See ... Er kam da mit seinem prächtigen Dampfer angelaufen, Tama, sein Mädchen, war dabei, und ich habe die beiden zu mir auf mein Boot, so einen alten Kopra-Segler eingeladen. Ron war fasziniert davon, er hatte so ein Schiff noch nie gesehen. Er wollte es auch steuern ... Ich habe ihn nicht gefragt, woher er kam, aber wir waren wohl nicht allzu weit von seiner Insel entfernt. Na, jedenfalls – sein Mädchen wollte wieder an Land, und er hat doch diesen Autopiloten an Bord, sie kann auch ganz gut mit dem Schiff umgehen, und so sagte er ihr, sie soll mit der Yacht vorausfahren, damit er mit mir zwei Tage auf einem original echten Kopra-Boot verbringen könnte. Das haben wir dann auch getan. Das heißt, das wollten wir, bis diese Verrückten auftauchten ... Na, bei uns kamen sie an die Verkehrten. Aber Ron ... ihn hat's leider dabei erwischt.«

»Und Sie erwarten, daß ich Ihnen das abnehme? Das muß ich Ihnen glauben?«

»Müssen?« Descartes grinste breit. »Sie müssen gar nichts ...«

Manchmal fühlte sich Ron in eine Achterbahn versetzt, ja, es war wie in diesen aufregenden Zeiten seiner Jugend, wenn das Donnern in die Tiefe von schrillen Schreien begleitet wurde und es dann wieder hochging, so steil, so rasend, daß einem die Luft wegblieb, das Herz zu hämmern begann und der Magen wie ein Klumpen zur Kehle stieg.

Alle Eindrücke verschwammen, die Stimmen, die Lichter verzerrten sich zu fliegenden Spiralen, und es war herrlich und schrecklich zugleich - bis er dann wieder ins Dunkel fiel, in dieses hitzeglühende Dunkel, das alles auslöschte.

Das Fieber nahm erst am vierten Tag ab. Die Spritzen, die er nur benommen erlebte, konnten anfangs nichts bewirken, bis sich die Kraft seines Körpers durchsetzte und er eines morgens im Bett aufwachte und Hunger fühlte. Doch mit dem Verschwinden des Fiebers kam nicht nur der Appetit, es kamen auch die Schmerzen.

Er hatte gelernt, die Tabletten zu hassen und weigerte sich, sie zu schlucken. Er biß die Zähne zusammen, bis die Tränen kamen.

Nein, die verdammten rosa Pillen, die ihm Ulla jeden Morgen, jeden Mittag und jeden Abend mit mütterlichem Lächeln auf einem Teller zuschob, konnte er nicht mehr sehen! Er wollte wieder er selbst sein, wollte denken wie ein normaler Mensch, selbst wenn sein Schädel dabei zersprang ... Aber dieser Zustand halb bewußtlosen Dahindämmerns mußte ein Ende haben! Ron setzte dem Teufelsbohrer, der da ständig Hitze und Schmerzen durch seinen Arm jagte, seinen ganzen Trotz entgegen. Immer half das nicht, manchmal konnte er nicht anders, als wild aufzustöhnen.

Dann klang der Anfall wieder ab, und er schlief ein.

An der Tür klopfte es. Eine Stimme sagte: »Guten Morgen!«

Er drehte den Kopf und öffnete widerwillig die Lider...

Die Jalousien waren zugezogen, und so sah er zunächst nur das Leuchten des weißen Kittels, das sich ihm näherte: Ein neuer Arzt, einer, den er noch nicht kannte? Nun nahm er das Gesicht wahr – und es war wie ein Schock! Zwei dunkle, tiefliegende Augen blickten ihn an. Der Arzt war jung, dürr und sehr groß. Aber es war nicht nur das magere Gesicht allein – irgend etwas war an ihm, das Ron so sehr an Jack Willmore erinnerte, daß er eine Mischung aus furchtsamer Befremdung und Glück empfand.

»Ich bin Dr. Hendrik Merz. – Die Hand gebe ich ihnen besser nicht. Sie müssen ganz schön Schmerzen haben. Schwester Ulla sagte mir, daß Sie das Dolantin zurückgehen ließen?«

Ron schwieg.

»Tapfer, tapfer ...« Der Mann lächelte. Und da war etwas an diesem Lächeln, das Ron beruhigte.

Ron nickte. Auch die Stimme war die Stimme Jacks. Und diese dunklen Brauen, das immer ein wenig schüchtern wirkende Lächeln ...

»Ich habe mir gerade Ihre Werte angesehen, Mister Edwards. Das Fieber ist weg, die Blutsenkung hat sich gewaltig gebessert, sie ist den Umständen entsprechend sogar ausgezeichnet.«

Verdammter Arm ... Er preßte die Lippen zusammen.

»Vielleicht sollten wir anfangen zu überlegen, wenn Sie nichts dagegen haben ...«

Irgend etwas an diesem »wenn Sie nichts dagegen haben« ließ Ron aufhorchen: Der Akzent? Der Arzt sprach ein ziemlich hartes Englisch.

»Sind Sie Holländer, Herr Doktor?«

»Ich?« Er lachte. »Gut, das Hendrik habe ich von meinem Großvater, der war Holländer. Ich bin Deutscher.«

»Wirklich? Ich ... ich habe auch ...« Deutsche Vorfahren wollte er sagen, aber diesen Mann gleich beim ersten Mal zu belügen, dazu fühlte er keine Lust. Er brachte den Satz nicht zu Ende. Statt dessen sagte er: »Anfangen zu überlegen ... Heißt das operieren?«

»Ja.«

»Und werden Sie das tun?«

Wieder nickte der Arzt und zog einen Block mit kariertem Notizpapier aus seiner Manteltasche. »Wissen Sie, hier in der Klinik bin ich der einzige, der über eine einigermaßen solide Ausbildung in Orthopädie verfügt. Natürlich können wir Sie, wenn wir noch etwas warten, auch nach Nuku'alota fliegen, wenn Ihnen das lieber ist. Dort, in der Klinik von Tongatapu, operiert Dr. Bronstein. Auch ein Chirurg mit großer orthopädischer Erfahrung. Doch das müßten sie schon selbst entscheiden. Und ich will Ihnen auch nicht verheimlichen, daß Dr. Bronstein vielleicht die bessere Wahl wäre. Umgekehrt glaube ich schon, daß Sie Vertrauen in mich haben können. Außerdem besteht die Gefahr, daß

Sie durch die Anstrengung des Transports wieder einen Rückfall erleiden ...«

Er sprach langsam, setzte die Worte vorsichtig und behielt die ganze Zeit diesen aufmerksamen, freundlichen Blick in den dunklen Augen.

Ein Deutscher ...

»Sind Sie schon lange hier auf Tonga, Doktor?« fragte Ron.

»Fünf Jahre.«

»Und wie ist das? Kennen Sie sowas wie Heimweh?«

»Nach was?« Der Arzt schüttelte den Kopf. »Nein, wirklich nicht, Mister Edwards.«

»Mister Edwards? Lassen wir das doch! Warum sagen Sie nicht Ron zu mir?«

»Gut.« Der Arzt legte flüchtig die Hand auf Rons Stirn. »Nein, ich habe kein Heimweh. Oder anders ausgedrückt – man kann nur nach der Heimat Heimweh haben. Und mein Heimatgefühl hat sich – wie soll ich es nennen – nun, es hat sich hier verankert. Das klingt vielleicht ein wenig pathetisch, aber ich finde kein anderes Wort.«

»Ich verstehe das. Oh ja, ich verstehe Sie sehr gut. Mir geht es genauso.«

Hendrik Merz blickte auf den Block in seiner Hand. »Ich wollte Ihnen hier die Operation erklären. Aber wenn Sie sich im Augenblick nicht so wohlfühlen ... Sie sollten vielleicht doch noch eine Tablette nehmen. Ich kann auch später wiederkommen.«

»Will ich aber nicht. Und was wollen Sie mir schon erklären?« Ron versuchte gegen seine Schmerzen anzugrinsen. »Sie können die Splitter rauspulen und mir eine Art Nagel reindonnern und dann gemeinsam mit mir beten, daß der Knochen wieder zusammenwächst. Ist es das?«

»So in etwa ...«

»Na also«, sagte Ron. »Lassen wir's doch dabei, Hendrik. Sie bringen das prima hin. Ich weiß es.«

Wieder legte sich die Hand des Arztes auf seine Stirn, und das schüchterne Lächeln wurde breit und strahlend: »Verlassen Sie sich drauf, Ron.«

»Ich hab' mit ihm gesprochen. Und er wollte, daß ich ihn operiere, Gilbert. Das ist ein feiner Kerl. Er gefällt mir.«

»Weil er Vertrauen hat?«

»Nein, nein. Einfach so ...«

Sie gingen den Strand entlang. Beide waren barfuß. Der Wind erzeugte ein feines, metallisches Sirren, wenn er die Palmwedel über ihren Köpfen peitschte.

Hendrik Merz blieb stehen und bückte sich nach einem Stück Strandholz. Das Meer hatte es rund- und bleichgehämmert wie einen Knochen. Er betrachtete es nachdenklich, drehte es zweimal hin und her, befühlte mit den Fingerspitzen die Oberfläche, dann holte er aus und warf das Holz in weitem, hohen Bogen hinüber zur Brandung.

»Nicht schlecht.« Descartes nickte anerkennend. »Ich staune nur so, wie du dich in den fünf Tagen hochgerappelt hast, Hendrik. Mein Gott, wenn ich daran denke, wie du mir da aus deiner Hütte entgegengekrochen bist ... Hab' ich mich vielleicht erschreckt!«

Hendrik Merz verzog den Mund zu einem dünnen Grinsen. »Vielleicht hast du so eine Art Steh-auf-Männchen vor dir. Was glaubst du, wie froh ich bin, daß du mich da rausgeholt hast! Werd's dir nie vergessen.«

»Schenk's dir. Schau lieber wieder mal nach meinem Knie.«

»Das bring' ich hin. Wir machen eine Nachoperation.«

»Auch noch? Ich geb' dir einen guten Rat: Bring lieber erst mal die Sache mit Ron hinter dich.«

»Das sowieso. Wieso auch nicht? Sieh mal ...« Er hielt die langen, feingliedrigen Chirurgen-Hände unter Gilbert Descartes Nase. »Und guck genau hin. Siehst du irgendwas, das da zittert?«

Gilbert Descartes schüttelte den Kopf. »Deine Finger nicht. – Aber ich.«

Hendrik Merz lachte, und es war das erste Mal, daß ihn Descartes so lachen hörte: dasselbe Lachen wie früher, jungenhaft-fröhlich und zugleich Zutrauen erweckend. Ja, er schien sich wieder im Griff zu haben.

Das Lachen brach ab.

Hendrik Merz sah über die dunkel strahlende See, dann wandte er sich ihm wieder zu, und sein Blick schien aus einer unendlichen Weite zurückzukehren: »Weißt du, warum ich an diesem Morgen, an dem du mich aus meinem Loch gekratzt hast, fast eine ganze Flasche ausgetrunken habe?«

»Nein.«

»Weil ich nicht den Mut aufbrachte, Schluß zu machen. Das war's. – Aber das ist jetzt vorüber.«

Sie gingen weiter, und Hendrik Merz begann so heftig und eifrig zu sprechen, als hinge unendlich viel davon ab, daß Descartes ihn begriff. »Diese Wahnvorstellungen ... Es war nicht allein der Alkohol, glaub mir, Gilbert. Solche Dinge haben auch psychische Auslöser. Ich bin kein Alkoholiker, ich war drauf und dran einer zu werden, das ja, viel fehlte da nicht, aber Gott sei Dank hab' ich's nicht geschafft. Die Suchtphase war zu kurz. Und ich hab' vielleicht auch nicht genügend gesoffen. Ich war nur völlig ...«

»Du brauchst es mir nicht auseinanderzusetzen.«

»Ich red' auch nicht mehr länger davon. Auch nicht von Mary. Ich werde, was passiert ist, nicht verdrängen. Sie wird mich begleiten. Aber ich bin darüber hinweg.«

»Und die Tabletten?«

»Die potenzieren die Wirkung des Alkohols – oder es läuft umgekehrt. Ist ja auch egal. Wichtig ist: Ich habe Ephedrin genommen, und das ist zum Glück ein Zeug, von dem du zwar abhängig werden kannst, das aber, wenn du es absetzt, keine Ausfallerscheinungen hervorruft. Das ist mein Glück.«

»Und was sagt Dr. Nielsen?«

»Ach der! Das übliche: Von mir aus, sagte er, wenn Sie sich die Operation zutrauen. Aber auf Ihre Verantwortung. – Und holen Sie sich die schriftliche Einwilligung des Patienten ... Werde ich sowieso tun. Weißt du, Nielsen ist nichts als ein Opportunist. In meinen Augen lag es auch an ihm, daß ich so absackte. Er hätte es verhindern, er hätte mich zusammenstauchen können, ehe es bei mir richtig losging. Und wenn ich's mir überlege, habe ich den Eindruck, daß er es zuließ, weil er mich als Konkurrenten aus dem Weg haben wollte. Er hat sich nicht ein einziges Mal um mich gekümmert, als ich dort draußen in der ›Sunshine-Lodge‹ dahinvegetierte. Er hatte meine Adresse, doch er hat sie niemand gegeben, nur dir. Keine der Schwestern, niemand wußte Bescheid, wie es wirklich um mich stand. Verstehst du?«

»Verstehen ist ein bißchen viel verlangt.«

»Jedenfalls – wenn die Sache mit Ron gutgeht, wenn ich das hinter mir habe, schmeiß ich den Krempel im Hospital hin. Dann gründe ich meinen eigenen Laden. Ich bin hier bekannt. Ich brauche keine Sorgen zu haben. Aber am liebsten ...«

»Ja?«

»Am liebsten würde ich weggehen. Irgendwohin. Auf eine andere Insel. Irgendwohin, wo mich nichts mehr an das erinnert, was hier passiert ist.«

Gilbert Descartes schwieg.

»Owaku ...« Ganz deutlich hatte er es gehört, dabei war die Stimme nichts als ein winziges, lebendiges Etwas in dem ekelhaft auf- und abebbenden Rauschen statischer Störungen.

Er preßte den Hörer ans Ohr. »Tama!« brüllte er. »Tama!«

Nichts.

Das Rauschen wurde stärker, überdeckte alles – doch dann, ja, wieder war ihre Stimme da! Und sie kämpfte wie ein Schwimmer mit dem scheußlichen Knistern, das sie zu verschlingen drohte: »Owaku ... du ...«

Er richtete sich auf, nein, er versuchte es – die Schmerzen schlugen zu. Er mußte den Hörer näher ans Ohr plazieren, aber die Armschiene war ihm im Weg, sie streifte den kleinen Tisch neben dem Bett, wischte die Wasserflasche, die dort stand, zu Boden.

Von wo rief sie an? Von der Funkbude natürlich! Aber wie überhaupt hat sie es geschafft, die Frequenz einzustellen, die Nummer des King Taufa-ahau Tupou-Hospitals herauszufinden? – Na, wie, du Idiot?! Weil sie gut ist, weil sie es immer war, weil du ihr auch mal erklärt hast, wie das Ding funktioniert! Hast du es wirklich? Ja, vor langer Zeit und reichlich flüchtig. Dann, auf hoher See, ist es dir eingefallen: Herrgott, wieso bloß hast du Tama die Nummer nicht gegeben? Aber sie hat's allein geschafft. Und ob! – Da, da ist sie wieder! Und diesmal deutlicher ...

»Owaku ... Ich denk' immer an dich ... solche Angst ...«

»Tama, paß auf.« Er zwang sich zur Ruhe. »Am Telefonsockel ist ein kleines schwarzes Rad. Dreh es nach links.«

»Nach links ... ja ...«

Und da war sie, so nah, so deutlich, als spreche sie aus der Zentrale: »Oh Owaku! Nun versteh ich dich ganz ... Das ist unglaublich! Ist das gut!«

Ja, es war gut. – Gilbert, dieser verkrachte Philosophie-Lehrer, konnte noch so lästern und seine Tiraden gegen die Technik loslassen, schon wegen dieses einen einzigen Gespräches hatten sich aller Ärger, aller Aufwand, alle Strapazen gelohnt.

»Owaku ... Was ist mit dir? Alle fragen mich, wie's dir geht. Jetzt stehen sie draußen vor dem Fale und warten darauf, daß ich es ihnen sage.«

Er sah sie vor sich und konnte nichts gegen die Tränen, die in seine Augen schossen, tun. Er sah Tama am Tisch der Funkbude sitzen, die Hand um den Hörer gekrampft, sah ihr Gesicht, ihr schönes, ängstliches Gesicht ...

»Man wird mich operieren, Tama. Jetzt habe ich noch Schmerzen, aber danach wird alles gut sein. Der Arzt ist ein Deutscher. Der schafft das schon ... Hör mal, wenn ich zurückkomme, bin ich besser, als ich es je war!«

»Geht gar nicht, Owaku.«

Er lachte trotz der Schmerzen.

»Und? Und wann kommst du zurück, Owaku?«

Das war es. Drei, vier Wochen hatte Hendrik Merz gesagt. Mindestens. – Ron wagte nicht, es auszusprechen. Nicht jetzt ... Außerdem: Er hatte nachgedacht und einen anderen Ausweg gefunden.

»Es wird noch etwas dauern.«

»Ist es so schlimm?«

»Natürlich nicht. Aber hör zu, Tama, ich habe mit Gilbert gesprochen. Wenn sie mich hierbehalten und es länger dauern sollte, dann fährt er los ...«

Nach Tonu'Ata, hatte er sagen wollen, aber er unterdrückte den Namen. »Er muß nach seiner ›Ecole‹ sehen. Und nach der Ladung. Er will auch einige Ersatzteile mitnehmen. Wenn es ihm nicht allzu große Schwierigkeiten macht, den Motor zu reparieren, kann er dich mit der ›Ecole‹ nach Pangai bringen. Im anderen Fall fährt er mit der ›Paradies‹ zurück und bringt dich hierher.«

»Und dann kann ich dich sehen, Owaku?«

»Nicht nur sehen, lieber Himmel!« Er lachte: »Was glaubst du, was du dann alles kannst ...«

»Hör sich das einer an ... Schon wieder frech, Owaku? Sieht wirklich so aus, als würde es dir gutgehen.«

»Und ob!« versicherte er mit zusammengebissenen Zähnen ...

Sie hatten die Operation auf zehn Uhr morgens angesetzt.

Bereits eine halbe Stunde zuvor war die dicke Ulla erschienen und hatte ihm eine Spritze verabreicht, und fast gleichzeitig mit ihr erschien auch Gilbert Descartes, tätschelte an ihm herum, setzte zu einem langen Sermon an, der dazu noch halb aus Witzen und Anekdoten aus seiner Vergangenheit bestand und den Ron nur zur Hälfte mitbekam, weil die Spritze ihn benommen machte.

Dann erschienen die Pfleger mit der Rollbahre, schoben ihn einen langen Gang entlang, klappten eine Schwingtür auf, schoben ihn hindurch, und Ron tauchte ein in die kühle, lichtdurchflossene Stille eines Operationssaals, vor dessen glänzenden gekachelten Wänden ihn drei vermummte Gestalten erwarteten.

Eine dieser Gestalten kam lautlos auf ihn zu, beugte sich über ihn, und in dem Streifen Gesicht, den die Maske freigab, konnte er die ruhigen, warmen Augen Hendrik Merz' erkennen.

»Wie ist das, Hendrik?« flüsterte er. »Muß ich jetzt die Daumen halten oder beten oder was?«

»Beten kommt später, das weißt du ja. Jetzt mußt du nur einfach an was Schönes denken ...«

Also dachte er an Tama. Aber das gelang ihm nicht so recht. So schloß er die Augen, und ein zweites Bild schob sich vor Tama, das Fale und das Riff von Tonu'Ata: Es war das Gesicht seiner Mutter, und es war ganz nah, und es lächelte, und er lag wieder auf einer Trage. Es war damals, als sie ihn nach dem Motorrad-Unfall ins Kreiskrankenhaus brachten. Er hörte ihre Stimme sagen: »Mach dir keine Sorgen, Junge, das wird schon gut ...«

Würde es auch. – Mußte es!

Die neue Spritze spürte er nicht. Er hörte nur Hendrik Merz' Stimme, die sagte: »Ron, fang mal an zu zählen.«

Ron? dachte er. Wieso Ron? Und zählte. Er kam bis drei ...

Als er erwachte, war es fast dunkel. Die Vorhänge waren zugezogen und bewegten sich leicht im Wind, der von der See kam. Er konnte sogar das Rauschen hören.

Das Rauschen war wie die Stimme eines alten Freundes, und er nahm es dankbar auf.

»Bonjour!« Gilberts breites Gesicht verzog sich zu einem freundlichen Grinsen. Dann erzählte er ihm, daß die Operation vier Stunden gedauert und daß er weitere drei Stunden gepennt habe und daß alles, wenigstens nach Auskunft Hendriks und des übrigen Klinikpersonals glatt verlaufen sei.

Glatt verlaufen? – Ron tastete unwillkürlich nach seinem Arm und fühlte die frische Spannung eines neuen Verbandes.

»Und jetzt ...« flüsterte er.

Na, und jetzt schläfst du weiter. – Schmerzen?«

Ron schüttelte den Kopf. »Nein. Durst. Hol uns ein Bier.«

»Von wegen«, sagte Descartes grimmig. »Mit dir hat man immer denselben Ärger. Kaum kommst du drei Zentimeter hoch vom Boden, wirst du frech.«

»Das hab' ich schon mal gehört. Tama hat das auch behauptet.«

»Na also!« Gilbert streichelte die Bettdecke und erhob sich. Die kennt dich schließlich besser als ich.«

Dann ging er hinaus ...

Am nächsten Morgen kamen die Schmerzen wieder, aber es waren andere, nicht dieses dumpfe Gefühl, das sich von den Fingerspitzen über die Schulter durch seinen ganzen Körper ausbreitete, sie waren lokalisiert und leicht zu ertragen. Sein Kopf jedenfalls blieb frei.

Patrick Lanson kam beinahe jeden Tag vorbei und brachte ihm Zeitungen. Ron blätterte sie ohne viel Interesse durch, nahm zur Kenntnis, daß Jelzin um seinen Präsidenten-Posten kämpfen mußte und daß die Nato jetzt Flugzeuge in Serbien einsetzte, blätterte weiter, kämpfte sich durch den ganzen Horror der Tagesnachrichten, vergaß darüber sein eigenes Problem und sagte sich, daß er nicht nur ein verdammtes Schwein gehabt hatte, sondern im Grunde sich fühlen konnte wie ein König, nein – wie Ron Edwards!

Und als Ron Edwards machte er sich daran, Pläne zu schmieden. Und die Dinge in die Hand zu nehmen.

»Wann fährst du, Gilbert?«

»Na, du bist gut. Willst du mich so schnell loswerden?«

»Nein. Aber ich will Tama hier haben.«

»Hör mal, Junge, irgendwann müßte dir vielleicht jemand beibringen, daß du nicht der Nabel der Welt bist. Und daß die nicht nur um dein Mädchen kreist. – Natürlich muß ich zurück. Aber nicht nur, weil du Händchenhalten willst, sondern weil ich – bei Gott – keine Lust habe, weiterhin hier rumzuhängen und zuzusehen, wie mein Geschäft ruiniert wird. Ich muß die ›Ecole‹ flottmachen.«

»Aber sicher. – Hast du bei Burn eine Motorendichtung gefunden?«

»Hab' ich. Zwar nicht genau dasselbe Modell, aber man kann das zurechtschneiden.«

»Verdammt schade, daß ich dir nicht helfen kann ...«

Ron wollte gerade erklären, wo Gilbert in seiner Werkstatt das passende Werkzeug finden konnte, um die Dichtung und den Diesel der »Ecole« zu reparieren, als die Tür aufging.

Ulla! Und sie machte ein bedeutsam-grimmiges Gesicht.

»Ron, da ist ein Herr von der Polizei. Ein Inspektor aus Nuku'alofa.«

»Merde.« Gilbert zog die Brauen zusammen.

Er hatte recht. Ron überlegte blitzschnell. »Wo ist der Mann?«

»Im Wartezimmer.«

»Sag ihm, Ulla, ich hätte Verbandswechsel und wäre in fünf Minuten bereit, mit ihm zu reden.«

Sie nickte und verschwand.

Sie sahen sich an. »Paß auf, Gilbert. Du verschwindest. Du nimmst die Tür dort. – Und du verschwindest so, daß er dich nicht sieht.«

Gilbert nickte dankbar. »Das geht. Die Teeküche hat eine zweite Tür, und die führt hinaus auf den Hof. Und von da gibt's 'ne Tür, die führt direkt raus in den Garten.«

»Dann geh' mal da hin, Alter.« Ron grinste beruhigend. Es war das erste Mal, daß er Gilbert Descartes nervös erlebte. »In den Garten.«

»Und was willst du dem Polizisten erzählen?«

»Na, was schon? Das, was wir besprochen haben. – Und von Tonu'Ata kein Wort ...«

Es dauerte keine zwei Minuten, da klopfte es bereits an der Tür. Den Rahmen füllte ein Hüne in einem vanillegelben, zerknitterten Baumwollanzug. Er trug dazu ein weißblau gestreiftes Hemd und eine schwarze Krawatte, die er liebevoll glattstrich. Nun stand er im Zimmer, verschränkte die gewaltigen Hände vor der Brust und ließ die Fingergelenke knacken.

»Mister Edwards? – Mister Edwards, mein Name ist Joseph Tagalo. Ich bin Inspektor der Staats-Polizei von Tongatapu. Falls es Ihnen nichts ausmacht, möchte ich einige Fragen an Sie richten. Sie wissen ja, um was es sich handelt.«

»Um was denn?«

»Oh? Um was wohl?« Er lächelte weiter, es war die Sorte Lächeln, die Polizisten wohl auf ihren Polizei-Akademien beigebracht bekommen – falls es auf den Tonga-Inseln so etwas wie eine Polizei-Akademie überhaupt gab. Es war das Lächeln, das sagte: Wir wollen uns doch nichts vormachen, Junge!

»Nehmen Sie sich doch einen Stuhl, Mr. Tagalo.«

»Danke, Sir. Sehr freundlich. Wissen Sie, einmal saß ich lange genug im Flugzeug, und dann hatte ich noch die Konferenz mit den Kollegen hier – falls es Ihnen nichts ausmacht, bleibe ich ein bißchen stehen.« Seine Augen glänzten wie flüssige, dunkle Schokolade. Der Blick wanderte zwischen Rons Schulter und Arm hin und her. »Zwei Schüsse?«

»Und zwei Brüche.«

»Geht's einigermaßen?«

»Muß wohl. So genau wissen wir das noch nicht.«

»Wir?«

»Der Arzt und ich.«

»Doktor Merz, nicht wahr?«

»Richtig.«

In dem großflächigen Gesicht mit den aufgeworfenen, dunklen Lippen verzog sich kein Muskel. Er schien Hendrik zu kennen. – Was er von ihm hielt, behielt er für sich.

»Wegen dieser Schüsse komme ich zu Ihnen ... Mister Descartes hat den hiesigen Kollegen erzählt, wie es zu den Verwundungen gekommen ist. Er wollte seinen – hm – Bericht so erweitern, daß sie ein Protokoll aufnehmen können. Ja, dann wäre da noch die Frage der Anzeigenerstattung. Dazu wird es auch langsam Zeit, finden Sie nicht?«

Ron schwieg.

»Leider jedoch hat sich Mr. Descartes bisher nicht mehr gezeigt, Mr. Edwards. Bedauerlich, in der Tat. Auch etwas merkwürdig.– So blieb uns nichts anderes übrig, als uns an Sie zu wenden.«

Ron hatte damit gerechnet. Und aus seiner Sicht hatte der Inspektor vollkommen recht. Noch merkwürdiger würde er es sicher finden, wenn er wüßte, daß sich Gilbert in dem kleinen Häuschen von Ulla, der Oberschwester, versteckte, um dort unzählige Katzen und einen Kakadu zu füttern und Ullas Freistunden mit tiefschürfenden philosophischen Gesprächen und womöglich noch Aufregenderem zu versüßen ...

Doch daß er sich auf der Polizei-Station von Pangai nicht meldete, hatte einen anderen Grund: Das Geheimnis von Tonu'Ata mußte bewahrt bleiben! Die Killer waren erledigt, die Story dazu hatten sie sich zurechtgelegt. Es gab nur ein Problem: Gilbert hatte sich geweigert, sie den lokalen Beamten zu erzählen. Nicht, weil er sich drücken wollte, aber er konnte schlecht lügen. – Ron schätzte sich da anders ein ...

»Sie hätten Mr. Descartes doch sicher finden können«, versuchte er Zeit zu gewinnen.

»Sicher? – Das ist auch so ein hübsches, kleines nettes Wort, Mr. Edwards.« Die großen Hände mit den rosafarbenen Innenflächen wehten durch die Luft: »Die Kollegen haben es versucht. Aber er bleibt wie vom Erdboden verschwunden. Er hat sich einfach in Luft aufgelöst. Etwas außergewöhnlich, finden Sie nicht?«

»Bezweifeln Sie etwa, was er sagt?«

»Um etwas zu bezweifeln, Sir, braucht man eine Aussage. Alles, was wir wissen, ist, daß Sie sich Ihre Schußverletzungen holten, als eine Bande von Piraten

Ihr Schiff überfiel. Sie und Descartes haben zurückgeschossen. Und das ist dann schon alles.«

»War es auch, Inspektor.«

Der Stuhl knackte bedrohlich, als der riesige Mann sich nun doch setzte. »Uns ist das aber zu wenig – falls Sie nichts dagegen haben.«

Rons Schmerzgrimasse war nicht gespielt. Nicht nur der Arm, auch die Schulter brannte. In seinem Schädel schrillten Alarmklingeln.

»Inspektor, Sie werden vielleicht verstehen, daß ich mich im Augenblick nicht besonders wohlfühle. Aber bitte – wenn Descartes sich nicht bei Ihnen meldet, bin wohl ich dran. Ich werde versuchen, Ihnen einen möglichst kurzgefaßten Bericht zu geben ...«

Den bekam Inspektor Tagalo aus Tongatapu!

Und wieso eigentlich sollte er ihm seine Geschichte nicht abnehmen – die Story von dem Amerikaner, der auf seinem Südsee-Törn auf der Vava'u-Insel einen alten Kopra-Skipper trifft, mit ihm Freundschaft schließt, ihn zu einem kleinen Trip auf seine Yacht einlädt, worauf sie dann am nächsten Tag einen Piraten-Überfall mit allem, was dazugehört, erleben und fulminant abwehren ...

Das Gesicht blieb so undurchdringlich wie zuvor. Nur die Fingergelenke knackten. Und das Geräusch ging Ron mehr auf die Nerven als seine Schmerzen.

»Die uns bekannte Piratenbande, Sir«, sagte der Inspektor schließlich, »besteht aus fünf Mitgliedern. Nach allem, was wir wissen, sind es fünf erfahrene, zu allem fähige Profi-Killer. Und Sie sagen, Sie hätten alle fünf erledigt?«

Ron spürte, wie sich der Schweiß in seinen Achselhöhlen sammelte, sich selbständig machte und über die Rippen lief.

»Außerdem, Mr. Edwards. Wir haben uns Ihr Boot angesehen. Schuß-Spuren waren nicht zu entdecken.«

Nun spürte Ron den Schweiß auch auf der Kopfhaut. »Soll ich Ihnen mal was sagen, Inspektor? Ich bin Amerikaner. Und schon deshalb ein gutgläubiger Mensch. Und als Amerikaner und gutgläubiger Mensch bin ich der Ansicht, daß ich eher einen Orden als derartige Fragen verdient hätte. Aber bitte, Profis, wenn Sie so wollen, sind auch wir: Ich habe im US-Marine-Korps gedient, Mr. Descartes war bei der Légion Etrangère; und falls Sie es nicht glauben: Sie werden ja sehen, ob Sie mit dieser Bande noch Scherereien haben. Eines kann ich schon jetzt prophezeien: Sie taucht nicht mehr auf. Es gibt sie nicht mehr.«

Das Gesicht vor ihm blieb glatt und ausdruckslos wie zuvor. Tagalo deutete auf die Brustseite seiner ausgebeulten Jacke: »Ich habe mir erlaubt, Ihre Erklärung mit dem Taschen-Tonbandgerät aufzunehmen. Sie werden noch ein Protokoll zu unterschreiben haben, Mr. Edwards. Im übrigen haben Sie recht: Falls das alles stimmt« – zum ersten Mal produzierte er ein Lächeln, und Ron konnte erkennen, daß er über strahlendweiße, kräftige Zähne verfügte – »falls es sich wirklich so verhält, dann verdienen Sie einen Orden.«

Noch Sekunden später starrte Ron auf die Tür, die hinter ihm zugefallen war. Benommen fühlte er sich, schlapp wie ein ausgewrungenes Handtuch. Der »gutgläubige Amerikaner«, der zusammen mit einem Ex-Legionär eine Piratenbande an Bord im Alleingang erledigt? – Er versuchte sich vorzustellen, wie sich so etwas in einem Polizisten-Hirn reimte. Es gelang ihm nicht.

Es war ein Riesenfehler, nein, sein üblicher sentimentaler Schwachsinn gewesen, Tama die Reise nach Pangai zu versprechen. Trotzdem: Er fühlte sich außerstande, es rückgängig zu machen. - Er wollte, mußte Tama sehen!

Aber eine neue, unangenehme Empfindung wurde stärker und stärker: Das Gefühl, auf einer tickenden Zeitbombe zu sitzen. Er mußte hier weg! Und das so schnell als irgendwie möglich.

Aber zuvor gab es noch eine Menge zu tun ...

Die nächsten beiden Wochen verflossen für Ron Edwards wie im Traum. Auch später hatte er Schwierigkeiten, sich an die Einzelheiten zu erinnern.

Schon in der darauffolgenden Nacht hatte sich Gilbert mit der »Paradies« im Dunkeln und wie ein Dieb vom Pier von Pangai losgemacht, um Kurs auf Tonu'Ata zu nehmen.

Den ganzen Nachmittag hatten sie über der Seekarte gebrütet, Peildaten und Geschwindigkeiten festgelegt, die es Gilbert ermöglichen sollten, direkt und ungefährdet die Insel zu erreichen.

Als Ron sich zum ersten Mal einigermaßen sicher auf den Beinen fühlte, betrat er die riesige Stahl- und Wellblech-Konstruktion, in der er noch so viele Stunden verbringen würde: Die Haupthalle des Warehouse von Burn Philp. Über Burn Philp, diesen australischen Super-Konzern, konnte man erzählen, was man wollte, eines stand fest: Was der Mensch in der Südsee zum Leben und Überleben brauchte - hier war es zu finden. Und einiges mehr ...

Wichtiger als diese Entdeckung aber war das Gespräch mit Hendrik Merz, das er am selben Morgen führte.

Hendrik hatte ihn zu Burn Philp nach Pangai gefahren, den üblichen strafend-bedenklichen Arzt-Grimm im Gesicht.

Sie hatten viel miteinander gesprochen in der letzten Zeit. Wann immer es die Zeit erlaubte, saß Hendrik Merz in Rons Zimmer und lauschte mit einem ungläubigen, fast kindlichen Staunen im Gesicht der Geschichte, die Ron erzählte.

Es war die Geschichte von Tonu'Ata – so gut Ron sie kannte. Es war dazu seine eigene Geschichte, und es kamen all die Erlebnisse dazu, die die Folge jenes Tages waren, an dem er am Korallenriff von Tonu'Ata gestrandet war. Das erste Mal sprach er vollkommen rückhaltlos zu einem Menschen, der nichts von der Insel wußte, erzählte alles, was in den letzten drei Jahren geschehen war.

Er hatte seinen Grund, das schon, – aber es tat auch gut ...

An diesem Morgen berichtete er Hendrik von seinen Versuchen, den Menschen auch bei medizinischen Notfällen zu helfen.

»Was war das?« Ron fluchte. – Hendrik hatte unwillkürlich auf die Bremse des alten Renaults gedrückt.

Jetzt starrte ihn der Arzt fassungslos von der Seite an. »Eine Steißlage, sagst du? Mensch, du spielst auch noch den Geburtshelfer? Bei einer Steißlage, da kriegen manchmal erfahrene Gynäkologen Bammel. Und du? – Du hast doch keine Ahnung.«

»Was sollte ich tun? Keine Ahnung? Natürlich habe ich keine Ahnung! Alles hab' ich mir in den klugen Büchern zusammengelesen, die ich mir in Papeete besorgte. Wie würdest denn du dich in einer solchen Lage verhalten?«

»Drehen«, sagte Hendrik abwesend.

»Klar. Drehen. – Hab' ich doch versucht! Aber ich schaffte es nicht.«

»Und?«

»Sie starben beide. Die Mutter an Herzversagen. Aber das Kind war vielleicht schon vorher tot. Ich hoffte es geradezu. Die Nabelschnur hatte sich um seinen Hals gewickelt.«

Hendrik brachte den Renault wieder in Fahrt, gab Gas, stöhnte: »Mein Gott, wenn ich mir überlege ...«

Überleg dir doch mal! dachte Ron. Nur zu!

»Warum erzählst du mir das eigentlich?«

»Warum? Vielleicht, weil jeder Mensch einen anderen Menschen braucht, dem er solche Dinge erzählen kann. auch ich.« Ron versuchte zu lächeln, doch die aufglühenden Schmerzen ließen es nicht zu. »Vielleicht auch, weil ich einen meiner üblichen Anfälle von Schwachsinn habe.«

»Vielleicht«, sagte Hendrik grimmig. »Aber das ist nicht alles ... Wieso kommst du nicht mit dem Rest heraus? Wann sagst du endlich: Hendrik, komm mit mir! Meine Leute brauchen dich.« Er schrie es fast. »Jawohl, wieso sagst du nicht: Du hast doch von Pangai die Nase voll, Hendrik. Du suchst doch was Neues. Hier, ich hab' es! Ich öffne dir mein Paradies. – Warum nicht?«

Ron schaffte sein Lächeln. Er legte den Kopf gegen die Genickstütze: »Gut, Hendrik. Ich öffne dir mein Paradies. – Komm mit!«

»Und ich akzeptiere.« Hendrik Merz lachte. »Und noch was: Ich weiß ja nicht, was du bei Burn Philp wieder vorhast. Ich weiß nur eines: daß du es drauf anlegst, meine Arbeit zu ruinieren. Und das waren fünf schweißtreibende Stunden Operation, du verdammter, sturer, verrückter Hund! – Trotzdem, jetzt nehmen wir erst mal einen Schluck. Da drüben ist 'ne Bude, die ich kenne. Wir brauchen ja nicht reinzugehen. Ich hole uns was. Darauf kippen wir einen – auch am Vormittag. Was willst du lieber. Bier oder Whisky?«

»Beides«, grinste Ron. »Auch wenn's nicht zusammenpaßt ...«

Eisen brauchte er! Nicht Aluminium, zolldicke Eisenstäbe, stark genug, daß sich jeder Haikiefer die Zähne daran ausbrach.

Es war schwierig, mit einem bandagierten, geschienten Arm im Bett sitzend eine Skizze anzufertigen. Und nun mußte er sie auch noch ändern. Aber schon aus Gewichtsgründen mußte der Käfig kleiner werden, wenn er Eisenstäbe verwendete.

Es klopfte. Der Polizeibeamte in der frischgebügelten Khaki-Uniform, der hereinkam, war jung, sehr jung sogar. Er hatte ein beinahe kindliches Gesicht mit einem entwaffnend freundlichen Strahlen darauf. Er stellte eine verschrammte Kunstleder-Aktentasche auf den Tisch des Krankenzimmers und holte mit wichtiger Miene ein paar Blätter heraus.

Es waren Phantom-Zeichnungen.

Sie waren ziemlich unbeholfen und trotzdem nicht schlecht genug, als daß Ron nicht sofort den Anführer der Bande wiedererkannt hätte – diesen schmalen kleinen Malaien, der damals auf dem Dorfplatz mit der MP herumfuchtelte, in die Palmen knallte und dann Menschen tötete ...

Für einige Herzschläge kam wie in einer Wolke von schrecklichen Bildern die Erinnerung an die Nacht zurück: Die Feuer, die das Dunkel erhellten. Die

Schlange der Frauen vor Tapanas Haus. Die toten Kinder...

Und hier? – Das Gesicht mit dem breiten Schädel und den Kraushaaren? Das war der Mann, der mit feuerndem Gewehr aus dem Rauch und dem Aufruhr auf sie zustürmte, – ja, das war der Bursche, der ihn hatte umlegen wollen und es um ein Haar geschafft hätte!

Ron atmete tief durch.

»Wissen Sie, Officer, ich würde Ihnen ja gerne helfen, aber eine Identifizierung ist für mich schwierig. Die Leute, die das Schiff überfielen, trugen Gesichtstücher. Das habe ich bereits Inspektor Tagalo gesagt. Ich hatte eine Pistole. Drei von den Banditen fielen ins Wasser. Die anderen beiden haben wir hinterhergeschmissen. Vielleicht können sie das nicht verstehen – aber wir hatten keine besondere Lust, sie an Bord zu behalten, um uns die Gesichter zu merken.«

Es war der einzig wahre Satz. Und er galt noch immer. Er hatte keine Lust, sich mit diesen Visagen länger die Erinnerung zu vergiften. Das war Vergangenheit.

Als der Beamte gegangen war, zündete sich Ron eine Zigarette an und überlegte: Hast du einen Fehler gemacht? – Nein! Jede Identifizierung kann neue Verhöre, neue Protokolle nach sich ziehen. Hier gibt's nur eines: So bald wie möglich verschwinden! Hendrik hat bereits gekündigt. Gilbert ist seit zwei Wochen weg. Sicher hat er alle Hände voll zu tun, seine »Ecole« klarzubekommen, und für die Fahrt geht sowieso beinahe eine Woche drauf... Aber es wäre verdammt besser, wenn die »Paradies« bald am Pier von Pangai festmachen würde. – Ohne das Schiff fühlte Ron sich hilflos und ausgeliefert.

»Wollte der Polizist zu dir?« – Hendrik stand im Zimmer.

»Ja. Und ich bin froh, daß er wieder weg ist. Und noch froher wäre ich, wenn ich selbst endlich Leine ziehen könnte. Wie lange, glaubst du, wird das dauern, bis ich mich wie ein normaler Mensch bewegen kann?«

»Bewegen? Noch eine Woche. Aber den Arm gebrauchen ... das läßt sich schwer voraussagen.«

»Zwei, drei Wochen?«

»Zwei, drei Monate ... Und so lange bleibst du auch besser hier.«

Es war, als habe ihn ein Faustschlag in die Magengrube getroffen.

»Geht nicht, Hendrik. Unmöglich!« Er fuhr hoch und bekam prompt die Quittung – scharf, hart wie ein Messerstich. »Trotzdem ...« Er murmelte es gegen den Schmerz. »Versuch's doch zu verstehen, Hendrik: Der Polizist wollte, daß ich bei der Identifizierung dieser Bande helfe. Er brachte Phantom-Bilder an. Ich habe ihm gesagt, die hätten alle Gesichtsmasken getragen.«

»Aber wieso?«

»Wieso, wieso ... Verstehst du denn nicht? Die Polizei wird wiederkommen. Und sie wird immer blödere Fragen stellen. Die Presse wird sich melden ... Noch bin ich für die nichts als ein durchreisender Amerikaner, dazu noch einer, dem sie dankbar sein können ... Aber wie lange noch? Wir müssen weg, Hendrik!«

»Nun beruhig dich!«

»Wie denn? Überleg dir das doch ... Weiß der Teufel, auf was für Ideen sie noch kommen. Irgendwie bin ich für die nicht koscher. Darin liegt die Gefahr.«

Tama! dachte Ron. Noch ein Problem ... Sie werden nach ihr fragen. Ich werde sie sofort instruieren müssen, wenn sie ankommt. Und es ist ja nicht Tama allein. Es gibt noch so vieles in Burn Philps Lager zu tun ... Ich brauche einen zusätzlichen Elektromotor, vielleicht noch ein Übersetzungsgetriebe, um den Haikäfig zu Wasser zu lassen. Den Käfig können wir in Tonu'Ata zusammenschweißen ... Was noch? Ein Unterwasser-Telefon zur Verständigung von Bord hinab zum Käfig wäre ideal. Aber so etwas ist nicht einmal bei Burn Philp zu finden. Vor allem: Das verdammte Geld! Wenn du hier herauskommst, kannst du die Hälfte deines Besitzes für den Krankenhaus-Aufenthalt auf den Tisch legen. Was bleibt dann noch übrig ... Sicher, die Perlen warten auf dich in ihren Austern. Aber bis ihr Wert schön sauber in Dollars gebündelt vor dir auf dem Tisch liegt, können Monate vergehen ...

Nicht nur Arm und Rücken, auch der Kopf schmerzte.

»An was denkst du?« wollte der junge Chirurg wissen.

»Hast du eine Ahnung von Haien, Hendrik?«

»Ich? Warum? Oh ja ... Ich habe beim Tauchen sogar Fotos von ihnen geschossen. – Wieso?«

Ron erklärte. Und während er sprach, fragte er sich, was wohl Tama dazu sagen würde, wenn sie dieses Gespräch mithören könnte. Nein, daran dachte er jetzt besser nicht ...

Hendrik Merz schüttelte den Kopf. »Es geht dir nicht um Haie, Ron, sondern um Dollars.«

»Daran muß ich ja denken! Die Einrichtung deiner Station wird ganz schön was kosten! Ich denke daran, wieviel allein die Anschaffung eines Röntgengerätes verschlingen wird. Von dem notwendigen Grundstock an anderen Geräten und Medikamenten gar nicht zu reden. Sechstausend, hast du gesagt, ist allein der Preis für einen dämlichen Sterilisator.«

»Und die Dollars willst du auf dem Meeresgrund holen? In deiner berühmten Hai-Bucht?«

»Wenn du mir dabei hilfst.«

Hendrik Merz wedelte mit der Hand. Es lag keine Ablehnung in dieser Bewegung, es war eher Staunen, Bewunderung – und Mißbehagen.

»Es geht, Hendrik, glaub' mir.«

»Natürlich ... Wie denn nicht? Du gehst mit deinem frischgenagelten Arm da runter, und wenn einer deiner Haie kommt, ziehst du dir halt den Kürtschner-Nagel aus dem Oberarm und steckst ihn dem Vieh ins Maul. Ich hab' mir schon jede Menge Unsinn anhören müssen, aber das schlägt alles. Du bist verrückt!«

»Und ich habe das zu oft gehört, um daran zu glauben. Der Arm heilt aus, bis wir unseren Käfig und den ganzen Klumpatsch, der dazugehört, zusammen haben.«

»Ich bin aber kein Schweißer und Unterwasser-Ingenieur. – Ich bin Chirurg.«

»Mach dir darüber keine Sorgen. Ich hab' mir für solche Sachen auf der Insel ein paar Leute herangezogen.«

Noch immer hielt Hendrik Merz den Kopf schief. Und noch immer war dieser ungläubige Ausdruck in den schmalen Augen. »Für dich ist es so sicher wie das Amen in der Kirche, daß der Knochen ausheilt, ja? Langsam glaub' ich's auch. Die Drainage können wir bald rausnehmen. Aber sonst – mein Gott, was bist du für ein Spinner! Und jetzt hast du mich auch noch angesteckt ...«

»War ja auch meine Absicht«, versicherte Ron grinsend. »Von Anfang an!«

Zufrieden schob Ron mit seiner Sandale eines der schweren, zolldicken Eisenrohre zur Seite.

Er hatte keine Ahnung, wie ein Hai-Käfig aussehen könnte. Und er konnte niemand fragen. Den Gedanken, so ein Ding zu bauen, hatte ihm sein Gedächtnis zugeflüstert. Er hätte nicht sagen können, wo er die Idee, sich auf diese Weise beim Muscheltauchen vor den Biestern zu schützen, aufgeschnappt hatte.

Doch war das wichtig? - Ein Hai ist ein Hai, ein Käfig ein Käfig. Was allein zählte: Nun lag er, wenn auch noch in Einzelteilen, zu seinen Füßen. Die ganze letzte Woche hatte Ron mehr in der heißen, staubigen Wellblech- und Stahlkonstruktion der Haupthalle des Burn Philp-Warehouse verbracht als im Spital.

Steve Kantowitz, der Administrator, kam auf ihn zu. Kantowitz war ein untersetzter, stämmiger Pole mit wachen, grauen Augen und semmelfarbenen, militärisch kurzgeschnittenen Haaren. Seit Ron ihn zum ersten Mal gesehen hatte, trug er dieselben schwarzen Baseball-Shorts und dasselbe, einst weiße, inzwischen kohlengrau verfärbte, zerrissene T-Shirt.

»Die Winkeleisen liegen noch drüben.« Er deutete mit dem Daumen in die Ecke der Lagerhalle. »Aber zugeschnitten sind sie alle. Schrauben habe ich auch für Sie bereitgelegt.«

»Prima«, sagte Ron.

»Ich will ja nicht neugierig sein - aber zu was brauchen Sie eigentlich das ganze Zeug? Für 'nen Zoo oder für 'nen Zirkus?«

»Für so was Ähnliches.«

»Also Zoo? Wollen Sie darin 'nen Tiger halten? Hier gibt's doch keine.«

»Ich sage doch, für so was Ähnliches.«

Kantowitz' Mund wurde noch schmaler, als er ohnehin schon war. Dieser Ami ging ihm langsam auf den Geist. Rannte Tag um Tag mit seiner Armschiene durch die Gegend, aber zu einem vernünftigen Gespräch war sich der arrogante Pinkel zu schade.

Er wollte abdrehen.

»Moment, Steve!«

»Was denn noch?«

»Der Haken?«

»Den haben Sie doch schon ausgesucht!«

»Schon. Aber zu dem Haken brauche ich eine Öse. Und ein Drehgelenk.«

»Wie an einem Kran?«

»Richtig. – Habt ihr sowas?«

»Haben wir.«

Und damit war die Konversation beendet.

Ron sah auf seine Uhr. Fünf. Langsam Zeit, daß Hendrik mit dem Renault aufkreuzte. Er fühlte sich in der heißen Halle wie erschlagen.

Und dann hörte er einen Wagen. Aber das war nicht Hendriks alte Karre, es war ein Jeep. Ein roter Jeep. Patrick Lansons Jeep – tatsächlich!

Er hielt in dem sonneglühenden Verladehof, und durch die hohe Schiebetür sah Ron, daß sich drei Personen in dem Wagen befanden: Patrick am Steuer, dann der Beifahrer ... auf dem Rücksitz aber – bei Gott, das war Gilbert! Mit dieser ewig leuchtenden Kugelbirne hätte er ihn unter Tausenden herausgekannt. Gerade kletterte er herunter. Auch Patrick hatte den Wagen verlassen. Und nun ...

Rons Herz schlug hart und schnell.

Tama!

Ja, er hatte diesen Augenblick zu sehr erwartet, zu sehr ersehnt! – Nun, da er gekommen war, fühlte er Schüchternheit, eine Art glückliche Beklemmung, die ihn unfähig machte zu denken oder sich auch nur zu bewegen.

Lanson sprach mit Steve Kantowitz, und der deutete zur Halle herüber – und da kam sie!

Tama, meine Tama ... Jeans trug sie, enge Jeans und einen gleichfalls engsitzenden, ärmellosen Baumwollpullover. Und das Haar wehte bei jedem Schritt, und ihre Haut leuchtete. Den Arbeitern am Gabelstapler riß es die Köpfe herum, und in ihm flammte ein unsinniges, aber überwältigendes Gefühl von Besitzerstolz auf.

Dann rannte er los. Ihm war der Arm völlig egal. Heftig atmend, mit geöffneten Lippen standen sie sich gegenüber und starrten sich an.

»Owaku, Owaku«, flüsterte sie und fand kein anderes Wort, wiederholte nur immerfort seinen Namen: »Owaku ... Owaku.«

Er wollte sie in die Arme schließen, aber das ging nun mal nicht.

»Weißt du, wie du aussiehst, Owaku?«

»Wie denn?«

»Wie ein Vogel, dem ein Flügel abgebrochen ist und der nicht mehr fliegen, nur noch rennen kann.«

»Bin ich auch, ein Vogel. Und was für einer! Aber das Fliegen, das lerne ich wieder, verlaß dich drauf.«

Dann war Patrick Lanson heran. Seine grünen Augen gingen von Ron zu Tama und von Tama zu Ron.

»Das ist sie also?«

»Ja«, sagte Ron, »das ist sie!«

»Deine Paradies-Prinzessin.«

»Sieht man ihr doch an. Außerdem, sie ist noch viel, viel mehr!«

Tama lächelte.

»Und wann kommt ihr in meine Kirche zur Trauung?«

Das Wort verstand Tama nicht. Fragend legte sie den Kopf schräg. Ron verzichtete auf eine Erklärung.

»Oh«, sagte er, »bald, Patrick. – Aber jetzt haben wir eine Menge zu tun ...«

Die Tür war geschlossen, und es gab nur noch einen einzigen Menschen auf der Welt: Tama ...

Seine Hand strich über die Rundung ihrer Hüfte, über den Rücken, tastete sich zu ihrem Busen und von dort wieder hinab zu diesem verdammten Reißverschluß der Jeans, den er nicht aufbekommen konnte.

»Du bist verrückt, Owaku ...«

»Und ob!«

Ihre Augen begegneten sich im Spiegel des Krankenzimmers. Und er sah dabei in sein eigenes Gesicht, das auf ihrer Schulter ruhte. Er schloß die Lider.

»Laß mich, Owaku. Bitte.«

»Nein«, flüsterte er. »Wieso denn? Auf diesen Augenblick habe ich zu lange gewartet.«

»Ach komm ... Dein Arm ... Was würde dein Doktor dazu sagen?«

»Der sagt sowieso immer das gleiche. Aber schließlich – es ist nur der Arm. Nicht der Rest.«

Mit einer geschickten, sanften Bewegung machte sie sich frei. Das Mohnrot ihrer Bluse schien den ganzen Raum auszufüllen, – da stand sie, stand eine Statue, nein, stand eine junge Frau, die ihn mit einem wachsamen, prüfenden und zugleich traurigen Blick betrachtete, während ihre Fingerspitzen nervös den Stoff über ihren Brüsten glattstrichen.

»Was ist denn, Tama?«

»Was ist? Ich frag' mich, ob du überhaupt keine Vernunft kennst.«

»Tama, ich hatte doch solche Sehnsucht ... Ist das so schwer zu verstehen?«

»Ich auch.« Sie sagte es mit einer leisen, fast furchtsamen Stimme. »Aber es geht nicht. Ich will dich gesund wiederhaben. Und außerdem ...«

»Außerdem – was?«

»Sie haben die Toten begraben. Und das ganze Dorf hat geweint. Vierzehn Tage lang, Owaku. In Tonu'Ata gibt's noch immer Leute, von denen niemand weiß, ob sie vielleicht sterben müssen ...«

»Was sagst du da?«

»Die Lepani-Familie. Lepanis Frau, der Junge und seine kleine Tochter ... Du kannst davon nichts wissen, Owaku. Wie auch? Es lief doch alles durcheinander, als du wegfuhrst. Es war so schrecklich damals. Und du warst halb bewußtlos.«

»Was kann ich nicht wissen?« drängte er.

»Sie wurden verletzt. Sie bekamen auch Kugeln in den Körper, so wie du ...«

»Ist es schlimm?«

»Ich weiß es nicht, Owaku. Was ist schlimm? Ist dein Arm schlimm?« Ihr Blick wurde hart und dunkel.

Er verstand sie. Er begriff auch, warum sie sich so abweisend verhielt. – Aber was nun kam, ging über sein Begreifen und war doch eine Erfahrung, die er kannte.

»Owaku. All diese Dinge, die du in dem großen Haus gekauft hast, in dem wir uns getroffen haben – was willst du mit ihnen?«

»Welche Dinge?«

»Diese Eisenstäbe. Und all das andere Zeug.« Ihre Augen waren auf ihn gerichtet, und sie waren nicht mehr dunkel, sie wirkten unergündlich. »Du willst diese Dinge mit nach Tonu'Ata nehmen, nicht wahr?«

Diese Dinge ... dachte er hilflos.

»Ja.« Er streckte seinen gesunden Arm aus, um ihre Schulter zu streicheln, doch sie wich einen Schritt zurück. »Es ist nämlich so ...«

»Das ist nicht nötig, Owaku. Du brauchst mir nichts zu erklären. Ich weiß.«

»Was weißt du?«

»Daß du damit in die Hai-Bucht willst. - Das weiß ich!«

Er hatte das Gefühl eines eisigen, unangenehmen Prickelns im Nacken, und dann schob sich dieses Gefühl die Kopfhaut hoch. Seine Muskeln verspannten sich. Hörte es denn nie auf? Und woher hatte sie es? War dieser gottverdammte, längst tote - was heißt tote, von den Haien zerrissene - Nomuka'la in ihrem Handgepäck mitgereist? Schwebte sein Geist hier irgendwo im Badezimmer des »König Taufa-ahau Tupou-Hospitals« herum? War sie Hellseherin? - Unsinn! Aber woher wußte sie?

»Wie kommst du darauf?«

»Ich sagte doch, ich weiß es.«

Die Kacheln blinkten ihn höhnisch an. Und draußen, im warmen Dunkel der Nacht, lachten die Küchenmädchen. Er hätte so gerne mitgelacht, aber dies war nicht der Augenblick. Weiß Gott nicht. Dies war der Augenblick der Wahrheit. Vielleicht brauchte er ihr nicht einmal zu erklären, was er vorhatte, vielleicht wußte sie auch das bereits.

Er tat es trotzdem. Und schloß dann mit der hilflosen Aufforderung: »Denk doch selbst darüber nach. Du kannst es drehen, wie du willst, es bleibt dasselbe: Wenn du wirklich helfen willst - Lepanis Frau, zum Beispiel, den Kindern ...« Er machte eine Pause, sah sie an, blickte auf den Arm: »Und auch mir, ja, auch mir – wenn nicht weiter Leute sinnlos sterben sollen, Tama, gibt's nur diesen Weg. Dann brauchen wir nicht einen Pfuscher, wie ich einer bin, sondern einen wirklichen Arzt. Und den haben wir: Hendrik ... Aber auch der beste Arzt kann ohne die notwendigsten Geräte nichts ausrichten. Und dazu brauche ich den Käfig. Und deshalb versuche ich es noch einmal, scheißegal, wieviele von diesen Mistviechern in der Bucht rumschwimmen.«

»Du?« Sie lächelte. – Ja, sie lächelte wieder.

»Ja, nun ...« grinste er kläglich, »im Augenblick ist es vielleicht ein bißchen schwierig. Aber ich werde ja nicht mein Leben lang als Krüppel herummarschieren müssen.«

Sie kam zu ihm, strich über sein Haar, wie es ihr Vater immer tat, und dann küßte sie ihn auf die Stirn, die Nasenspitze, den Mund, ganz vorsichtig, ganz leise und zart.

»Du bist der letzte, der schlimmste Verrückte, den ich je erlebt habe. Weißt du das?«

Er nickte.

»Meine Brüder werden die Muscheln holen«, sagte sie dann. »Meine Brüder – und ich.«

Er konnte sie ja nicht in die Arme reißen, er konnte nur eines: dastehen, sie anstarren, sie anstrahlen und denken: Morgen, jawohl, morgen fahren wir ...

7

Himmelherrgott«, flüsterte Hendrik Merz überwältigt, »ist das vielleicht schön ...«

Die Insel! – Sie standen am Bug der »Paradies«, die Hände um die Reling geklammert: Ron, Hendrik, Tama, und keiner von ihnen sprach ein Wort.

Und nun kamen die Kanus! Wie Pfeile schossen sie aus der Lagune heraus: Pfeile im tiefen Blau, weiße Schaumstreifen hinter sich lassend, umweht von den Schreien, den gellenden Kriegsschreien der jungen Männer, die ihre Boote stehend vorantrieben.

Es war Ron, als habe er das Bild nie erlebt. Dies war ein anderes, ein neues Heimkehr-Gefühl. Nie war er so froh gewesen, Tonu'Ata wiederzusehen. Und nie sah er so klar vor sich, was er zu tun hatte.

Während der drei Tage Fahrt hatte er in Gilberts Anwesenheit das Thema Perlen vermieden. Er wußte doch, wie Gilbert darüber dachte. Aber mit Tama hatte er oft gesprochen. Auch mit Hendrik. Aber am wichtigsten war, Tama an seiner Seite zu wissen ...

Nun war es soweit.

Der Anker klatschte ins Wasser, die Kette rasselte und drüben am Strand standen Tapana und seine Würdenträger, um sie zu empfangen.

Das Boot knirschte auf dem Sand, Hendrik sprang

heraus, machte es fest und half Ron beim Ausstei-
Langsam gingen sie auf die kleine Gruppe zu, und schon aus der Entfernung spürte Ron: Irgend etwas hat sich geändert! Tapanas Mund wirkte ernst. Er schien auch älter. Bis auf den Häuptlingsschmuck, den Haifischzahn, hatte er auf alle Insignien seiner Würde verzichtet, und das Ta'ovala, den Wickelschurz, den er trug, war von einer dunklen, einfachen, erdbraunen Farbe.

Tama schenkte er keinen Blick. Er sah Ron an. Dies war eine Sache unter Männern. Die Kanu-Besatzungen, die ihnen gerade noch schreiend entgegengerudert waren, die Frauen, die sie begleiteten – sie alle bildeten einen stillen, bedrückten Halbkreis.

Tapana hob die Handfläche. »Sei gegrüßt, Owaku. Gut, dich hier zu sehen.«

Ron drückte seine gesunde Hand gegen Tapanas Hand.

»Und dein Freund ist Medizinmann?«

Er nickte.

»Schibe hat mir von ihm erzählt.«

Aha? dachte Ron. Und was? ... Es war an ihm, das Wort zu nehmen. »Mein Freund hat mir geholfen. Du siehst meinen Arm. Die Männer, die hier waren, um zu rauben und zu töten ...«

»Sie seien verflucht.«

»... haben mit ihren Gewehren den Knochen herausgeschossen. Er hat mir einen neuen eingesetzt. Er ist ein großer Heiler. Tama hat mir gesagt, daß es im Dorf noch drei Menschen gibt, die von den Kugeln der Männer getroffen worden sind.«

»Das sind Wunden im Fleisch ... Die Wunden in unseren Herzen sind größer und schmerzen mehr, Owaku.«

»Dann, Tapana, laß uns denen, die leben, helfen. Der Heiler hat seine Tasche mitgebracht und will gleich zu ihnen.«

Damit aber kam Ron an den Falschen!

»Das kann warten«, sagte Tapana, und die Ältesten nickten gemessen. »Laß uns zuerst den Kawa trinken, damit auch die Götter deinen Freund aufnehmen und begrüßen. Dann soll er tun, was er tun kann ...«

Sie gingen dem Dorf entgegen, und da waren die vertrauten Geräusche: Hahnenschreie, das Quieken der Ferkel, das Bellen der Hunde ...

Dann aber, als sie den kreisrunden Platz betraten, zog sich Rons Herz zusammen. Er dachte an das, was geschehen war. Wie durch die Wirkung einer unsichtbaren, unheimlichen Kraft schien die Szene verändert. Das Licht nicht mehr so hell, das Lachen der Kinder gedämpft, und das Lächeln auf den Gesichtern, dieses immerwährende, ewige Lächeln, mit dem sich die Menschen begegneten, schien ihm starr und maskenhaft.

Sie tranken den Kawa. Und sprachen kaum ein Wort.

Der Lepani-Klan hatte seine Fales am Berghang unterhalb eines kleinen Waldes gebaut. Auf dem Weg dorthin krochen die Schmerzen zurück.

Ron biß die Zähne zusammen.

Die Verletzten, eine ältere Frau, ein junger Mann und ein elfjähriges Mädchen, hatte man in die mittlere der großen Langdachhütten gelegt. Die Frau hatte Fieber. Und als Tama nun mit ihr zu flüstern begann und sie daraufhin kopfschüttelnd wieder aufstand, erfuhren sie auch den Grund: Sie hatte die Antibiotika, die Tama bei ihr gelassen hatte, nicht genommen.

Sie gingen hinaus, während Hendrik die Wunden untersuchte. Schließlich tauchte er wieder auf. Sein Gesicht wirkte entspannter als zuvor.

»Nicht so schlimm. Alles Fleischwunden. Den Jungen hat's am Hintern erwischt. Tut zwar weh, aber ich kann die Wunde drainieren. Die alte Frau hat einen Streifschuß an der Hüfte, das Mädchen eine Verletzung am Oberschenkel, auch nicht weiter gefährlich. Wichtige Organe oder Knochen jedenfalls hat's bei ihnen nicht erwischt. Sie hatten wirklich Glück.«

Sie – ja.

Doch die anderen ...

Hier war Ron keine große Hilfe. Außerdem hatte er sich noch etwas in den Kopf gesetzt. Und das wollte er hinter sich bringen.

Er ließ Gilbert und Tama bei Hendrik, damit sie ihm assistieren konnten, und machte sich auf den Rückweg zu Tapanas Fale.

Der große alte Mann saß allein auf der Treppe seines Hauses und schaute zwei kleinen Hunden zu, die sich im Sand balgten. Ron setzte sich neben ihn.

»Tut das weh?« Tapana blickte auf Rons Schiene.

»Ja nun ... Manchmal schon. Vor allem nachts.«

Schmerzen sind für einen alten Krieger kein Diskussionsstoff, und so schwiegen sie eine Weile gemeinsam voreinander hin.

Dann begann Tapana zu reden. Zu Rons Erleichterung führte er das Gespräch dorthin, wo er es haben wollte.

»Dein Freund, der Heiler – wird er Laha und den Kindern helfen?«

»Ich hoffe es.«

Er spürte Tapanas fragenden Blick und sah weiter starr geradeaus.

»Was heißt das?« sagte der Häuptling schließlich.

»Daß es nicht sicher ist, Tapana. Sie haben schwere, schwere Wunden.« Dies war eine elende Lüge, aber in diesem Fall würde der Zweck wohl die Mittel heiligen. »Vor allem die alte Frau. Sie hat das Fieber.«

»Laha?« Tapana machte ein bekümmertes Gesicht. »Als Mädchen war sie wunderschön. Und wir haben uns gut gekannt.«

Sieh an! dachte Ron. Na, dann um so besser!

»Er wird sie retten?«

»Er kann sie retten, Tapana. Aber dazu braucht er Mittel und teure Geräte ... Auch ich brauche sie, wenn ich meinen Arm nicht am Ende doch noch verlieren will.«

»Wirklich?«

»Ja, Tapana.«

»Und er hat diese Geräte nicht?«

»Sie kosten viele, viele Dollars. Man kann sie kaufen. In Pangai gibt es einen anderen Heiler, der sie hat und sie verkaufen will.«

»Und du hast kein Geld? Keine Dollars? – Vielleicht hat Schibe welche?«

»Selbst Schibe hat nicht so viel Geld.«

Die Hunde hatten sich verzogen, das Dorf lag still, und den Himmel über den Palmen überzog ein zartes, durchsichtiges, goldenes Grün.

»Er ist ein guter Medizinmann«, begann Tapana schließlich. »Ich fühle das. Er wird sie heilen.«

»Ich weiß nicht ...«

»Aber ich weiß. Ich weiß es sogar ganz genau. Viel besser als du. Nomuka'la hat es mir gesagt.«

Ron zuckte zusammen. Auch das noch! Fing es wieder an? Nomuka'la – dieses »ich weiß es ...«

Hatte er nicht vor wenigen Tagen mit Tama ein ähnlich sonderbares Gespräch geführt?

»Und er hat mir noch etwas gesagt, Owaku«, fuhr der Häuptling fort.

»Ja?«

»Er hat mich gewarnt, so wie damals. Er hat mir gesagt, daß du einen Plan hast.«

Ron drehte sich ihm zu: »Ja, Tapana. Ich habe einen Plan. Dieser Plan ist die einzige Möglichkeit, daß der Heiler bei uns bleibt und arbeiten kann.«

Das Weiß der Augen Tapanas war mit roten Äderchen gesprenkelt, und das Dunkel der Iris und der Pupillen wirkte groß, tief und still.

»Es sind die Perlen«, sagte er nach einer langen Pause. »Nicht wahr, Owaku? Du willst wieder die Perlen.«

Rons Herz schlug schneller. – Keine Überraschung zeigen! Wieder einmal durchzog ihn dieses unfaßbare, unheimliche Gefühl, ein anderer höre zu, ein anderer führe das Gespräch, flüstere Tapana die Worte ein, die er benutzen sollte, ja, führe ihre Handlungen, ihr Leben, so wie der Puppenspieler seine Marionetten.

»Ja«, sagte Ron. »Das will ich. Es gibt keinen anderen Weg«

»Die Haie sind noch immer da, Owaku. Und es sind mehr als je zuvor.«

»Sie werden uns nichts antun können.«

»Uns?«

»Der Heiler will mir helfen.«

»Er ist ein guter Mensch«, sagte Tapana. »Ich werde mit Nomuka'la reden. Und falls das nicht geht, werde ich selbst darüber nachdenken.«

Damit war er entlassen ...

An diesem Abend wollte Ron die Bucht nicht sehen. Außerdem war er müde, und sein Arm machte ihm Schwierigkeiten. Hendrik Merz legte ihm eine neue Schiene an und schüttelte vorwurfsvoll den Kopf.

Nach dem Essen saßen sie draußen auf der Terrasse, sahen über die Lagune und die purpurgoldene Glorie des Sonnenuntergangs.

Auch Lanai'ta war aus ihrem Haus herübergekommen. Sie brachte Jacky mit. Tama verstaute den Kleinen im Ehebett, und Lanai'ta legte sich in die Hängematte, die etwas abseits vom Tisch an den Tragbalken befestigt war.

Lanai'ta sagte kaum ein Wort. Man hätte meinen können, sie schliefe. Doch immer wieder, wenn Ron zu der reglosen, stillen Gestalt hinübersah, beobachtete er, wie Lanai'ta aus halbgesenkten Lidern Hendriks Profil musterte. Er lächelte in sich hinein, und die Ahnung, die er in sich trug, seit er zurück auf der Insel war, verdichtete sich noch stärker: Das Empfinden, alles sei vorprogrammiert, von wem auch immer, und würde, mußte von nun an so exakt ablaufen wie die Handlung im Drehbuch...

Hoffentlich geht alles gut! – Ron dachte es abends im Bett. Neben ihm war Tamas Atem. Er ging ruhig. Aber er wußte, daß auch sie noch wach war. Und dann kam ihre Hand zu ihm herüber, und alles war in Ordnung...

Und es ging gut. Es ging Schlag auf Schlag...

Am Morgen, der folgte – sie hatten kaum gefrühstückt – knarrte die Treppe unter Tapanas Gewicht. Es war ein seltenes Ereignis: In all den Jahren war Tapana nur dreimal im Fale erschienen!

Aufgeregt rannte Tama zum Eisschrank und kam mit Bier zurück. Sie kannte ihren Vater. Sie hatte gleich drei Dosen aus der Küche mitgenommen. Ron wiederum verstaute den Herrn der Insel, den Gebieter über Lebendige, Tote und Geister, in seinem bequemsten, dazu noch von ihm selbst gezimmerten Sessel.

Tapana griff sich eine Dose, ließ sie genießerisch zwischen Daumen und Zeigefinger rollen und trank sie dann in einem einzigen Zug leer. Er strich sich mit dem Handrücken über den Mund, rülpste genußvoll und setzte sich wieder so würdevoll wie zuvor zurecht.

»Ich habe mit Nomuka'la zu sprechen versucht«, verkündete er.

Dies war nicht der Augenblick, Fragen zu stellen. Es gab nur eines - warten.

»Doch leider, leider ... Nomuka'la hat mir keine Antwort gegeben. Vielleicht wollte er nicht. Vielleicht war er nicht da.«

Schweigen. - Ron schluckte. Sein Hals wurde mit einem Mal eng.

Der Sessel knackte, als sich das Gewicht des Häuptlings nach vorne verlagerte und er ihm einen seiner langen, dunklen und unergründlichen Blicke widmete. »So habe ich allein beschlossen, daß getan wird, was du gesagt hast, Owaku. Und da wir es tun, weil wir damit unseren Menschen helfen, kannst auch du, Owaku, wieder die Bucht betreten. Das Tabu ist aufgelöst.«

Na also ...!

»Ich danke dir, Tapana.« Ron sagte es mit belegter, etwas mühsamer Stimme, weil er dabei war, tief Luft zu holen. Dabei suchte er nach weiteren, zu einem solchen Anlaß passenden Dankes- und Ergebenheitsformeln. Er fand keine. Und Tapana ließ es auch gar nicht soweit kommen.

»Ich habe auch schon mit meinen Söhnen gesprochen. Afa'Tolou und Wa'tau werden dir helfen, Owaku. Denn du kannst ja den Arm nicht bewegen, und er kann erst dann gesund werden, wenn für den Heiler die Maschinen gekauft sind. – Und noch etwas: Außer meinen Söhnen wird jeder im Dorf die Arbeit verrichten, die du von ihm verlangst.«

Ron schwieg. Er wußte nicht so recht, was er mit den Fingern seiner gesunden Hand anfangen sollte. Sie vibrierten leise, ja, sie zitterten. Er legte sie aufs Knie. Er war erleichtert, gerührt, aber gleichzeitig wurde auch das angenehm perlende Triumphgefühl des Spielers in ihm wach, des Spielers, der die richtige Karte gezogen hat. Herrgott nochmal: Er hielt ein As in der Hand! Sollte er deshalb ein schlechtes Gewissen haben ...?

»Gib mir noch eine Dose, Owaku«, sagte da Tapanas tiefe Stimme. »Sie verhilft mir zu einem guten Schlaf. Den brauch' ich jetzt ...«

Kurz nach elf war es und bereits sehr heiß, als sie die beiden Götterfiguren am Paß erreichten. Die beiden Schwestern, Tama und Lanai'ta, waren den ganzen Weg vorausgegangen. Auch jetzt hielten sie nicht an.

Hendrik aber blieb stehen. »Was sind denn das für Kameraden?«

»Das sind keine Kameraden«, erwiderte Ron. »Das sind Chefs. Ein guter und ein böser. Der gute ist natürlich eine Frau, der schlechte heißt G'erenge und hat bisher so ziemlich alles unternommen, was man als Tonu'Ata-Gott so anstellen kann, um mir das Leben sauer zu machen.«

Hendrik grinste verständnislos.

»Glaub mir's«, sagte Ron, »es stimmt.«

Er ging nun schneller. Er wünschte sich den Anblick der Bucht herbei, so, wie man sich das Gesicht des Gegners herbeiwünscht, mit dem man sich monatelang beschäftigt hat.

Und während sie weiter den Weg abwärts gingen, berichtete er Hendrik von Nomuka'la und dem Tabu.

Dann schob er die Büsche zur Seite: »Dort unten, Hendrik, das ist es! Sieh mal ...«

»Unglaublich!« Hendrik seufzte leise. »Unglaublich schön. Wirklich eindrucksvoll!«

»Leider auch unglaublich gefährlich.« Die Seeschwalben gab es noch, die Kormorane und sicher auch den Fregattvogel, der dort an der Wand sein Nest gebaut hatte. Und die tiefblau glänzende, unheimliche Stille... Von hier oben war weder ein Hai-Schatten noch eine Flosse auszumachen. Trotzdem tastete Rons Blick über die Wasseroberfläche, als könne er sie durchdringen.

»Perlen und Haie«, sagte Hendrik neben ihm. »Eine interessante Mischung.«

»Nicht nur interessant – brisant! Nun komm schon ...«

Doch Hendrik blieb stehen. Er schüttelte den Kopf. »Ganz schön groß, diese Bucht. Aber daß sich hier Haie hineinwagen ... ich kann mir das einfach nicht vorstellen. Sie müssen sich wie Gefangene fühlen. Ich kenn sie doch. Die brauchen Platz, Raum ... Wirklich merkwürdig ...«

»Hier gibt's noch viel, das wirklich merkwürdig ist«, sagte Ron.

Die beiden Mädchen erwarteten sie an der Steinplatte.

Als er Tama dort kauern sah, fühlte sich Ron beinahe hilflos den Erinnerungen ausgeliefert, die in ihm hochstiegen. Wie oft hatten sie auf der Platte gesessen, ihre Austernbeute geöffnet, sich über Perlenfunde gefreut. Wie oft hatten sie Fische gebraten, gelacht, sich geliebt. Herrgott, was waren sie doch glücklich gewesen! – Und jetzt ...

Jetzt würde man sehen.

Es war Lanai'ta, die als erste die Dreiecksflosse ausmachte. Sie sagte nichts. Sie hob nur den Arm, und ihr Zeigefinger deutete hinüber zur Wand.

»Ein Hai«, murmelte Hendrik. »Tatsächlich. Der Bursche muß ganz schön groß sein.«

Ron hielt die flache Hand vor die Stirn. Die Sonne schlug ungezählte blitzende Sterne aus dem tiefen Blau des Wassers, und dieses gottverfluchte Funkeln erschwerte das Sehen.

»Da drüben!« sagte Hendrik. »Etwa eine Handbreit vom linken Buchteingang.«

Nun sah er es auch: Schwarz, starr, fremd in dem ganzen funkelnden Auf und Ab zeichnete sich das Dreieck ab. Zwei Sekunden später war die Flosse verschwunden, tauchte aber sofort wieder auf.

»Hätten wir das blöde Fernglas doch mitgenommen.«

»Gehen wir zu den ›Fingern‹«, schlug Ron vor. »Das sind die beiden Felsen. Siehst du sie?« Er hatte die bizarren Steinformen an der östlichen Buchtseite so genannt, weil sie tatsächlich den Eindruck erweckten, als schiebe eine Faust zwei Schwurfinger in den Himmel.

»Es sind noch mehr Haie hier«, sagte Lanai'ta. »Aber sie tun nichts.«

»Ach, wirklich?«

Lanai'ta lächelte.

»Und woher willst du das wissen?«

»Weil ich sie kenne. Ich kenne sie schon lange. Schon aus der Zeit, als wir jung waren und hier nach Perlen tauchten. – Nicht wahr, Tama?«

Tama nickte.

»Manchmal hab' ich auch allein getaucht. Wir haben sie oft gesehen, stimmt's? Und sie haben sich immer benommen wie Freunde.« Sie sagte es auf englisch: »They always behaved themselves as friends.«

»Und was war am 11. Oktober?« Ron brauchte nicht weiterzusprechen. Der elfte Oktobertag, der »Roi«-Zwischenfall, der Tag, an dem Jack starb, der Tag, da Pandellis Gangster die Bucht plündern wollten und sie sich wehrten und die Haie sich sattfraßen am Fleisch der Lebenden und der Leichen ...

»Sie wurden verrückt«, sagte Lanai'ta. »Sie sind verrückt geworden, weil die Menschen verrückt waren.«

Vielleicht konnte man es auch so betrachten. Die Menschen waren verrückt geworden ... Gut. Doch Ron sah den weißen Monster-Hai wieder auf sich zukommen, und dieses Erlebnis lag nur wenige Wochen zurück. Er sah das schnappende Maul, die tückischen Killeraugen. Es war so ziemlich die schlimmste Fratze, der er je begegnet war. Er sah sie zu oft ... Vergiß es ... Er stolperte weiter über die Steine.

Doch kam er nicht sehr weit.

»Lanai'ta!«

Es war ein hoher, spitzer, kehliger Schrei. Er erkannte die Stimme sofort: Tama, die mit Lanai'ta hinter ihm gegangen war, hatte ihn ausgestoßen.

Ron drehte sich um und stand wie erstarrt.

»Mein Gott«, hörte er Hendrik murmeln, »hat sie den Verstand verloren?«

Die helle Form von Lanai'tas Körper war immer noch klar unter der Wasseroberfläche auszumachen. Sie schwamm hinaus in die Bucht. Und dort, wo sie ins Wasser gesprungen war, bildeten sich konzentrische Kreise. Am Ufer lag ihr Kleid. Das blaue Häufchen Stoff wirkte sehr einsam.

Was war jetzt in Hendrik gefahren?

»Hendrik!« schrie Ron »Hendrik, laß den Quatsch!«

Hendrik Merz stand auf einem großen, grauen Stein. Die Mühe, Jeans und Jeanshemd abzustreifen, machte er sich nicht. Er streckte sich nach vorne, federte ab, war schon im Wasser und näherte sich mit schnellen, geschickten Kraulbewegungen der Stelle, wo er Lanai'ta vermutete.

Nie war sich Ron mit seinem verfluchten kaputten Arm so hilflos vorgekommen wie in dieser Sekunde, als er am Ufer stand und mit brennenden Augen die Wasserfläche nach dem Flossendreieck oder dem dunklen, tödlichen Torpedo-Schatten der Gefahr absuchte.

Ruhe, sagte er sich. Reg dich nicht auf. Er sah Lanai'tas Kopf auftauchen und das schwarze Haar, das auf ihrem Gesicht klebte, und die weißen Zähne, die lachten ... und Hendriks Hände, die nach diesem lachenden Gesicht griffen, nun nach den Schultern.

Und während er noch immer halb benommen vor Sorge und halb erleichtert die beiden anblickte, sagte er sich: Das alles hast du doch selbst schon erlebt!

Damals, im Juni vor zwei Jahren, als du halb besinnungslos vor Hai-Angst über die Felsen zum Wasser ranntest und Tama dir unversehrt, nackt und strahlend wie eine Göttin aus den Wellen entgegenkam, eine Perle in der Hand, die größte Naturperle, die sie je getaucht hatten ...

»Paß auf! – Lanai'ta!« schrie Tama.

Und diesmal war Panik in ihrer Stimme.

Ein leichter Wind hatte die Bucht mit vielen winzigen Wellen schraffiert. Hinter Hendrik und Lanai'ta war dieses Muster unterbrochen. Es war geglättet wie durch die unsichtbare Kraft eines Sogs. Ron erahnte, nein, erkannte nun die Ursache: Die dunkle, gefährliche Lanzenform des Raubfischs, vielleicht dreißig, jetzt zwanzig Meter von Hendrik und Lanai'ta entfernt, die bereits im seichten Wasser mit rudernden Armen und verzerrten Gesichtern dem Ufer zustrebten.

Tama rannte.

Sie war jetzt selbst im Wasser, erreichte einen großen Fels, kletterte hoch, ergriff die ausgestreckte Hand ihrer Schwester.

Verzweifelt ruderte Ron mit dem gesunden Arm, um das Gleichgewicht wieder herzustellen. Er rutschte erneut und knallte mit den Zehen gegen den nächsten Felsen. – DU BIST WIE EIN VOGEL, DER RENNT, WEIL ER NICHT FLIEGEN KANN ...

Diesmal war es zuviel. Er ging in die Knie. Alles hatte sich gegen ihn verschworen. Zorn und Schmerz trieben Tränen in seine Augen, und durch den Schleier sah er den Felsbrocken, auf dem Tama und Lanai'ta standen. Wo blieb Hendrik? Himmelherrgott – wo ist Hendrik?!

Er stieß sich mit der Handfläche ab, taumelte weiter, nicht viel aufmerksamer als zuvor. Wieso auch, es war doch alles egal ...

Drüben schrien sie. Tamas Stimme. Lanai'tas – die Schwesternstimmen. – Stimmen wie Peitschen ...

Ron keuchte. Gottverdammt – wenn es Hendrik erwischt?

Wasser spülte über den Fels, er schlitterte erneut, fiel selbst in die Bucht, spürte, wie sein Verband naß wurde, planschte hilflos herum und lehnte keuchend und erschöpft den Rücken gegen einen Steinbrocken.

Noch immer war der Streifen, den der Hai gezogen hatte, auszumachen. Hendrik war nirgends zu sehen. Tama und Lanai'ta knieten dort drüben. Weiter draußen aber, im tiefen Wasser, öffnete sich die Oberfläche wie nach einem Schnitt, und in dieser tiefblauen Wunde erschien ein schimmernder, braungrau gefleckter, riesiger Fischleib, verschwand, wurde durch das steile Schwarz einer Flosse abgelöst, kam wieder ...

Hendrik! dachte er. – G'erenge holt ihn sich! Und Nomuka'la ... Hör auf mit dem Nonsens! Ist sowieso alles Wahnsinn. Aber wenn Hendrik ...

»Ron!«

Den Arm spürte er nicht mehr. Der war sowieso naß, und das war gut, aber die Panik begann von ihm zu weichen – langsam, zögernd, so wie Schnee, der im Nacken taut: Ja, da stand Hendrik! Und winkte sogar herüber.

Er hat ihn nicht erwischt! Der Hai hat ihn vielleicht gar nicht erwischen wollen, hat nichts getan, als das alte, hundsmiserable, dreckige Spiel zu spielen – und du, du bist wieder einmal darauf reingefallen ...

Vier Tage nach dem Abenteuer in der Bucht stand Ron an Bord der »Ecole II«. »Freddy«, Gilberts alter Cunning-Diesel war startklar. Ron beugte sich über die Luke. Dort unten, wo Gilbert gemütlich vor sich hinpfeifend den Motor zu starten versuchte, war es für seine Armschiene zu eng, aber Gilbert hatte ihm den Trick mit der Glimmschnur gezeigt, die man durch das Zündloch einführen mußte, um das Dieselgemisch zu zünden, und das interessierte ihn nun doch. Steinzeit-Technik? Vielleicht ... Aber imponierend. Nur: Ob sie funktionieren würde, da hatte er seine Zweifel.

Ja. - Ein erster Knall. Nun wieder eine ganze Kette kleiner Explosionen. Das Auspuffrohr spuckte Rauch, die beiden Zylinder hatten es sich überlegt, gleichmäßig und zufrieden tuckerte der alte Diesel vor sich hin.

Als Gilberts Kopf auftauchte, klebten an den Brillengläsern Ölspritzer. Er lachte zufrieden, nahm die Brille ab und putzte sie. »Na, was sagst du?«

»Was gibt's da zu sagen? Ein echter copain. Ein Champion, dein Freddy.«

Die neue Fracht war bereits verstaut, all die herrlichen Dinge, die »Schibe« für seine Ware auf der Insel eingetauscht hatte: Holzplastiken, Kriegskeulen, Matten, Bastteppiche, Muschelketten ... In den drei Jahren, in denen er von der Insel weggeblieben war, hatte sich ein wahrer Schatz für ihn angehäuft. Paul Sia, der Manager der »Tonga Handicraft-Cooperation« in Neiafu, würde Bauklötze staunen.

»Ein Jammer, daß du abhaust«, sagte Ron. »Wieso bleibst du nicht hier?«

»Um zu sehen, was du mit deinem Käfig anstellst?«

»Warum nicht?«

»Ach Ron!« Gilbert Descartes seufzte. »Ich mag dich. Das weißt du. Und deshalb verzichte ich lieber.« Sein Gesicht wurde ernst: »Ich kann nur hoffen, du weißt, was du tust.«

»Ich glaube schon, Kumpel.« - Aber unter dem Blick von Descartes wurden die Zweifel wieder wach.

Gilbert Descartes fuhr am nächsten Morgen. Die Kanus begleiteten ihn durch die Lagune weit, weit hinaus ins Meer…

Durch den Palmenwald ging Ron vom Strand zurück ins Dorf. Hier lag noch immer der vom Wind zur Erde gedrückte Stamm, hinter dem er damals mit Gilbert und Tama Schutz gesucht hatte. An manchen Stämmen glaubte er die hellen Verletzungen von Kugeleinschlägen zu erkennen.

Als er den Dorfplatz erreichte, traf er Hendrik Merz. In der rechten Hand trug er den Arztkoffer. Er kam von seinem Patientenbesuch zurück. Nun blieb er stehen: »Ist Gilbert weg? Ich wollte auch zur Lagune, aber ich hatte zu tun.«

»Ja. Und er läßt dich nochmals grüßen. – Und wie sieht's bei dir aus, Hendrik?«

Die dunklen Augen des jungen Arztes lächelten: »Ich habe nur so gestaunt. Medizinisch gesehen sind diese Leute ein Phänomen. Jetzt, wo die alte Dame ihre Antibiotika kriegt und ich die Wunden einigermaßen sauberbekommen habe, kannst du zusehen, wie das zusammenwächst.«

»Gesundes Insulaner-Blut, Hendrik. Schon die Vorfahren haben es verbessert, indem sie andere Leute fraßen.«

»Und du?« Merz blickte auf den bandagierten Arm. »Auch gesundes Insulaner-Blut? – Komm. Ich wollte mir deinen Arm sowieso ansehen.«

»Nett von dir. Aber eigentlich geht alles prima.«

Es sollte heiter und beiläufig klingen und war eine Lüge. Anstelle dieses ekelhaften Gefühls, der Arm würde anschwellen, bis er die Verbände zerriß, war ein leises, ewig schmerzendes, fließendes Ziehen getreten. Nicht angenehm, gar nicht, aber es ließ sich ertragen.

»So? Meinst du?« Hendrik warf ihm einen skeptischen Blick zu. »Ich bin da anderer Ansicht, wenn du nichts dagegen hast.«

Ron hatte etwas dagegen. Nichts durfte den Ablauf des Programms verzögern. Am wenigsten der Arm.

Am Arbeitsplatz vor der Werkstatt stand der Käfig in seiner vollen Größe. Er war, wie immer, umlagert von einer Schar von Kindern und neugierigen Halbwüchsigen. Mit Ausnahme des Drehgelenks für die Öse, die den Haken aufnehmen würde, war alles fertig montiert. Der Käfig war zwei Meter fünfundzwanzig hoch, die Grundfläche bildete ein Quadrat von je zwei Meter dreißig Seitenlänge. Um die Austernernte zu erleichtern, besaß er keinen Boden. Unten war die Konstruktion bis auf vier je acht Zentimeter breite Eisenbänder, die als Trittleisten dienen sollten, offen geblieben.

Afa'Tolou war gerade dabei, eines dieser Bänder festzuschweißen.

Er schien Schwierigkeiten zu haben. Hendrik hatte es als erster erkannt.

»So geht das nicht. Er hält den Schweißstab zu schräg.«

Und damit stellte Hendrik seine Arzttasche auf den Boden, tippte Afa'Tolou kurz auf die Schulter, wartete, bis er das Gerät ausgeschaltet hatte, stülpte sich dann den Gesichtsschutz über und zog sich die Handschuhe an.

»Los, gib Druck!« – Das Schweißgerät fauchte, die Flamme sprang an, und Ron stand wieder einmal sprachlos vor Staunen über diesen sonderbaren Chirurgen, der mit der Geschicklichkeit des wahren Profi die Schweißnaht zog.

»Wo hast du denn das wieder gelernt?«

»Konnte ich schon als Student. Ich mußte mir meine Brötchen selbst verdienen. Von meinem Alten konnte ich nichts erwarten, der war bei der Post ... Und so machte ich in den Semesterferien und an den Wochenenden Anlagen-Bau. Die sagten mir damals schon, ich hätte das Zeug zum Schweißer. Vielleicht hätte ich das auch werden und in Heidelberg bleiben sollen ...«

Auch noch Anlagenbauer? ... Ron dachte an das, was ihm Hendrik erzählt hatte. Einen gutbezahlten Klinik-Job hatte er wegen einer Liebesgeschichte aufgegeben. Und weil ihm die hoffnungslose Affäre mit der Frau eines Kollegen noch immer in den Knochen saß, folgten die Jahre als Arzt beim Roten Kreuz und der Hilfsorganisation Medicin sans Frontière in den verschiedensten Krisengebieten. Bis nach Afghanistan war er auf diese Weise gekommen, hatte ein dutzendmal sein Genick riskiert, bis er schließlich nach einem Boats-People-Einsatz auf Tonga seßhaft wurde.

Und du? fragte Ron sich. Alles auf's Spiel zu setzen wegen einer Frau? Wärst du dazu fähig? Vielleicht. Aber nur, wenn sie Tama heißen würde.

Eine halbe Stunde später standen sie im Wohnraum von Rons Fale. Ron trug nur ein T-Shirt. Mit sachten, schnellen Bewegungen wickelte Hendrik Merz die Bandage ab, die die Schiene hielt. Der Kontrast zwischen den braungebrannten, muskulösen Schultern und dem schneeweißen, vernarbten Oberarm wirkte beinahe gespenstisch. Vorsichtig tasteten die Fingerspitzen des Arztes über den eingesunkenen Muskel.

»Spürst du das?«

Ron lächelte und schüttelte den Kopf.

»Und wenn du das Schultergelenk bewegst?«

»Nichts«, sagte er mit zusammengebissenen Zähnen.

»Müßtest du aber, mein Lieber. Eine Infektion konnten wir vermeiden, das war, vor allem bei den Bedingungen in Pangai, das Wichtigste. Aber ein Nagel im Knochenmark ist immer eine haarige Sache. So etwas bedarf äußerster Schonung. Und Schmerz heißt Ruhe, absolute Stillagerung. Und was machst du? Du tobst hier draußen herum.«

»Geht doch. Siehst es ja!«

»Ich sehe gar nichts, verdammt nochmal. Ich wünschte, ich könnte etwas sehen. Wenn ich nur eine einzige gottverfluchte Röntgenaufnahme hätte, wäre es mir bedeutend wohler.«

»Deshalb tobe ich ja dort draußen herum«, grinste Ron.

Tiefblau schimmernd hing der Käfig am Haken.

Auf das Blau war Ron stolz. Schiffslack. Aus Pangai mitgebracht. Aber, mein Gott, wie entsetzlich sah die arme »Paradies« aus …

»Fehlt nur noch der Gorilla drin«, grinste Hendrik. »Und dann fahren wir von Insel zu Insel und verlangen Eintritt.«

»Der Gorilla bist du«, knurrte Ron.

Drei Wochen hatten sie sich nun abgeschunden, um das verdammte Ding dorthin zu bringen, wo es hing. An die Davits, die das Beiboot der »Paradies« trugen, hatten sie eine massive Rohrkonstruktion angeflanscht, die die Rolle für das Stahlseil aufnehmen konnte. Da aber zu befürchten war, daß die Verankerung dem Gewicht nicht gewachsen sein könnte, mußten sie in den Rumpf eine Stütze einschweißen.

Stunden hatte Hendrik über seinen Plänen und Berechnungen gebrütet, Tage an Bord verbracht, um die Umrüstung der »Paradies« in einen haisicheren Austernfänger voranzutreiben.

»Und ich Idiot dachte, ich werde hier als Arzt gebraucht!« fluchte er – aber das war nicht unbedingt ehrlich, die Arbeit machte Hendrik Merz Spaß ...

Abends kehrte er todmüde ins Haus zurück, und nach dem Essen – manchmal auch noch nach einer Partie Schach mit Ron – fiel er total erschöpft ins Bett, das ihm Tama in der Krankenstation gerichtete hatte. Der Raum hier, dies alles würde seine Welt sein. Bald? Eines Tages ... Aber meist war auch seine Phantasie zu sehr erschöpft, um ihm entwerfen zu können, was geschehen würde, wenn alles so lief, wie er und Ron es sich vorstellten.

Manchmal, wenn er Tamas Schwester im Garten sah, blieb er am Zaun stehen, um mit ihr zu sprechen. Er kannte ihre Geschichte. Ron hatte sie erzählt. Er war auch mit Lanai'ta an Jack Willmores Grab gewesen. Jacky, ihr Junge, liebte ihn.

Oft genug fragte er sich, woher die Anziehungskraft kam, die sie auf ihn ausstrahlte. Es war nicht ihre Schönheit, es war diese stille, nach innen gekehrte Ruhe, die sie besaß. Aber es war wohl zuviel geschehen, bei ihr wie bei ihm, – jedenfalls fand er trotz des Hai-Erlebnisses an der Bucht nicht die Worte, um auszudrücken, was er empfand. Mehr noch: er blieb in Lanai'tas Nähe so unbeholfen und schüchtern wie am ersten Tag.

Nur Jacky, der streckte die Arme aus, wenn er

auftauchte, jubelte, lief auf ihn zu. – Und Lanai'ta lächelte ...

Am dritten Jahrestag von Rons Ankunft auf Tonu'Ata nahm die umgebaute »Paradies« zur ersten Probefahrt Kurs auf die offene See.

An Bord befanden sich Ron, Hendrik, Tama, Lanai'ta, die beiden Söhne von Tapana und der Häuptling selbst. Es war zwar nicht die ganze vielverzweigte Tapana-Sippe, aber doch ihr Kern.

Ron steuerte die »Paradies« mit ihrem schaukelnden, blauen Käfig am Heck etwas mehr unter Land, um die Stelle zu finden, nach der er Ausschau hielt. Da drüben, am Fuß des steilen Lavahanges, ja, da war es! Nicht weit entfernt, an der Steinplatte, die er nun ganz deutlich im Glas auftauchen sah, war das Beiboot vertäut gewesen, das die Killer an Land gebracht hatte. Dort war der dritte gestanden, der, den Gilbert erledigt hatte ... »Estrella – Panama« hatte in grünen Buchstaben am Heck gestanden. Und einer der Fischer, der alte Antau, hatte behauptet, er habe weiter südlich ein riesiges, führerloses weißes »Auslegerkanu« gesehen, das die Strömung und der Wind nach Süden trieben, aber es wäre zu weit weg gewesen, um es zu erreichen.

Die meisten hatten die Köpfe geschüttelt. Vielleicht war doch etwas dran? Die Bande mußte schließlich mit einem größeren Boot in die Nähe der Insel gekommen sein. Ein Ausleger-Kanu? Ein Katamaran vielleicht ... Aber sollte er sich darüber den Kopf zerbrechen? Es war passiert und damit Vergangenheit ... Dies hier aber war Gegenwart! Hier stand er mit einem kaputten Arm und einem Zukunftsprojekt, das all seine Konzentration erforderte.

Er ging mit dem Boot auf Steuerbord.

»Jetzt gibt es Ton- und Bildproben, Tapana! Wie beim Film.«

»Film?« Tapana wandte den massigen Kopf. Doch Ron hatte weder Zeit noch Lust, einen Insel-Häuptling über die Geheimnisse der Filmtechnik aufzuklären. Er hoffte nur eines: daß alles klappen würde. Gestern hatte Hendrik unter seiner Anleitung das Fernsehgerät in die Cockpit-Ecke montiert und es mit der Kabelrolle der Zuleitung zur Videokamera verbunden, die griffbereit von der Käfigdecke hing. Das Video-Ding stammte noch von seinem technikbegeisterten, ersten Aufenthalt in Papeete. Es war eine japanische Unterwasser-Kamera, die er in der Rue Albert Leboucher bei einem koreanischen Händler für eine Horror-Summe erworben und dann kaum gebraucht hatte.

Falls alles klappte, würde es auch eine Sprechverbindung geben: Jack Willmores wasserdicht verpacktes Kehlkopf-Mikrophon hatten sie mit einem Kopfhörer an Bord verbunden. Doch ob Hendrik mit seiner Behauptung recht hatte: »Das ist dann genauso wie bei einem Cousteau-Film: Du wirst dich fühlen, als seist du dabei«, daran hatte Ron seine Zweifel.

Er stellte den Motor ab und ließ den Anker fallen.

Nach seiner Berechnung hatten sie den Manöverplatz erreicht: Auch hier gab es eine Öffnung im Korallenriff wie in der Bucht. Und auch hier fiel der Felssockel in pyramidenförmigen Stufen in die Tiefe.

Der Anker hielt.

Ron drehte sich um und hob die Hand.

Hendrik und Afa'Tolou, der ältere der beiden Tapana-Söhne, kletterten in den Käfig. Hendrik löste Jacks

Kehlkopf-Mikrophon vom Haken und hängte es sich um den Hals.

In dieser Sekunde beneidete Ron ihn und verfluchte noch mehr als sonst sein Handicap.

Es hatte sich als unmöglich herausgestellt, die starke Ankerwinsch der »Paradies« für den Käfigtransport einzusetzen. Jetzt erfüllte der Elektromotor von Burn Philp seinen Zweck. Sie hatten ihn zusammen mit dem Übersetzungsgetriebe an Deck festgeflanscht, und Wa'tau, Afas Bruder, stand bereit, ihn zu bedienen.

Ron senkte den Daumen.

Wa'tau nickte. Der Motor begann zu summen, langsam, ganz langsam verschwand der Käfig im Wasser.

Er drehte sich wieder um und setzte den Kopfhörer auf.

Nichts war zu hören als ein feines Knistern. Ihm blieb nur eines: zu warten. Hendrik konnte zwar mit ihm reden, aber er konnte ihn nicht empfangen. Das war der Nachteil des Konzepts. Nun, sollte irgendwas passieren, würden sie den Käfig hochholen. Aber – was sollte schon passieren ...?

Den Bildschirm hatte er eingeschaltet – er blieb grau. Im Kopfhörer war noch immer das feine, gleichförmige Knistern.

Ron spürte, wie ihm der Schweiß den Rücken hinablief. Er öffnete das Fenster. Wieso meldete sich Hendrik nicht? Was war los?

Und jetzt – ja, da war er!

»He, ihr dort oben ...« Die Worte kamen verzerrt, aber was zählte das, man konnte sie verstehen. Darauf allein kam es an.

Wann endlich schaltete er die Kamera ein?

Herrgott, was wäre er jetzt gerne mit Hendrik zusammen dort unten gewesen!

Ja, da war er! Vielleicht gibt es wirklich so etwas wie Gedankenübertragung? Der Schirm wurde lebendig. Ein Bild sprang auf: Rotalgen wiegten sich in der Strömung, daneben schoben Korallenstücke wie riesige Pilze ihre hellen Häupter ins Blau. Und nun - ein Schwarm hochrückiger Kaiserfische, Paar um Paar schwammen sie vorüber. Dort hinten - ja, das war ein Barrakuda! Wie immer, wenn er auf Beute lauerte, hing er bewegungslos im Wasser. Geduld ist die erste Tugend des Räubers.

Der Scheinwerfer von Hendriks Kamera wanderte weiter, ließ eine große Pferdehuf-Muschel aufleuchten, tastete über die runden Formen von Walzenschnecken, verfing sich in einem neuen Fischschwarm ...

»Na, was sagst du nun, Boss?«

Verdammt, was schon! - Rons Herz schlug schnell und befreit. Bald würden sie in der Bucht sein. Bald würden die silbernen Ränder der Perlaustern auftauchen. Bald? - Heute noch ...

»Keine Haie?« fragte Tapana. Die dunklen, rotunterlaufenen Augen schienen zu glühen.

»Nein, Tapana. Aber was können sie uns schon anhaben? - Nichts.«

Doch der alte Häuptling wiegte nur den Kopf.

Es waren fünf. Hendrik Merz hatte sie gezählt. Sie waren etwa faustgroß, olivbraun und sehr schwer. In die Eisenummantelung waren kleine quadratische Bruchstellen eingestanzt. Bei einer Detonation würde sich eine solche Eierhandgranate in viele tödliche kleine Geschosse verwandeln.

Ron hatte die Handgranaten in einen Korb gelegt, den er beim Fischen für die Beutewürmer benützte. Und dieser Korb stand nun griffbereit.

»Wo hast du denn die her, Ron?«

»Die? Das sind Souvenirs. Die haben die Dreckschweine mitgebracht, die uns überfallen haben. Schmeißen konnten sie sie nicht mehr. Das haben wir ihnen gerade noch versalzen.«

Sie standen neben dem Käfig.

Es war jetzt vierzehn Uhr dreißig, aber die Brise brachte Kühlung. Und vor ihnen ragte dunkel die Wand auf und warf ihren Schatten über das Deck.

Sie hatten sich mit langsam laufendem Motor in die Bucht hineingeschlichen, den Anker geworfen und den zweiten Hilfsanker ausgelegt, um das Schiff möglichst exakt über der Austernbank zu halten.

Hendrik und Afa'Tolou waren bereit, in den Käfig zu steigen.

Tama stand an der Steuerbordseite, weit nach vorne gelehnt, und ließ den Blick über das Wasser der Bucht wandern. Nun nahm sie das Fernglas.

Hendrik wußte keinen vernünftigen Grund für seine Erleichterung, aber irgendwie war er froh, daß Lanai'ta heute zu Hause geblieben war. Dabei hatte sie unbedingt bei diesem ersten Tauchversuch in der Bucht dabei sein wollen, aber nach dem Essen begannen bei Jacky wieder einmal die Zahnprobleme, und er fing fürchterlich an zu brüllen. So blieb sie bei ihm. Es war wirklich besser. Er brauchte ihr vorwurfsvolles Kopfschütteln nicht zu ertragen. Den Schock, den sie das letzte Mal gleich dort drüben am Ufer erlebt hatte, als der Hai hinter ihnen herschoß, hatte sie noch nicht überwunden.

Nun gab es den Käfig. Mal sehen, was der bringen würde ...

Afa setzte die Maske auf. Ein feiner Schweißfilm lag auf der braunen Haut, und das Licht zeichnete jede Linie der kräftigen Muskeln nach. Ein Schrank von Mann war Afa, dreißig Jahre alt, seinen jungen Bruder, der gerade die Traggurte überprüfte, überragte er um einen halben Kopf. Afa hatte dasselbe schmalgeschnittene, überraschend zarte Gesicht wie Wa'tau. Mit ihm kommst du zurecht – Hendrik Merz ahnte es vom ersten Augenblick an. Und seit sie zusammen den Käfig verschweißt hatten, war es sowieso klar.

Nur Ron gefiel ihm heute nicht. Er wußte nicht so recht, an was das lag. Irgend etwas hatte sich an ihm verändert. Die Tonlage seiner Stimme war anders geworden, die Worte kamen hektisch, die Sätze brachen abrupt ab. Er war nervös, lief dauernd hin und her. Nun, das war wohl normal in einer solchen Situation. Aber wenn er ihn anblickte, war es, als liege über seinen Augen ein Schatten, der ihn hinderte, seine Umgebung wahrzunehmen. Okay, dachte Hendrik Merz, das ist seine Premiere. Du spielst zwar eine Rolle, aber im Grunde ist es sein Stück.

Doch Handgranaten?

»Was sollen denn die Dinger, Ron?«

Ron rieb sich das schweißnasse Kinn. »Na, was schon? Kann ja sein, daß wir sie brauchen.«

»Wir?«

»Du.« Er sah Hendrik mit diesem seltsam verschleierten Blick an. Sein rechtes Augenlid zuckte. Er hat wieder Schmerzen, dachte Hendrik Merz. Ich müßte das alles verbieten. Nur – wie?

»Hast du schon mal erlebt, wie so ein Ei losknallt?«

»Klar. Ich war doch Soldat.«

»Ach ja? Aber was so eine Scheiß-Handgranate anrichtet, konnten sie dir beim Bund nicht vorführen. Ich weiß es. Ich hab's nicht nur gesehen, ich konnte die Folgen zusammenflicken.«

»Wenn's drauf ankommt, kriegt der Hai die Ladung ab. Um den brauchst du dich nicht zu kümmern.«

»So? ... Du, dein geschienter Arm – und dann Handgranaten? Wie paßt das zusammen? Laß den Blödsinn, hörst du?«

Rons Blick wurde klar: »Angst, Hendrik?«

»Ich nicht«, sagte Hendrik Merz. »Aber du.«

Ron zog die Unterlippe zwischen die Zähne. Dann drehte er sich zu Tama um und rief: »Was zu sehen?«

Sie schüttelte den Kopf.

»Sie hat keinen einzigen Hai entdeckt. – Ich auch nicht.«

»Und?« fragte Hendrik Merz und schob die Maske übers Gesicht. »Was sagt das schon?«

Es war wie am Vormittag.

Die Sekunden verstrichen, und jede einzelne wog wie Blei – und Hendrik meldete sich nicht ...

Tama stand neben ihm, die weit geöffneten Augen auf den Bildschirm gerichtet, den Mund zusammengepreßt. Ron glaubte aus dem krächzenden Auf und Ab der Störungen Hendriks Atem auszumachen. Aber vielleicht täuschte er sich ...

Tama sagte irgend etwas. Er verstand es nicht, aber sie wandte ruckartig den Kopf zum Fernseher. Hendrik hatte die Videokamera eingeschaltet. Das Bild war klar ausgeleuchtet. Es zeigte einen Teil einer Männerschulter. Afas Schulter mußte das sein. Nun Afas Hand mit dem Messer ... Jetzt ein Teil des großen Leinenbeutels, der die Muscheln aufnehmen sollte.

»Owaku«, flüsterte Tama.

Ja. Da waren sie! Es war der Anblick, auf den er so lange gewartet hatte! Dafür hatte er gekämpft, die Schmerzen ertragen, das Unmögliche möglich gemacht: Austern! – Hintereinander gestaffelt, eine nach der anderen, zum Greifen nah. Afas Hand hatte die erste, hielt sie in das Licht der Kamera, drehte sie hin und her. Deutlich waren die gezackten, hellen Ränder zu erkennen. Nun warf er sie in den Sack. – Die zweite. Die dritte ...

Ein tanzender Sand- und Fragmentnebel verwischte das Bild. Endlich knackte aus dem Lautsprecher Hendriks Stimme.

»Na, ihr da oben? ... Ein halber Sack ist schon voll. Und was unsere Brüder, die Haie, angeht – Fehlanzeige! Halten Abstand ... Wenn schon, sie können uns nicht in die Pfanne hauen. So ein Käfig ist ganz schön praktisch. Ich glaube, daß ich ein paar gesehen habe ... Ziemlich weit draußen am Buchteingang ...«

Die nächsten Worte waren nicht zu verstehen. Die Störungen erwiesen sich als stärker. Aber da war er wieder: »Noch 'ne halbe Stunde ... Erster Sack voll ... Geht ... Geht viel schneller als ...«

Sauerstoffperlen stiegen im Bild hoch. Dahinter war Hendriks Maske und hinter den Brillengläsern seine Augen. »... tatsächlich wie im Zoo. Nur, daß die Gäste keinen Eintritt zahlen und wir die sind, die hinter Gitter sitzen ...«

Die Gäste? In das Kamerabild geriet Bewegung. Anscheinend hatte Hendrik das Gerät vom Haken genommen und hielt es nun selbst in der Hand. Der ewige Tanz der winzigen Schmutzteilchen hörte auf, der klare Strahl des Scheinwerfers glitt über den runden, dunklen Rücken der Muschelbank, über Seepflanzen, hielt für Sekunden einen Schwarm kleiner Fische fest und verlor sich in türkisfarbener Helligkeit. Ein strahlend klares Licht. Darin machten sich die vier großen Punkte besonders bedrohlich. Sie waren tiefschwarz und mußten sich bewegen, denn sie wurden rasch größer, wurden zu vier Kreisen, die wirkten wie die Konzentration, ja, die Zusammenballung von Gefahr und Unheil – vier schwarze Fäuste, die aus dem Meer heranflogen ...

Haie!

Sie hatten die Köpfe genau zum Käfig gerichtet. Sie schwammen ihren Angriff. Deutlich konnte Ron nun die Linien der Schwanz- und Rückenflossen erkennen.

»Hendrik!« Er brüllte. Wieder wurde er sich seiner Ohnmacht bewußt.

Tama warf ihm einen Blick zu. »Owaku«, sagte sie, »er sieht sie doch! – Er filmt sie ja!«

»Laß sie kommen!«

Hendrik Merz hielt den Daumen auf dem Kamera-Auslöser. Er spürte eine Hand im Rücken – Afas Hand. Er filmte weiter. Ja, laß sie kommen ... Er hatte die Beine breit auf die Eisenbänder der Käfigunterseite gesetzt, so, als müsse er einen unvermeidlich zu erwartenden Stoß abfedern.

Bisher waren es vier gewesen ... Dort rechts hing noch ein fünfter!

Na und? – Der fünfte lag weiter zurück, holte aber auf. Von vorne war alles so schwer abzuschätzen. Afa hatte den Sack aufgehängt. Ob es die Austern-Schlächterei ist, überlegte Hendrik, die sie anzieht? Vielleicht lösen sich aus den Verletzungen, die das Messer den Austern zufügt, wenn sie herausgeschnitten werden, irgendwelche Stoffe, die sie interessant finden – Botenstoffe für Haie ...

Verdammt nah sind sie!

Und sie scheinen es wissen zu wollen ...

Was soll's? Ein Käfig ist ein Käfig, und dazu, dachte er, von mir eigenhändig verschweißte Wertarbeit. Jawohl! An den Stäben werden sie sich ihre verdammten Zähne ausbeißen, falls sie's versuchen sollten. – Hastig sicherte er die Kamera an ihrer Halterung. Er hatte keine Lust, sie zu verlieren. Er würde sie noch gebrauchen können ... Obwohl – was für Bilder das jetzt wären! Sie kamen an! Näher und näher. Verdammt nahe. Und verdammt groß dazu! Riesig!

Wirklich, das hättest du noch filmen müssen, dachte er. So dicht war dir noch nie ein Hai auf die Pelle gerückt, nicht einmal das Miststück damals am Strand. Und das hatte er ja noch nicht einmal gesehen.

Die aber ... jede Einzelheit war zu erkennen. Die Rückenflossen, die gewaltigen Seitenflossen ... Warum gingen sie nicht weg? Was wollten sie?

Sein Herz pochte am Hals. Das Adrenalin, das durch seine Adern floß, ließ es unbeherrscht loshämmern. – Haut ab!

Sie taten es nicht. Er sah Zähne. Er sah geöffnete Rachen. Und dann, endlich, Gott sei Dank, die beiden Haie trennten sich, glitten in engem Bogen rechts und links am Käfig vorüber, so daß er nun deutlich die tiefschwarz glänzenden Flossenenden erkennen konnte. Schwarzflossen-Haie ... Wo hatte er gelesen, daß es so etwas gibt? Na, jetzt wußte er: Es gibt sie! – Greifen

Schwarzflossen-Haie Menschen an? Die vier hier schienen nicht sehr friedlich gestimmt. Und nun kam der fünfte. Er war nicht schwarz, er war weiß …

Ein Weißer Hai! Der gefährlichste von allen …

Er kam aus der Tiefe. Und er schoß direkt auf den Käfig zu. Der breite Schädel schien das ganze Meer auszufüllen. Und diese Augen – wie schwarze Teller!

Klong! Das Geräusch drang in seinen Schädel. Klong-klong-klong!

Es war Afa'Tolou. Er hielt die Messerklinge in der Hand und schlug wild auf die Eisenstäbe ein.

Das Miststück mit der starren Killervisage konnte er damit nicht beirren.

Will er uns rammen? Was will er? Drei Meter, zwei, einen … Und das Haigesicht, dieses Gesicht, das wie eine Gummimaske ist und aus deren Ausschnitt zwei gierige, sich lebhaft bewegende Augen hervorstarren … Beängstigend!

Im letzten Zeitbruchteil, als der Zusammenstoß unvermeidlich erschien, zeigte der Hai seine breite, helle Unterseite. So dicht strich er über sie hinweg, daß Hendrik den Wasserdruck wie eine Faust im Magen spürte.

Afa drehte sich ihm zu. Die Gläser der Brille. Dahinter Afas Augen. Weit geöffnet waren sie jetzt, das ja, doch Furcht konnte er darin nicht erkennen.

Im selben Sekundenbruchteil änderte sich alles. Der Schock, der aus Afas Augen schrie, erfüllte auch ihn. Eine unbegreifliche Kraft, begleitet von einem hell singenden Donnerschlag, hatte Hendrik gegen die Käfigstäbe geworfen.

Nichts mehr war in Hendrik als Leere und trommelnde Todesangst. Dann ein heftig pochender

Schmerz an der Stelle seines Hinterkopfs, die gegen das Eisen geprallt war.

Die Handleine! dachte er – er brauchte sie nicht zu ziehen, denn der Käfig bewegte sich bereits. Sie wurden hochgezogen. Doch erst als sie die Wasseroberfläche durchbrachen, das Wasser an den Gitterstäben herunterlief und das Licht nach seinen Augen griff und er bereits die Heckaufschrift »Paradies« lesen konnte, durchfuhr es ihn: Es war die Handgranate!

Er hat eine Handgranate geworfen. Er muß irrsinnig sein. Tatsächlich, er hat uns eine Handgranate auf den Schädel geschmissen!

Sie hingen an ihrem Galgen. Und der Käfig drehte und drehte sich. Wa'tau machte fieberhaft die Leinen fest, um das verdammte Eisending davon abzuhalten, weitere Pirouetten zu vollführen. Sein Gesicht war fahlgelb, sein Mund zuckte.

Sein Bruder zog die beiden Schieber zurück, so daß sie endlich herausklettern konnten.

Hendrik hatte Schwierigkeiten, an Deck zu kommen. Tama stand dort und sah ihm entgegen. Die Augen waren schreckgeweitet. Sie wühlte mit der linken Hand in ihren Haaren und zog daran, als wolle sie sie aus der Kopfhaut reißen. »Die Haie, Hendrik! ... Die Haie ...«

»Was heißt Haie? – Himmelarsch nochmal, was soll das?«

Sie konnte nichts dafür, und er wollte sich auch beherrschen, doch er schaffte es nicht. »Wo ist dieser Knallkopf?«

»Bitte?«

»Es war doch seine Handgranate! Nur er schafft sowas. Auch mit einer Hand. Wo ist Ron, Himmelherrgott nochmal?«

Afa'Tolou sagte nichts, er hob nur den Arm. Ja, und dort am Bugkorb stand Ron. Von dort auch mußte er das verdammte Ding geworfen haben.

Hendrik setzte sich in Bewegung und ging an der Kajüte entlang auf ihn zu. Als er vor ihm stand, registrierte er sofort, daß etwas nicht mit ihm stimmen konnte: Rons Mund war schmal und blaß wie ein Strich, die Haut über den Wangenknochen gespannt, auf der Stirne standen abgezirkelte, blasse Flecken. Er starrte ihn an, als begegne er einem Gespenst.

»Mann! Was bin ich froh, dich zu sehen ... Scheiß-Biester... Da hab' ich mir so ein Ding geschnappt... Das half dann.«

»Du hast dir so ein Ding geschnappt?« Hendriks Stimme klang heiser.

»Ich dachte, die bringen euch um. Sah auch ganz danach aus. Die waren überall. Die spielten richtig Kreisel. Es sah aus, als wollten sie den Käfig umkippen. Dann kam auch noch der große ...«

Hendrik Merz holte Luft. Hatte Ron wirklich nicht begriffen, was er tat? Wieder wurde der Arzt Hendrik Merz sich vage bewußt, daß es mit Ron nicht gut stand. Die Färbung der Lippen. Der Pupillenstand. Es wirkte, als sei er betrunken. Dolantin ... Die Tabletten vielleicht? Aber sein Zorn ließ andere Überlegungen nicht zu.

»Nicht die Haie, du hättest uns beinahe umgebracht mit deiner verdammten Handgranaten-Nummer! Die Haie wollten wahrscheinlich gar nichts. Du warst gefährlich, Himmelarsch nochmal!«

Aus dem blassen, schweißüberzogenen Gesicht wurde eine Grimasse von Schmerz und Qual. Ron kniff die Lider zusammen, die Mundwinkel verkrampften sich, tiefe Falten zerschnitten die Wangen. »Hendrik! ... Ich hab' das Ei doch weit weg vom Käfig fallen lassen ... Es konnte euch doch gar nichts anhaben! Ich wollte doch nur ... die Haie ... es klappte dann auch, und außerdem ... Oh Scheiße! Oh gottverflucht beschissener Mist ...«

Er hatte sich in die Lippen gebissen. Ein kleiner Blutstropfen rann zu seinem Kinn, und hätte Hendrik nicht zugegriffen, wäre er ihm weggesackt.

»Was ist, Ron? Schmerzen? Ist es der Arm?«

»Ach Mist. Es ist alles zusammen ...«

»Also der Arm«, sagte Hendrik Merz, führte ihn vorsichtig zum Niedergang, brachte ihn durch den Salon in seine Kabine und setzte ihn dort aufs Bett. »Wann hast du das letzte Dolantin genommen?«

Ron stöhnte. »Gestern. Dort in der Schublade ... Da liegen die Tabletten.«

Griffbereit also? Er hatte vorgesorgt! Nein, vermutlich hatte er das Zeug trotz seines Verbotes die ganze Zeit schon geschluckt ...

Er nahm eine Tablette und holte aus dem Eisschrank eine Flasche Mineralwasser. »Erst trinkst du. Dann die Tablette, und dann trinkst du die ganze Flasche aus.«

Er beobachtete, wie Ron das Glas an den Mund nahm.

»Besser?« fragte er nach einer Weile.

Ron nickte.

»Bis das Dolantin wirkt, dauert es noch. Inzwischen schaue ich mir deinen Arm an.«

Doch der erste Blick genügte bereits. Es war genau das, was er vermutet hatte: Die Haut spannte sich unter der Schwellung, eine ungesunde Rotfärbung hatte sie angenommen, auch ihre Wärme signalisierte die Infektion. Es war eingetreten, was er befürchtet hatte...

»Idiot!« Das Wort war ihm spontan entfahren – und er hatte keine Lust, es zurückzunehmen. Nicht nur ein Idiot war Ron, viel schlimmer, ein bodenloser Ignorant, der all seine Mahnungen und Bitten stur in den Wind geschlagen hatte.

Nun hockte er mit schmerzverzerrtem Gesicht und einem halb furchtsamen, halb spöttischen Ausdruck in den Augen vor ihm.

»Na, Herr Doktor?«

»Weißt du, was ich sollte? Dich in den Arsch treten.«

»Bitte.« stieß Ron hervor. »Tu's. – Wenn's hilft.«

»Ja«, flüsterte Hendrik erbittert. »Wenn's helfen würde, würde ich dir derart in den Hintern treten, daß du durchs Fenster hinaus in die Bucht fliegst.«

»Zu den Haien?«

»Zu den Haien.«

Sie schwiegen beide. Über dem Schweigen lag wie das Geräusch eines aufgeregten Pulsschlags das ferne, leise Tuckern der Kühlwasserpumpe. Ron wischte sich mit dem Handrücken die Haare aus der nassen Stirn.

»Komm raus damit, Doktor.«

»Es kann sein, daß der Nagel sich verschoben hat. Und das heißt, daß sich an der Bruchstelle ein Infektionsherd bildet. Eine Bruchstelle ist immer entzündungsreaktiv – das habe ich dir schon hundertmal gesagt. Genau so, wie ich dich hundertmal darauf hingewiesen habe, daß dein Arm nicht belastungsstabil ist. – Hab' ich das oder nicht?«

»Hast du.«

»Hast du, hast du!« erregte sich Hendrik. »Und was hab' ich davon? Was hast du davon?«

»Gut«, seufzte Ron, »ich habe Mist gebaut. Was jetzt?«

»Kluge Frage. Was jetzt? Aus den dir bekannten Gründen kann ich nun mal nicht nachsehen, wie's da drin aussieht. Am besten wäre, wir würden nach Pangai zurück und den Arm röntgen lassen. – Verflucht nochmal, schüttel nicht den Kopf! Du hast es gerade nötig.«

Hilflos starrte er Ron an. Aus dem sonnengebräunten Gesicht des Freundes war jede Farbe verschwunden. Die Augen darin waren hell, groß und starr.

»Läßt sich denn gar nichts ...«

Öffnen läßt sich der Arm. Klar. Skalpell, das Mittel der Wahl, was? Es wäre das Vernünftigste, wirklich. Aufschneiden, keimtötende Mittel direkt an die Entzündung bringen, und das ist sicher die Bruchstelle, und dann zuwarten, was passiert. Im Augenblick bleibt nur eines: Dich mit Antibiotika vollzupumpen. Und das werden wir auch tun.«

Er ging zur Tür. Dort drehte er sich nochmals um: »Das Spiel ist aus für dich, Ron«, sagte er grimmig. »Abpfiff. – Du bist erst mal vom Platz gestellt.«

Er schlug die Türe hinter sich zu.

Draußen hatten sie eine Persenning aufs Sonnendeck gelegt. Auf dem grauen, groben Stoff lagen zwei naßglänzende Haufen von Perlaustern. Die einen waren bereits geöffnet, die des größeren Haufens warteten noch auf den Stahl der Messer, die Afa'Tolou und Wa'tau in den Händen hielten.

Tama aber kauerte neben ihren Brüdern und sah zu.

Für einige Sekunden blieb Hendrik unbeweglich im Schatten der Kabine. Sie nahmen keine Kenntnis von ihm. Er fragte sich, ob sie überhaupt mitbekommen hatten, was geschehen war. – Wahrscheinlich nicht. Mühsam versuchte er Gedanken und Atmung zur Ruhe zu zwingen. Diese drei Häuptlings-Kinder spielten ihr Spiel mit den Muscheln. Im Hintergrund die Bucht mit dem schroffen, dunkel aufragenden Fels, der feuchtgrüne Tropenwald, und der Himmel, der sich über allem wölbte ... Alles schien ihm absolut unwirklich. Ein Foto aus einem Südsee-Erinnerungsalbum: Sieh mal, ist das nicht idyllisch? Sie holen noch immer Perlaustern aus dem Wasser. Ja, schwarz sind sie und riesengroß. Und drinnen finden sie tatsächlich Perlen ...

Sie hatten eine flache, leere Konservendose neben die bereits geöffneten Austern gestellt. Darin lagen schimmernde Kugeln. Überraschend viele kleine Kugeln.

Und wieder war ein knirschendes Knacken zu vernehmen. Diesmal fuhr Afa mit den Fingern in das graurosa schimmernde Muschelfleisch, wühlte, erstarrte plötzlich, zog etwas heraus ... Etwas? – Eine Perle!

Er nahm den Kopf hoch. Er lachte. Und dieses Lachen war ein leises, erfreutes, gurrendes Glucksen.

Sie sahen sich an. Auch die anderen lachten nun. Und schüttelten die Köpfe.

»Hendrik!«

Tama hatte ihn entdeckt. Sie stand auf. »Hendrik, du wirst es nicht glauben ... Es waren gar nicht so viele Austern, nicht wahr? Ihr habt ja kaum Zeit gehabt, einzusammeln.«

Er schwieg.

»Und trotzdem«, fuhr sie mit einer völlig neuen, aufgeregten, hellen Jungmädchenstimme fort, »ich habe sowas nie erlebt. Tapana wird es nicht glauben. Niemand im Dorf wird es glauben, aber die Muscheln stecken voller Perlen! In jeder fünften oder sechsten ist eine drin! Ich kann mir das gar nicht erklären ... Sowas ist noch nie vorgekommen, glaube ich. Es ist ... ja, es ist wie ein Wunder!«

Vielleicht, dachte Hendrik. Aber ein Wunder zuviel.

»Tama! Ron geht es schlecht. Er hat starke Schmerzen.«

Die Freude auf ihrem Gesicht erlosch. Es wurde mit einem Male ganz leer. »Owaku? – Was ist?«

»Der Arm. Er hat sich entzündet. Er braucht Spritzen. Dringend braucht er die. Wir müssen sofort zurück.«

Sie nickte nur, kletterte zum Steuerstand hoch, um den Anker zu lösen und den Motor anzuwerfen. Ihre beiden Brüder hatten offensichtlich überhaupt nicht begriffen, was er da sagte. Sie beschäftigten sich weiter mit ihren Muscheln und Perlen. Und lachten ...

Hendrik ging zur Reling. Die Kette klirrte. Er blickte über die See. Mit der gewaltigen blauen Wasserfläche war etwas geschehen. Sie war jetzt von einem so dunklen, tiefen Kobalt, daß sie beinahe schwarz erschien. Über allem aber lag ein merkwürdiger, wässriger Glanz, und die klare Linie des Horizonts hatte sich in einem feinen, rauchblauen Schleier aufgelöst. Hinter diesen Schleiern schoben sich schneeweiß und klar, wie aus Papier geschnitten, Kumulus-Wolken.

Er nahm sie wahr und beachtete sie doch nicht. Er dachte an Ron. In seinem Zorn erwachte etwas wie Sympathie, ja, Bewunderung. Er dachte: Dieser elende, sture Hund wird es noch soweit bringen, daß er den Arm verliert ...

Es war Abend. Die Dämmerung hatte noch nicht eingesetzt. Der Bambuszaun um Lanai'tas Garten warf lange Schatten. Drückend war die Luft und still. Lanai'tas Ziege streckte ihren schmalen Hals und musterte Hendrik mit ihren durchsichtigen, hellen, klugen, dunkel umränderten Augen.

Anderthalb Stunden hatte Hendrik Merz drüben an Rons Bett zugebracht, Antibiotika gespritzt, den Arm noch einmal untersucht, ihm eine neue Schiene verpaßt und versucht, das lastend vorwurfsvolle, bedrückende Schweigen zu ignorieren, das zwischen Ron und Tama herrschte. Nun war er froh, daß es dieses Haus gab, die Ziege, den Kleinen – und Lanai'ta.

Sie saß an ihrem Arbeitstisch am Eingang. Sie hielt eine Schere in der Hand und schnitt ein Stück Stoff zurecht. Der Kleine kroch am Boden, richtete sich auf, brabbelte zufrieden »Henni-Henni« und blickte an ihm hoch. Hendrik strich über den kleinen, warmen Kopf.

Lanai'ta ließ ihre Arbeit sinken. »Wie sieht es aus?«

»Das weiß ich nun mal nicht. Das ist es doch ... Man muß abwarten.«

»Und wie ist es passiert?«

Er sagte es ihr. Sie nickte, als habe sie nichts anderes erwartet.

»Er muß lernen, Hendrik. – Wir alle müssen das.«

Erst jetzt spürte er, wie müde und zerschlagen er war. Er zog sich einen Hocker heran. Kopf und Rücken schmerzten an der Stelle, die mit dem Käfig zusammengeprallt war.

Er betrachtete den Teppich, der an der Wand hinter Lanai'ta hing. Er zeigte einen kleinen Vogel, der auf einer stilisierten Blütenstaude saß und fröhlich den Schnabel zum Himmel reckte. So ruhig, so friedlich wirkte alles! Es war, als würde das dünne Flechtwerk der Wände das ganze bedrückende Unbehagen, das er bisher gespürt hatte, von ihm fernhalten.

»Willst du was zu essen? Hast du Hunger?«

»Ich weiß nicht ...«

Sie stand auf und brachte am Herd mit einem Fächer die Glutreste zum Brennen.

Drüben sprang in diesem Augenblick der Generator an. Ein leises Pochen, so, als klopfe jemand an die Türe. Hendrik mußte daran denken, wie Ron sich über Lanai'ta erregt hatte: »Ich weiß manchmal wirklich nicht, was mit ihr los ist. Es ist nicht nur, daß sie sich abkapselt, sie riegelt sich richtiggehend in ihrer Vergangenheit und ihren Träumen von früher ein. Wenn Jack das sehen würde ...«

Jack? – Jack Willmore ...

Unwillkürlich, wie jedesmal, wenn er den Namen dachte, sah er hinüber zu der Ecke, die Ron »Lanai'tas Reliquien-Schrein« nannte.

Sie war leer! Selbst den kleinen runden Tisch, der dort stand, hatte sie entfernt.

Vorsichtig tastete sich sein Blick zu Lanai'ta. Sie war gerade dabei, eine flache Tonschale auf das Feuer zu setzen. Das Feuer, das ihr Gesicht streichelte, dieses Gesicht, das nicht nur Jack geliebt hatte, das auch er ...

Nun beugte sie sich etwas tiefer. Ihr Haar glänzte. Es fiel und teilte sich im Nacken und gab die feine, gebeugte, lange und so unglaublich zarte Linie ihres Nackens frei ... Der Reliquien-Schrein existiert nicht länger! Ja, sie hat Jacks ganzen Kram weggeräumt. Warum? Wacht sie auf?

Sie kam zurück, nahm Stoff, Schere und Garn vom Tisch und stellte einen Teller vor ihn hin.

Wie passend – in diesem Augenblick knurrte sein Magen. Er fuhr zusammen, Lanai'ta lachte. Sie lachten beide, und der Kleine klopfte die Faust gegen sein Knie und kicherte mit.

Wieder drehte er den Kopf zur Ecke.

»Ich habe alles weggetan«, hörte er sie sagen. Sie sprach sehr leise, nahm einen dieser wunderschön geschnitzten Holzlöffel in die Hand und schöpfte ihm den Gemüseeintopf aus Paprika, Tomaten, Zwiebeln und Yam in den Teller.

Sein Magen zog sich zusammen.

»Was ist, Hendrik?«

Ja, was? Es waren ihre Augen, das dunkle Leuchten, das aus ihnen hervorbrach. Ihre Nähe verwirrte ihn. Er hatte sich daran gewöhnt, den unbeteiligten, höflichen, stets vorsichtigen und aufmerksamen Freund des Hauses zu spielen, und die Rolle war ihm nur ein einziges Mal schwergefallen: Damals in der Bucht, in dieser schrecklichen Sekunde, als der Hai nach ihnen schnappte und sie zitternd in seinen Armen lag. Anschließend hatte er von ihr geträumt, das ja, oft genug, zu oft vielleicht, – um dann wieder in den Strudel von Zweifeln und sinnlosen Selbstanklagen zu verfallen.

Irgendwie hatten sie beide dieselben Karten im Leben gezogen. Und das war's, was die Geschichte so verflucht schwierig machte und ihm jede Unbefangenheit nahm.

»Hendrik, deine Frau ist gestorben, nicht wahr?«

Er schüttelte den Kopf. »Sie war nicht meine Frau.«

»Aber du hast sie geliebt?«

»Wir hatten kaum Zeit dazu ...«

Wie Mary hatte auch Lanai'ta wunderschöne Hände. Es war das erste, was ihm an ihr aufgefallen war. Und diese Hände strichen nun unruhig über das tiefdunkel gemaserte Holz des Tisches.

»Aber du weißt, wie das ist.«

Er nickte. Er glaubte, sie verstanden zu haben.

Der Kleine hatte es geschafft. Jacky zog sich an Hendriks Knie hoch. Der Mann half ihm nach.

»Henni - Henni ...« Aber klar, dachte er mit einer Anwandlung von Rührung und Bitterkeit, wer denn sonst? Der »Onkel Henni«, allseits beliebt, für viele brauchbar, im Großen und Ganzen doch recht erfolglos. Da habt ihr ihn! – Er begann hastig weiterzulöffeln und spürte ihren Blick auf sich, spürte ihn wie den Wärmehauch einer Heizsonne.

»Ron hatte recht gehabt.«

Er ließ den Löffel sinken. »Womit? Was meinst du?«

»Ron war es, der mir immer sagte, daß man sich vom Leben nicht trennen darf, weil das Leben ein Geschenk sei ...«

»Er hat recht.«

»Weißt du, wann ich wußte, daß es die Wahrheit ist? Auf dem Felsen. Als wir vor dem Hai geflüchtet sind ...«

»Ja?«

»Es ... es ist so schwierig zu erklären! Ich weiß nicht, ob du verstehst ...« Ihre Stimme war voller Zweifel, und diese Unsicherheit brachte sie wohl dazu, in ihr Englisch tongaische Worte einzuflechten. »Als ich dich zum ersten Mal sah, als ich mir sagte, er ist nicht nur wie Jack – es ist Jack, die Stimme ... alles ..., da dachte ich ... Entschuldige ...«

Sie wollte aufstehen. Er aber streckte die Hand aus, legte sie um ihren Unterarm und hielt sie fest. »Lanai'ta ...«

Sie hatte die Augen halb geschlossen. Eine Träne löste sich aus ihren Wimpern, lief über die Wange zum rechten Mundwinkel. Und der Kleine kicherte und schlug vergnügt gegen seinen Bauch.

»Wenn jemand stirbt«, sagte sie erstickt, »dann ist es manchmal, als würde die Welt untergehen.«

»Ja. Ich weiß.«

»Aber sie geht ja nicht unter. Man sieht sie nur nicht mehr.«

»Ja, Lanai'ta. Auch das gehört dazu.«

Sie sah ihn nur an mit diesen tränenschwimmenden Augen. Und er stand auf, nahm das Stück rotes Tuch, das noch immer auf der Ecke des Tisches lag, und tupfte ihre Wimpern trocken.

In dieser Nacht ging Hendrik nicht in sein Zimmer neben der Werkstatt. Er blieb bei Lanai'ta ...

8

Er schüttelte sich, versuchte mit aller Kraft gegen den ekelhaften Kokon aus bleierner Benommenheit und Schmerzen anzukämpfen. Er lag auf der Seite. Die Schiene war immerhin auf ein Kissen gebettet. Es war nicht gerade die ideale Lage für einen Arm, der nach Hendrik Merz' Aussagen »hoffnungslos verpfuscht« schien.

Trotz der ganzen beschissenen Spritzen und Tabletten, trotz dieses elenden Dolantins, das jede Empfindung abdeckte wie eine undurchlässige, unangenehme Filzschicht, fühlte Ron so etwas wie Triumph: Nicht der Wecker hatte ihn geweckt, er war von selbst erwacht!

Tama schlief drüben in ihrem Zimmer. Sie hatte gestern abend darauf bestanden. Und das war gut so. Er aber hatte wieder geträumt – irgendeinen dieser idiotischen Nomuka'la-Träume. Seine Erinnerung hielt nur einen Fetzen fest: Nomuka'la, den Arm erhoben, die Hand drohend zur Faust geballt ...

Er stand auf und bewegte die Rücken-, Nacken- und Schultermuskeln wie ein Boxer vor einer Trainings-Runde. Es ging ... Dann fühlte er über den Arm. Auch er verhielt sich friedlich. Hendriks Penicillin hatte gewirkt.

Nichts zu machen, Nomuka'la ... Tut mir leid.

Die Schwüle setzte ihm zu. Woher kam sie so früh am Morgen? Eine knisternde Elektrizität hing in der Luft, dazu kam das Gefühl, als drückten die eisernen Backen eines Schraubstocks einem die Schläfen ein. Manchmal, auf See, hatte ihm seine Wetterfühligkeit geholfen, weil sie ihn warnte.

Tiefdruck also. Na, laß ihn kommen, den Tiefdruck...

Ron stieg in seine Shorts und schlüpfte in die Gummisandalen. Der Arm war tatsächlich abgeschwollen. Er machte sich keine Illusionen: Der elende Nagel dort drin hatte neue Spitzen bekommen. Die begannen bereits von innen in sein Fleisch zu stechen und erinnerten ihn daran, daß ihm die Stunden davonflogen.

ABPFIFF, JUNGE! FÜR DICH IST DAS SPIEL VORBEI, UND VON MIR KANNST DU NICHT ERWARTEN, DASS ICH NOCH WEITER DIE VERANTWORTUNG ÜBERNEHME ...

Soweit Hendrik. Er machte es sich einfach. Jawohl, Herr Doktor, dachte Ron. Dann eben ohne dich!

Hastig trank er den Rest seines Kaffees aus und sah auf die Uhr: Sieben Uhr vierzig.

Schwarz, wie Tuschzeichnungen standen die Palmen vor dem Stahlgrau, das ihn draußen erwartete; ja – ein Himmel aus Stahl, der Pazifik wie stumpfes, schmutziges Zinn! Nichts, das sich regte.

Er blickte zum Garten hinüber. Die Hühner, die um diese Zeit sonst eifrig ihre Regenwürmer pickten, hockten reglos wie braune, unförmige Klumpen in ihren Verschlägen. Über allem, über Bäumen, Blättern und Sträuchern aber lag ein bleierner Hauch.

Das alles hast du doch schon einmal erlebt, dachte Ron. Wann? – An dem Morgen, als du trotz Nomuka'las

Tabu in die Bucht gingst und gegen den Weißen Hai angetaucht warst. Dieselbe Stimmung ... dieselbe Vorahnung, daß irgend etwas Unbenennbares, Bösartiges auf ihn lauerte ...

Doch es war gutgegangen.

Es würde auch heute gutgehen. Es mußte!

Herrgott: Hatten sie nicht gestern in weniger als einer Stunde siebenundzwanzig Perlen heraufgeholt? Nun noch einmal dasselbe, vielleicht auch weniger – zwanzig würden ausreichen, ja, zwanzig wären genug. Das waren zusammen mindestens fünfundzwanzigtausend Dollar ... Na bitte!

Afa'Tolous Fale und die kleinere Hütte, in der sein Bruder Wa'tau lebte, standen in einer großen Lichtung am Südende der Palmenpflanzung.

Wa'tau war im Garten. Er stand über seinen aus einem Baumstamm gehauenen Holztrog gebückt und wusch sich. Der braunschimmernde, nasse Oberkörper schien unter all den abgestorbenen Farben das einzig Lebendige. Nun richtete er sich auf. Die weißen Zähne leuchteten. Er hob die Hand und winkte.

Ron zeigte zum Himmel.

Wa'tau nickte und ließ auf seinem jungen Gesicht den Ausdruck von Besorgnis entstehen.

»Macht nichts«, sagte Ron.

Und Wa'tau nickte wieder. Es war wie am Anfang von Rons Zeit auf Tonu'Ata, als er mit den wenigen Sprachbrocken, die er gelernt hatte, um sich warf und, wo er auch hinkam, dasselbe Nicken und Lächeln erntete.

Ron erklärte, was er vorhatte. Für seinen Geschmack erklärte er es gut und überzeugend, und Wa'tau nickte und nickte und lächelte wieder, doch dies brauchte gar nichts zu bedeuten. Einer Bitte mit einer Ablehnung, einem klaren »ikai« zu begegnen, war auf der Insel nur den nächsten Verwandten möglich, für alle anderen galt eine solche Reaktion als höchst anstößig.

Da er nicht so recht wußte, wie er weiter vorgehen sollte, suchte Ron Hilfe bei Göttern und Geistern: »Wa'tau! Heute nacht kam Nomuka'las Geist zu mir und sagte, wir würden noch viel, viel mehr Perlen finden. Dabei waren es gestern schon so viele.«

»Viele, Viele.«

»Kommst du mit?«

Wa'tau sah hinüber zum Haus seines Bruders.

In Rons Arm meldeten sich die Nagelspitzen. Es war nun ganz still, und es war eine unheimliche Stille, weil selbst die Riffbrandung stumm blieb. Die Schmerzen aber brüllten ihren elenden Höllenchor. Er lächelte, brachte es fertig zu lächeln, obwohl sich der Schweiß unter seinen Haaren sammelte und über die Kopfhaut zum Nacken hinunterrann. Das hier mußte er durchstehen. Die Pillen konnte er nehmen, sobald sie an Bord waren. Wir – wir beide, Wa'tau und ich ...

Vielleicht war das nicht einmal die schlechteste Lösung. Ein Mann im Käfig genügt. Nur eine Stunde würde, mußte ausreichen ...

Ein neuer Blick zum Horizont, wo sich hinter dem Dunst dieses dunkel-schmutzige, keilförmige Wolkengebilde hervorhob, überzeugte Ron: Afa würde ablehnen. Das schien ihm nun sicher: Afa war Fischer. Er kannte das Wetter. Fischer sind vorsichtig.

Er biß die Zähne zusammen.

In diesem Augenblick ging drüben am Fale die Türe auf, und Afa erschien. Langsam kam er über den Sand. Er trug nichts am Leib als die schwarze Badehose, die Ron ihm geschenkt hatte. Und er sah imponierend aus, wie er so auf sie zuschritt.

Rons Mut sank. Von dem, was die Brüder miteinander sprachen, verstand er kein Wort. Er dachte nur noch an die Tabletten. Aber vor Afa eine zu nehmen, diese Blöße wollte er sich nicht geben.

Afa lächelte nicht. Und der Satz: »Du willst in die Bucht?« kam kurz und schroff.

»Ja.« – Ron war auf die Ablehnung gefaßt gewesen.

Aber Afa sagte: »Gut. Ich komme mit.«

»Eine Stunde?«

»Gut. Eine Stunde. Nicht länger.« –

Auch auf der Fahrt zur Bucht blieb es dasselbe: Ein Wasser grau wie Seide, ein Horizont, der nichts war als ein Nebelband aus verschiedenen schmutzigen Grau- und Weißtönen, das näher und näher rückte und aus dem sich eine einzige Wolke hochhob: Kein Keil wie zuvor – größer, bedrohlicher, etwas, das aussah wie ein gewaltiger grauer Blumenkohl.

Gewitter-Wolken.

Ein Sturm? Ohne Zweifel. Aber wer sagte, daß sich das Wetter die Insel ausgesucht hatte? Der Sturm konnte vorüberziehen. Und selbst wenn nicht – bis er hier war, würde viel Zeit vergehen.

Ron hatte inzwischen das Schmerzmittel genommen. Zwei Tabletten, »schwere Artillerie« nannte Hendrik das Dolantin. Um so besser! Es tat seine Wirkung. In seinem Arm war jedes Gefühl erloschen. Die Schmerzschranke funktionierte. Es schien, als schließe sich diese sonderbare, dichtgepreßte Schicht von Watte, die seine Schmerzen isolierte, auch um seinen Schädel.

Als sie an Bord waren, holte Ron sich aus dem Thermobehälter eine Tasse Kaffee und trank sie hastig aus. Dann ging er in die Kabine und drückte die Taste des Stereo-Geräts. Ein Rock wäre jetzt vielleicht das beste, aber er hatte sich aus Papeete nur klassische Musik mitgebracht, und der Laserstrahl des Geräts fiel auf die CD-Aufnahme von Verdis Triumph-Marsch zu Aida ... Warum auch nicht?

Er kletterte ins Cockpit hoch.

Die Buchteinfahrt kam bereits in Sicht. – Die »Paradies« schwenkte nach Backbord. Aus dem Lautsprecher donnerten Verdis Trompeten und Fanfaren, und dicht, keine zehn Meter entfernt, glitt die hohe, naßglänzende Wand vorüber.

Das Wasser in der Bucht wirkte fast schwarz.

Ron ließ den Anker fallen ...

In dem kleinen Rasierspiegel, der neben dem Cockpit-Kurzwellengerät angebracht war, sah Ron sein Gesicht. Doch eigentlich sah er nur die Augen. Und die lagen tief in blauschwarzen Ringen, und das Graugrün der Iris wirkte brennend und fremd. Das waren nicht seine Augen, aber dies war auch nicht sein Arm, nicht sein Körper. Im Grunde hatte alles nichts mit ihm zu tun. – Nur eines war es: Sein Tag! ...

Er schaltete das Radio ein. Die Betriebsanzeige leuchtete auf, doch im Gerät rührte sich nichts. Nur ein Rauschen war zu hören. Er kurbelte die Stationen ab. Nein, nichts ...

Verdammt, was war los? Ungläubig starrte er den kleinen grauen Kasten an, probierte es erneut, fluchte, schlug mit der gesunden Hand auf das Gehäuse, als könne er ihm so eine Stimme, wenigstens Musik oder sonst irgendein vertrautes Geräusch entlocken.

Das Radio blieb stumm. Nur daß das Rauschen von

einem Knattern abgelöst wurde. War der Kasten wirklich kaputt? Irgendein Scheiß-Transistor mußte durchgeschmort sein, was sonst?

Gut, dann waren sie abgeschnitten von der Welt. Sind wir das nicht sowieso? dachte Ron ...

Noch einmal ließ er den Strich der Markierung wandern, wollte schon abschalten, als er eine undeutliche Stimme vernahm: »... BERICHTETEN, STREIFTE DIE VON DEM WIRBELSTURM AUSGELÖSTE FLUTWELLE DIE WESTSEITE DER LATE-INSEL UND RICHTETE DORT, WIE DER LUFTWACHT-DIENST DER MARINE MELDET, VERHEERENDE VERWÜSTUNGEN AN ... AUSSERDEM ...«

Außerdem – was? Er schob den Kopf so weit vor, daß seine Stirn das Gehäuse berührte. Nichts. NULL. ZERO ... Nichts als ein Knattern, dieses Mal begleitet von einem ekelhaft auf- und abschwellenden sägeartigen Ton.

Er blickte hinaus zur See.

Die riesige Wolke stand dort, wo er sie zuvor gesehen hatte. Sie schien nicht größer und nicht kleiner geworden zu sein. Eine gewaltige Kumulus-Bildung. Sah aus wie ein verdorbener Blumenkohl. Was bedeutete sie? Einen Hurrikan, was sonst? Du hast es doch gehört – Herrgott nochmal – ausgerechnet jetzt!

Aber mußte der Hurrikan hierherkommen? Konnte er nicht vorbeilaufen oder noch weit, weit entfernt sein? Die Late-Insel lag mehr als dreihundert Kilometer von hier. Dreihundert Kilometer, was sind das schon für einen richtigen Hurrikan? Der Besen, mit dem er alles wegfegt, ist gewaltig. Dreihundert Kilometer bedeuten nichts ...

Ron schloß die Augen. Vergiß es, flüsterte in ihm eine Stimme. Vergiß es doch! Bring das hier erst mal hinter dich … Genau das würde er tun!

»Afa? Wie steht's? Kann ich dir helfen?«

Afa'Tolou nahm den Kopf schräg. Er gab keine Antwort, er musterte Ron nur, und an seinem Gesicht war abzulesen, was er dachte: Ausgerechnet du? Wie willst du helfen? Du bist doch nichts als eine halbe Portion, gerade noch gut zum Zuschauen …

Afa prüfte die Sperre des Drahtseils.

»Afa!« schrie Ron. »Zieh die Käfigleinen an!«

Wieder der gleiche Blick: »Owaku! Ich habe es dir noch nicht gesagt, aber dieses Mal geht Wa'tau in den Käfig. Wa'tau will das so. Er ist jung. Ich kann's ihm nicht abschlagen.«

Ron zögerte. Afa'Tolou wäre ihm lieber gewesen. Aber es ließ sich wohl nicht ändern. In ihren Gedanken, in ihrer Welt bedeutete Jugend Herausforderungen zu suchen, Mutproben zu bestehen, je mehr davon, desto besser. Wa'tau wollte keine Perlen, Wa'tau wollte sein »Mana«, die Kraft seiner Männlichkeit beweisen.

»Wenn du meinst, Afa. Gut, dann soll Wa'tau in den Käfig.«

Und da stand er schon: Schmal, lang, und in den Augen die ganze Erwartung seiner siebzehn Jahre. Die Sauerstoffflasche war bereits auf seinem Rücken festgeschnallt. Die Maske hing noch um seinen Hals.

»Wa'tau!«

»Ja?«

»So geht das nicht. Es ist besser, du ziehst dir den Moltopren-Anzug an.«

»Aber das Wasser ist doch warm …«

»Schon. Aber falls irgendwas los ist...«

»Los ist?« Fragend sah der Junge ihn an.

»Falls es Ärger geben sollte, kann das Moltopren schon einen gewissen Schutz bedeuten.«

Wa'tau nickte widerstrebend. Nach fünf Minuten stand er, in schwarz und dunkelblau schimmerndes Moltopren gehüllt, wieder am Käfig.

Afa zog ihn jetzt heran, und Wa'tau stieg hinein.

»Schalte die Kamera gleich ein, Wa'tau. Vor allem den Scheinwerfer. Bei dem schlechten Licht heute kannst du ihn für die Arbeit gebrauchen.«

»In Ordnung.«

Das Licht flammte auf. Afa erhob sich. Sein Daumen deutete zum Himmel: »Eine Stunde, Owaku. Eine Stunde und keine Minute länger.«

»Eine Stunde, Afa«, bestätigte Ron.

Nun gab es nichts mehr zu sagen. Die Brandung vor der Bucht war lauter geworden. Ron hatte das Gefühl, als zerre die »Paradies« an ihrer Kette wie ein nervöses Pferd.

Wieder ging er hinauf zum Cockpit, holte das Fernglas vom Bord und schickte den Arm zum Teufel, der selbst jetzt, eingelullt von all den Tabletten, kein Verständnis für abrupte Bewegungen zeigte.

Er setzte das Glas an die Augen. Es war äußerst lichtempfindlich, aber die Bucht blieb dunkel wie zuvor. Nur daß die Wasseroberfläche inzwischen kleine Wellen überzogen.

Er streckte den Kopf durchs offene Fenster: »Okay! – Es kann losgehen!«

Der Motor begann zu summen. Afa löste die Bremse. Noch sah er Wa'tau im Käfig stehen. Mit den auseinandergestellten Beinen, den ausgebreiteten Armen und den Händen, die sich um die Eisenstäbe krallten, sah er tatsächlich aus wie ein junger Gorilla.

Dann war Wa'tau mitsamt dem Käfig verschwunden.

Es war nun acht Uhr zwanzig.

Die Unruhe in Ron steigerte sich zu einer Spannung, die unerträglicher wurde als die Schmerzen.

Er beugte sich über den Bildschirm. Er sah graue Käfigstäbe, Wasser und wie schon gestern eine Menge Dreck – Staub und Korallenpartikel, die im Licht der Lampe einen trägen Tanz drehten.

Gerade schwamm ein buckliger, orangefarbener Korallenfisch quer vor die Kameralinse. Hier – Wa'taus Rücken. Auch er war eingehüllt in Schmutzschleier, doch in derselben Sekunde erschienen sie klar im Bild: Die ersten Austern!

Und die Hand, die das Messer hielt und immer und immer wieder zwischen den schwarzen Schalen verschwand, war deutlich zu sehen.

Wa'tau arbeitete vollkommen ruhig. Konnte er auch. Im Käfig war er sicher, vielleicht nicht so sicher wie in Abrahams Schoß, dachte Ron, und die Erinnerung an gestern, an den Zirkus, den die Hai-Monster abgezogen hatten – Riff-Haie waren es wohl, aber welches Format sie doch hatten – die Erinnerung an die ganze Aufregung und Panik saß ihm noch in den Knochen. Nein, gestern hatte er nicht sehr gut ausgesehen, Hendrik hatte wohl recht gehabt. Aber schließlich ... was war schon geschehen? Nichts. Nichts als daß er durchgedreht war, unnötigerweise eine Handgranate geworfen und sich damit Hendriks Zorn auf den Hals geladen hatte.

»Owaku?«

Der Eingang zum Cockpit hatte sich verdunkelt. Afa war eingetreten. Ohne ein Wort ging er zum Bildschirm, betrachtete schweigend seinen Bruder bei der Arbeit, drehte sich um und sagte: »Wir holen ihn hoch. Wir holen ihn sofort hoch.«

»Was?«

»Du hast nicht verstanden, Owaku?«

Rons Lungen blähten sich. Er suchte nach Worten. Er hielt diesem dunklen Blick stand, gab ihn zurück – und schüttelte den Kopf. »Angst?« fragte er schließlich.

Afa gab keine Antwort.

»Eine Stunde, hast du gesagt, Afa. Die Stunde ist noch nicht vorbei.«

»Ja. Aber es ist keine Stunde wie die andern. In dieser Stunde kann Schlimmes geschehen ...«

»Ich ehre dich als einen Mann, Afa. Ein Mann aber steht zu seinem Wort. Auch Wa'tau wird nun ein Mann. Und einer, der ein Mann wird, muß manchmal Gefahren zu ertragen lernen.«

Wieder gab Afa keine Antwort, sah ihn nur an, dann zuckte er die Schultern, drehte sich um und verschwand.

Ron sah ihm nach. – Die richtigen Worte finden, das ist es bei ihnen! Er dachte es ohne Genugtuung.

Er ging zum Schirm. Das dumpfe Pochen an seinem Hals verstärkte sich, und er widmete ihm mehr Aufmerksamkeit als dem undeutlichen Geschehen auf dem TV-Gerät. Es ließ sich nicht stoppen, genauso wenig wie das eisige Prickeln, das langsam sein Rückgrat hochwanderte, oder wie die Schmerzen, die sich wieder verstärken wollten. – EINER, DER EIN MANN WIRD, MUSS MANCHMAL GEFAHREN ZU ERTRAGEN LERNEN ... Und du? Du guckst dirs im Fernsehen an. Himmelherrgott nochmal ... wenn Afa nun recht hat? Und er hat vermutlich recht! Auch Ron spürte es jetzt, die »Paradies« begann zu schwanken, rollte über; Wellen waren aufgekommen, starke Wellen ...

Aber das war es nicht, es war etwas anderes. Es schien, als erfahre er ganz deutlich den Ursprung dieser dunklen, unbenennbaren Kraft, die sein Herz trommeln ließ und die Gedanken in den Abgrund einer unbegreiflichen, nie gekannten Furcht sandten.

Er fuhr herum und ging zum Fenster. Er preßte den Kopf an die Scheibe, sah über die Bucht hinauf zum Berg, sah die Felsen, sah ein Stück des Weges, der zum Paß führte, und sein Blick glitt weiter zu der Stelle, wo sich hinter den Feuchtigkeitsschwaden die beiden Götterköpfe verbergen mußten. – G'erenge! Der Gott des Sturmes und der Haie. Und neben ihm Onaha, die Göttin der Liebe, der Insel und des Meeres.

Nomuka'la aber, beider Diener, hatte sich G'erenge unterworfen ...

War es das? Saß Nomuka'la wieder dort oben und sandte seine Flüche? Ach was, er konnte, er durfte sich nicht länger von diesem Humbug beeinflussen lassen! »Du hast dich auf diese Geschichte völlig fixiert«, hatte Hendrik gesagt. Und lag damit vermutlich vollkommen richtig.

Und dennoch: Es war wie eine Vibration, und sie erfüllte die Luft mit Schwingungen, die heranflogen, sich in rhythmischen Intervallen wiederholten, ihm gegen den Magen, den Kopf drückten, in die Gedanken drangen.

Etwas geschah, etwas mußte geschehen, war schon geschehen ... jetzt! Jetzt, in dieser Sekunde ...

Wie er die Treppe hinab auf Deck gekommen war – er wußte es nicht.

In diesem Augenblick erhob jäh und unerwartet wie ein Faustschlag eine Welle den Rumpf der »Paradies«, so daß Ron sich mit seiner ganzen Kraft gegen den Handlauf stützen mußte und trotzdem beinahe samt der elenden Armschiene aufgeschlagen wäre. Er stöhnte. In dieser Sekunde begriff er, was jetzt, was später geschehen würde – und erkannte wie in einer jähen Vorausnahme der Dinge, daß sich nichts mehr tun ließ, daß alles umsonst gewesen war ...

Das Wasser hatte jede Transparenz verloren. Keine Bodenformation, keine Muschelbank, keine Algen, keine Korallen, nichts gab es preis. Nur die Schatten gab es. Sie waren klar zu erkennen. Vielleicht, weil sie noch dunkler waren, vielleicht, weil sie sich bewegten, vielleicht auch, weil sie so riesig schienen ...

Schienen? – Sie waren es! Größer waren sie als die Haie von gestern. Nicht drei oder vier, die hier waren fünf, sechs Meter lang. – Riff-Haie, Tiger-, vielleicht die noch gefährlicheren Weißen Haie?

»Afa!«

Als ob Schreien noch helfen würde! Er brauchte nicht hinzusehen, er hörte es: Ein Metallton, ein dunkler, singender Glockenton, ein gemeines, tiefes, sich wiederholendes Hämmern. Himmelherrgott, was konnte das sein?

Er wußte es bereits. Sie schlugen ihre Zähne in das Eisen, versuchten es im Killerwahn mit den mächtigen Kiefern zu zerstören. – Das konnten sie nicht tun! Das doch nicht ...

Sie taten es. Jetzt. Dort unten. Sie rammten den Käfig, warfen den gewaltigen Impakt ihres Tonnengewichtes dagegen, knallten die Zähne gegen die Stäbe ...

Daran hast du nicht gedacht, was? Daß so etwas möglich sein würde, war dir entgangen. Warum eigentlich? – Weil es unfair ist und nicht ins Konzept paßt. Diese Haie aber halten sich nicht an die Spielregeln …

Und wieder!

Seine brennenden Augen fixierten den fingerdicken silbernen Strich des Stahlseils. Er zitterte, schwang, drehte sich.

»Afa! – Hochholen!«

Aber der Motor lief ja schon. Und das Seil schwang wieder.

Sie trieben den Käfig zwischen sich hin und her wie einen gottverdammten Punching-Ball.

Welche Erklärung gab es sonst? Sie hatten ihren Spaß damit, diese Scheiß-Horror-Ungeheuer …

Und du, der dir und einem siebzehnjährigen Jungen alles eingebrockt hat, du schnappst nach Luft, bist nichts als ein elender Krüppel, kannst nichts, kannst absolut nichts tun … Und es ist deine Schuld, jawohl, nur deine!

DU WOLLTEST ES SO, OWAKU …

Ein Plätschern. – Dann ein Rauschen.

Der Käfig.

Ron stolperte ans Heck, hielt sich fest, kniete auf die Rückbank neben Afa'Tolou, der nun nichts war als ein starrer Schatten.

Jetzt: Die Stäbe! – Verbogen … Dahinter Wa'taus Gesicht. Es war zu einer einzigen schrecklichen Fratze des Entsetzens verzerrt.

Ron sah die Fingerknöchel, die das Eisen umklammerten, Wa'taus schreckgeweiteten Augen, die ein irisierendes Licht zu versprühen schienen. Ron schrie. Und er hörte auch Afa'Tolou brüllen.

»Gleich, Wa'tau! Wir holen dich ... Achtung!«

Und dann sah er den fahlen, weiß und bräunlich gefleckten Schädel des Monsters. Die Wellen verzerrten seine Konturen wie in einem Spiegelkabinett und ließen den spitz nach vorne verlängerten Haikopf mit den schwarzen Augenscheiben noch furchtbarer erscheinen. Der Käfig. – Wa'tau war aus dem Wasser. Ja! – Lieber Gott gib ...

»Gleich, Junge! Gleich!«

In diesem Augenblick geschah es. Trotz all seines Geschreis, seiner Gebete – der Käfig schwang aus, fiel zurück, krachte gegen die Heckleiter, zersplitterte sie ...

Er nahm alles zur selben Zeit wahr: Das Haimaul mit seinen grauenhaften Reihen wie mit der Feile zugespitzten Zähne, Wa'taus Schrei. Er hörte auch das Rauschen des Wassers, das Brüllen Afa'Tolous ... Doch all die Eindrücke blieben verwaschen und unwirklich, denn seine ganze Aufmerksamkeit war wie in einem Fokus auf ein einziges Bild gebündelt: Die Hand am Eisenstab. Wa'taus Hand. Weiß traten die Fingerknöchel hervor, während sie versuchte, sich festzuklammern. Nun öffnete sie sich, glitt den Stab entlang, der Körper fiel ...

Nein! – Warum ... warum ... warum nur?

Ron warf sich nach vorne. Zugreifen! Die Schmerzen rasten vom Arm durch seinen Körper. Er hing jetzt halb über Bord – und griff ins Leere.

Nun wußte er, was geschehen war: Beim Aufprall des Käfigs mußte der Fuß des Jungen seinen Halt verloren haben. Wa'tau war abgerutscht, als der Tiger-Hai aus dem Wasser schnellte und den Schädel gegen den Käfig rammte. Gleichzeitig hatten, wie die Bügel einer Falle, die zähnegespickten Kiefer eines zweiten Monsters zugeschlagen. Dort waren sie, funkelten im wie mit dem Zirkel gezogenen Halbrund aus der Grauen und Tod verheißenden, weit aufgesperrten Riesenklappe des Fischmauls. Und dazwischen - oh Gott! - Blut ... Fleisch ...

Die Zeit war stehengeblieben.

Sie gerann zu einer einzigen Schreckensvision. Er sah die weiße Hai-Unterseite. Das Riesenmaul. Die Augen. Das war er, der »Weiße« - Nomuka'las Killer!

Noch einmal bog sich aus dem kochenden, tobenden Aufruhr ein Menschenkörper. Gleich einer zerfetzten Schale hing das Moltopren von Wa'taus Brustkorb und dem zerfetzten Bauch. Biegt sich wie der Leib des Gekreuzigten ... Blut kocht ... Gedärme und Fleischfetzen hängen von weißen Beckenknochen ...

Ron hörte sich brüllen.

Er hatte irgend etwas in der Hand, wollte stoßen, werfen, stechen - konnte nicht, fiel von der Bank zurück und wurde aufs Achterdeck geschleudert.

Deine Schuld ... nur deine ...

Die Schmerzen schossen wie sengende Flammen durch seinen Körper und löschten alles Grauen ...

Als Hendrik zum zweiten Mal an diesem Morgen erwachte, war es kurz nach acht. Lanai'ta schlief noch immer.

So leise, wie es ihm möglich war, stand er auf und zog seine Sandalen an. Jacky hatte sich naß gemacht. Er hob ihn aus seinem Bett heraus. Der kleine Junge lächelte verschlafen und zufrieden, als er ihn trockenrieb und auf den Topf setzte.

Dann schob er die Türe auf und ging auf die Veranda.

Er blickte sich um. Nun wußte er, was so seltsam, so

anders war an diesem Morgen: Die Stille ... Irgendwann in seinen Träumen hatte er einen kurzen abgebrochenen Hahnenschrei gehört, daran erinnerte er sich genau. Nun aber – kein Laut. Dabei war es die Stunde der Vögel. Überall in den Zweigen und in den Baumkronen unterhielten sie sich, flogen hin und her, besangen den Morgen. Nicht jetzt. Und nicht nur das Schweigen war beunruhigend, auch Felsen, Bäume, Sträucher waren wie erstarrt.

Drüben in Rons Fale rührte sich nichts.

Hendrik goß sich Tee auf, und es wurde ihm klar, daß er keinen gewöhnlichen Wetterwechsel erlebte. Hier kündigte sich Größeres, Schlimmeres an.

Hendrik verbrannte sich den Mund an der Tasse, ließ den Tee stehen, lief hinaus durch den Garten und dann den Hang hoch, um sich einen Blick auf das Meer zu verschaffen. Von Lanai'tas Haus war es nicht zu sehen.

Ein Pazifik wie Metall.

Der Horizont hatte sich in schmutzige Rauchbänder aufgelöst. Im Nordosten aber schob sich tiefdunkel und keilförmig wie ein geballtes Zeichen von Gefahr eine dunkle Form in den Himmel, verbreitete sich an der Spitze zu einer Art pilzförmigen Überwölbung.

Hendrik hatte nur einmal einen Hurrikan erlebt. In den Bergen der Philippinen. Und er war über ihn und das Dorf, in dem sie die Station hatten, ohne Vorankündigung gekommen. Da die Batterien ihres Gerätes erschöpft waren und sie das Radio nicht anstellen wollten, um den letzten Strom für Notrufe zu sparen, mußten sie völlig unvorbereitet den Höllenwirbel von Wasserstürmen und Weltuntergang ertragen. Dabei waren sie lediglich von einem Ausläufer der Wirbelstürme getroffen worden ...

Er rannte zurück zu Lanai'tas Fale.

Er hatte das Haus noch nicht erreicht, als er die Menschen sah, die den Weg zwischen den Palmen und den Zuckerrohrpflanzen heraufeilten. Es waren Frauen. Zwei ältere Frauen und zwei Mädchen. Sie alle trugen Lasten auf dem Kopf. Dahinter kam eine Gruppe Kinder. Sie schrien laut und hell durcheinander.

Die erste der Frauen hatte ihn erreicht. Dick war sie und breithüftig. In ihren dunklen Augen standen Angst und Entschlossenheit zugleich. Er kannte sie. Doch wie sollte er in der kurzen Zeit all die Gesichter und Namen auseinanderhalten?

»Was ist? Wo geht ihr hin?«

Sie sagte etwas - und er verstand nur das Wort »G'erenge«.

Ron hatte ihm den Namen schon genannt. War das nicht der Gott des Sturmes, der böse Gott ...?

Eines der Mädchen hob den Arm und deutete den Hang hoch. Er folgte der Bewegung und sah einen fast horizontalen Felseinschnitt. Er sah aus wie der Eingang zu einer Höhle. Der helle Fleck - ja, da bewegte sich ein Mann! Er sah zu ihnen herunter und winkte ...

Der Berg war die Zuflucht, die sie in solchen Situationen aufsuchen, ihre Festung gegen den Sturm ...

Unten nahm ihn wieder die dunkle Stille des Fales auf. Jacky saß noch immer auf seinem Topf. Lanai'ta hatte sich angezogen und war dabei, seinen Brei zu rühren.

Hendriks Herz schmerzte plötzlich. »Lanai'ta ... ein Hurrikan.«

Sie ließ den Löffel sinken, drehte sich um und sah ihn aus weit geöffneten Augen an.

»Und er kommt bestimmt? Weißt du es ...«

»Ja. Die Leute gehen schon in die Höhle.«

Äußerlich blieb sie ruhig, aber er beobachtete, wie sich ihre Finger zusammenkrampften. Sie blickte zu Jacky hinüber. Dann fragte sie: »Wissen es Tama und Ron? Hast du sie gesehen?«

Er schüttelte den Kopf.

Ihre Lippen begannen zu zittern. Sie stand auf. Er ging zu ihr, nahm sie in den Arm. »Hab keine Angst, Lanai'ta. Wir gehen zur Höhle, die ist sicher.«

Sie nickte. »Laß zuerst die Ziege frei. Und dann die Hühner. – Und ... schau nach Tama.«

Er lief wieder hinaus, durch den Garten, hinüber zu Tama und Rons Haus. Als er an der Werkstatt war, brüllte er: »Ron ...«

Er erhielt keine Antwort. Doch in der Luft war nun ein feines Sirren. Die Palmenblätter rieben aneinander. Wind kam auf.

»Ron!«

Oben an der Treppe stand Tama.

»Wo ist er?« rief Hendrik zu ihr hoch.

»Ron? Ist er nicht bei dir im Haus? Ich dachte, er sei bei euch.«

In ihrer Stimme waren Dringlichkeit und Verzweiflung. Er lief zur Treppe.

»Sein Bett ist leer«, sagte sie. »Er hat Kaffee getrunken. Er ist weg.«

»Vielleicht ist er zur ›Paradies‹? Ein Sturm kommt auf. Vielleicht sucht Ron vorsichtshalber einen anderen Liegeplatz.«

Er hörte sich reden. Vielleicht, was heißt das schon? ... Vielleicht, vielleicht. Nur eines war sicher: Daß dieser Verrückte auf ihn und seine ärztlichen Ratschläge pfiff. Sich ruhig verhalten, den Arm schonen, von wegen! Was man auch unter »vernünftig« bezeichnen mochte – Ron tat genau das Gegenteil!

Ging es ihn noch etwas an, was dieser gottverfluchte, sture Hund wieder vorhatte? ...

»Tama, komm mit zu Lanai'ta. Wir gehen in die Höhle. – Es scheint ein Hurrikan aufzukommen.«

Sie schüttelte den Kopf, rannte die Treppe hinab. »Tama!« – Sie sah ihn nur an. Er versuchte sie festzuhalten, sie entriß sich seiner Hand. »Wo willst du hin, Tama?«

Er sah ihr nach, wie sie den Garten durchquerte, an den Bananenstauden vorbeilief, die Bambustür aufstieß. Nun leuchtete ihr rotes Kleid zwischen den Stämmen der Palmen. Dann war sie verschwunden.

Er massierte ratlos den schmerzenden Rücken ... Ein jäher Windstoß ließ sein Haar flattern, brach die lastende Schwüle. Er versuchte klar zu denken: Jetzt ... – Die Ziege. Die Hühner. Auch Tamas Hühner ...

Er mußte sich selbst davon abhalten, schon wieder loszurennen. Langsam ging er zu der Reihe der Bambuskäfige hinter den Hibiskussträuchern. Da saßen sie, nun die Federn aufgeplustert, dicht aneinandergedrängt. Die Käfige waren untereinander mit Lianenschnüren verbunden. Er rüttelte daran.

»Raus mit euch. Na macht schon! ...«

Er beugte sich nieder, sah spitze Schnäbel. Rotumringte Augen starrten zurück.

»Los! Haut ab. Es ist besser für euch.«

War es das? Wer schon kann sagen, was uns allen bevorsteht? Tiere vielleicht? Nun, sie ahnten es zumindest ...

Er konnte keine Rücksicht nehmen. Er rüttelte am Käfig. Die Hühner regten sich nicht. Er stieß mit den

Sohlen gegen die Rückwand und hatte ein schlechtes Gewissen, aber er stieß so lange, bis sie davonflatterten, und das Gleiche wiederholte er drüben, bei Lanai'tas Hühnern.

Nun noch die Ziege. Sie sah ihn an mit diesem wissenden Blick ... Er schob ihr das Halfter vom Kopf: »Los, los!« Sie rannte sofort. Sie wenigstens schien vernünftig ...

Seine Zeit war längst vorüber. Doch was bedeutete das schon? Von Anfang an hatte er verrückt gespielt, ließ sich in keines der Schemen pressen, die die Meteorologen für ihn bereithielten. Schließlich: Im Gebiet der Pazifik-Inseln haben Hurrikane im Sommer Saison, und das sind die Monate von September bis März. – Dieser hier kümmerte sich nicht darum. Er schlug zum ersten Mal am elften April zu ...

Seine Wiege war das Meer. Und das Meer bleibt unberechenbar für den Menschen. Niemand konnte erwarten, niemand hatte auch nur bemerkt, daß es sich in einer begrenzten Region weit im Westen der Insel Tofua bis zu einer Oberflächen-Temperatur von 28,5 Grad aufheizte und riesige Wasserdampfmassen zum Himmel sandte.

Scher-Winde, kühlere, seitliche Windströmungen taten das übrige: Sie brachten die feuchtwarme Thermikglocke, die sich da aufbaute, in Drehung, ein furchteinflößendes Waschküchengebilde entstand und schob sich neuntausend Meter in den Himmel. Seine Innenwände, aus denen sintflutartig die abkühlenden Wassermassen in die Tiefe stürzten, begannen sich zu drehen, bewegten sich schneller und schneller, rasten streng im Uhrzeigersinn um einen stillen Kern, endlose Blitzserien und anhaltendes Donnergrollen bildeten wie die Fanfaren des Jüngsten Gerichtes das Begleitkonzert zu dieser gewaltigen Turbine der Zerstörung. Und der Luftverbrauch, der sie am Leben hielt, zog sogartig aus allen Seiten riesige Luftmengen an.

Das Meer schien mit langen Dünungswellen zu fliehen, bis seine Oberfläche sich in haushohen, überschlagenden Brechern und kochendem Gischt auflöste.

Und während diese Wetterhölle wie eine Walze am Westrand der Tonga-Inseln vorbeirollte und Richtung auf Tonu'Ata nahm, nahm die Windgeschwindigkeit in ihrem Innern weiter zu: Hundertneunzig, zweihundertzehn, dann zweihundertdreißig Kilometer pro Stunde. Bis sie dann am Morgen des 14. April auf zweihundertsechsundvierzig Kilometer anstieg ...

Es war kurz vor neun Uhr, als Afa'Tolou, der letzte lebende Sohn Tapanas, den Motor der »Paradies« startete.

Afa'Tolou hatte den bewußtlosen Ron Edwards von Deck gehoben, ihn hinüber in den Salon getragen und dort auf die Bank gebettet. Mehr konnte er nicht tun. Dann war er zu seinem Platz am Heck zurückgegangen, hatte den Sperrbolzen der Drahtseilhalterung gelöst und zugesehen, wie der Käfig in die Bucht platschte und rasch im Nichts versank. Schließlich hatte er seine Muschelkette vom Hals gestreift, sie gleichfalls ins Wasser geworfen, wo sie noch einige Sekunden tanzte und von den jäh aufgekommenen, wilden Wellen fortgetrieben wurde und dann unterging.

Draußen an den Felsen hatte die Brandung inzwischen einen tiefen, drohenden Orgelton angestimmt.

Afa'Tolou holte den Anker hoch. Er wußte, was ihn erwartete. Der Himmel schien ins Meer gefallen zu sein. So weit er sehen konnte – und dies war nicht sehr weit – nichts als schwarze Wellentäler, weiße Schaumkronen, peitschende Gischtbänder.

Er gab der Maschine den vollen Schub.

Dröhnend warf sich die »Paradies« in den Aufruhr. Kaum war sie aus der Bucht, wuschen die Brecher über Deck und trommelten aufs Kajütendach wie tausend Fäuste.

Afa'Tolou aber sang.

Er sang, die Beine breit aufgesetzt, die Fäuste um das Steuerrad geklammert. Er sang alle Lieder, die halfen, Wa'taus Geist, diesen noch jungen, zarten, unerfahrenen Geist von den Schrecken zu lösen, die dieses grausame Ende ihm bereitet hatte.

Die Wellen aber rollten weiter gegen das Schiff. So winzig, so klein, so verloren wirkte es jetzt ... G'erenge würde bestimmen, ob er wieder an Land kam. Nichts lag mehr in Afa'Tolous Hand. Es war auch nicht wichtig. Nichts war mehr wichtig ...

Die Insel aber war nur noch ein Schatten im Grau.

Wasser brach ins Cockpit. Es überspülte den Videoschirm, von dem aus Owaku hatte zusehen wollen, wie Wa'tau die Austern aus der Bank schnitt.

Eine neue Welle verdunkelte den Steuerstand, ließ die Welt zu gläsernem Grün werden, schlug Afa'Tolou ins Gesicht, riß diesen verdammten Fernseher von seinem Tisch, so daß er hilflos an seinem Kabel pendelte.

Vielleicht kenterte jetzt die »Paradies«. Und? – Vielleicht war der bewußtlose Owaku im Salon längst von seiner Bank gefallen? Und? – Nein, nichts war wichtig ...

Doch die »Paradies« war tapfer wie ein Krieger. Ihr Bug tauchte wieder auf, und Afa erkannte, daß er gerade ein langes Wellental anschnitt. Er riß das Rad herum, kurbelte es nach Steuerbord. Wieder, wie auf den Seelöwen-Rutschbahnen seiner Jugend, als sie durch die Basaltrinnen flitzten, ging es abwärts. In seinen Ohren war noch lauter als das tobende Meer das grelle Geräusch der leerlaufenden Schraube.

Nun ... sein Magen zog sich zusammen, schob sich hoch ...

Dort vorne! Der Eingang der Lagune! So nah ...

Er aber warf den Kopf nach rechts, blickte zurück, drehte sich ganz um, öffnete weit die Augen: Afa'Tolou wollte erleben, was und wie es geschah ...

Eine Mauer hatte sich vor all den Wellen und Schaumkronen gebildet.

Dunkel und endlos war sie, und sie teilte das Meer. Eine Mauer, die nicht Schutz, sondern Tod und Zerstörung bedeutete: Der unbegreiflich hoch zum Himmel steigende Kamm einer Flutwelle.

Afa'Tolou spürte noch, wie sie nach dem Schiff griff, es hochhob, trug und trug und trug, immer weiter, übers Riff hinweg, in die Lagune hinein. In Sekundenschnelle sah er den Strand heranfliegen. Aber da war jetzt kein Strand mehr, da war nur noch Wasser ... Wasser und Palmenstämme, die wegbrachen wie Streichhölzer ...

Dann gab es ein langes, winselndes, schürfendes Geräusch. Und dann - nichts. - Nur Splittern, Wasser und Dunkelheit ...

Von Rons Gartenmauer, an der Hendrik Merz stand, zog sich eine langgestreckte Zuckerrohr-Pflanzung den Hang hinab zu den Palmen. Er hatte ihren Anblick geliebt, das ewig frühlingshafte, frische, lichte Grün. Die Farbe war jetzt erloschen, die langen Rohre schaukelten aufgeregt in den harten Böen, die sie aneinanderpreßten, so daß es schien, als habe ein unsichtbarer Pflüger Furchen in sie gezogen.

Himmel, was war das?! All die verschiedenen Geräusche, die der Sturm gebracht hatte, das grelle Singen in den Zweigen, das Poltern gegeneinanderschlagender Äste, das ganze erregende, bedrohliche Konzert ging unter in einem einzigen dunklen, fremdartigen, schrecklichen Ton. - Es war ein Fauchen, das den Himmel, nein, die Welt erfüllte. Ein Fauchen, das sich höher und höher zu einem schrillen Geheul steigerte und lauter wurde als der Höllenlärm zehn zu gleicher Zeit startender Düsen-Riesen.

Hendrik warf sich zu Boden.

Mit einem letzten, ungläubigen Blick hatte die Netzhaut aufgenommen und festgehalten, was sich bot: Das Zuckerrohr - verschwunden. Die mannshohen Rohre lagen flach und glatt am Boden. Die Palmen dahinter ... zunächst schien es, als würde es sie zum Himmel treiben. Ihre Kronen schossen hoch, bündelten sich zu schwarzen hin und her schlagenden Peitschenschlangen, dann bogen sich die Stämme und brachen. Er sah, wie sich das Giebeldach des Fales löste, in die Höhe schoß wie ein verrückt gewordenes Luftschiff und wie der Sturm es in Fetzen zerriß. Die Erde bebte unter dem Aufprall von Trümmern und zerschlagenem Holz.

Flach auf die Erde gepreßt, hob er den Kopf. Über ihm tanzten Dachteile, Mattenreste, Flechtwerk, Zweige und Blätter ein gespenstisches Ballett. Darüber aber, noch höher und nicht zu begreifen, flogen schwarze

Rechtecke. Er wußte, was das war: Wellblech! Die Dächer der Krankenstation und der Werkstatt – Rons Stolz …

Ron! – Herrgott …

Ron … Tama … Und Lanai'ta, Jacky … Mein Gott: Jacky!

Er versuchte sich zu erheben, der Luftstrom erfaßte ihn wie eine Riesenfaust und schleuderte ihn zehn Meter weiter. Er schloß die Augen, krallte die Hände in Grasbüschel, suchte mit den Zehen Widerstand, preßte den ganzen Körper flach auf die Erde.

Lanai'ta … Der Kleine … Das darf nicht sein! Das kannst du nicht wollen … Das doch nicht!

Es war viel, viel Zeit vergangen, seit Hendrik Merz sein letztes Gebet gebetet hatte. Und es hatte eine andere Zeit gegeben, da ihn all das unverschuldete Leid und all der unverschuldete Tod, den er erlebt hatte, dazu brachten, Gott nicht nur zu leugnen, sondern zu verachten.

Nun flossen ihm die Worte zu: HERR! NIMM ES VON UNS. WAS IMMER DEIN WILLE AUCH SEIN MAG. – DENK AN DIE KINDER UND BEENDE DIESE PRÜFUNG …

Der Herr aber sandte Wasser. Regen war es nicht zu nennen, was vom Himmel brach. Das war Wasser kompakt. Wasser, das über seinen Rücken schoß, Wasser, das Lehm, Steine, selbst kleinere Felsen mittrug, das an ihm vorbei – und über ihn hinwegrauschte, seinen Mund mit Erde, Dreck und Blättern füllte, so daß er kaum atmen konnte und hustend nach Luft schnappte. Endlose Minuten ging es so. Nun jedoch – ja, die Gewalt des Sturms schien etwas nachzulassen. Für wie lange? – Lauf, dachte er. Los! Renn!

Und Hendrik rannte, rannte, rutschte, fiel, riß sich wieder hoch. Rannte weiter. Keuchend hielt er sich an einem zersplitterten Baumstamm fest.

Lanai'tas Fale - er war verschwunden! Nichts als Trümmer ... Nur ein Mauerrest aus Basaltblöcken, der Küchenteil, den Jack Willmore gemauert hatte, zeichnete sich in dem grauen Wasservorhang ab.

»Lanai'ta!«

Er brüllte, stieß sich vorwärts, wühlte sich durch Bretter, Palmfasergewirr, Lehm, Steine, Pflanzenreste und erreichte das Haus.

Da waren sie, genau an der Stelle, wo er sie vermutet hatte: In der Ecke, die die Mauer bildete. Sie kauerten am Boden. Lanai'ta hielt Jacky mit beiden Armen umschlungen, den Oberkörper über ihn geneigt, so daß von dem Jungen nichts zu sehen war als der Rücken, um den sich ihre Hände klammerten.

Sie sah hoch. Ihr Gesicht schien nur aus Augen zu bestehen. Er kroch zu ihr hin, kauerte sich neben sie, legte den Arm um ihre Schultern. Sie zitterte nicht. Sie drehte nur den Kopf, und dann vernahm er den merkwürdigsten und in seiner Einfachheit grotesken und gleichzeitig befreiendsten Satz, den er je vernommen hatte: »Ich habe alles gepackt, Hendrik!« kam es durch das Toben des Sturms.

Ich habe alles gepackt ...

Dort, einen Meter von ihm entfernt, lehnte ein grauer Sack an der Wand, einer dieser US-Armee-Säcke, die auch in amerikanischen Feld-Hospitälern verwendet wurden. Das rote Kreuz darauf war von Sonne und Wetter verblichen und verwaschen. Er mußte Jack Willmore gehört haben ...

»Ich hab' deine Sachen reingesteckt. Wir müssen rauf in die Höhle.«

Er nickte.

Das Sturmgeräusch war noch weiter abgeebbt. Er stand auf, reichte ihr die Hand: »Gehen wir, Lanai'ta, ehe es wieder anfängt.«

»Ja«, sagte sie. »Und du nimmst das Kind. Du bist stärker. Ich trag den Sack. Der kann in den Dreck fallen ...«

Zehn Minuten später streckten sich ihnen aus dem klaffenden Felseinschnitt am Hang helfende Arme entgegen ...

Ein junges Mädchen rannte heraus, um Lanai'ta, die gekrümmt unter der Last des Gepäcks ins Rutschen gekommen war, zu helfen. Auch das Mädchen wurde nun von Sturm und Regen erfaßt und zu Boden geworfen.

Jacky hing wie ein kleiner Affe an Hendriks Brust, als der Arzt als erster die Höhle erreichte. Er drückte den leise schluchzenden Kleinen einer Frau in den Arm, wandte sich um, rutschte den Berg hinab zu Lanai'ta, zog sie hoch ... Und in dieser Sekunde, so, als sei er über die eigene Atempause zornig, schlug der Sturm erneut zu, zerstäubte die Wassermassen, die vom Himmel brachen, zu gischtigem, milchweißem Schaum. Lehmbraune Fluten schossen den Berg hinab. Sie rissen Baumstämme, Astreich, herausgerissene Wurzelstücke mit sich und stürzten über die Felsen ins Tal. Ein Rauschen, Gurgeln ... ein Katarakt aus Schmutz, Dreck und tanzenden Wasserwirbeln ...

Tama hatte den tiefen Erdofen vor Wo'nus Haus erst im letzten Augenblick gesehen. All das Wasser machte sie blind. Es war ohnehin schon zu spät: Sie schlitterte, versuchte sich noch festzuhalten, fiel in das viereckig ausgeschachtete Loch. Das Wasser, das darin stand, bremste den Aufprall auf die Steinauskleidung. Knochen und Zweige schwammen in der braunen Brühe, aber die triefendnassen Wände boten wenigstens Schutz vor dem Sturm, dem sie sich gerade noch hilflos wie ein Strohhalm ausgeliefert gesehen hatte und der sie in den Schlamm geschleudert hatte, so daß sie nur noch kriechen konnte.

Ihre Augen waren verkrustet. Sie schluchzte. Und dann tauchte sie die Hand in das schmutzige Wasser und rieb sich das Gesicht, um wenigstens den Blick frei zu bekommen.

»Owaku.«

Aber Owaku mußte tot sein. Owaku war fort, war auf dem Schiff, sie fühlte, sie ahnte es, und diese Ahnung kam ihr, wie so oft, mit der brutalen Klarheit der Erkenntnis.

In ihrem Mund war der bittere Geschmack von Erde und Sand. Sie schob sich hoch: Gras, wie fliegendes Haar ... Wasser, das mit wildem Rauschen durch die Senke schoß ... Was war aus den Palmen geworden? Stumpfe, geborstene oder flachgedrückte Stämme, ein fremdes, unbegreifliches, grauenhaftes Holz und Blätter-Chaos, aus dem sich vereinzelte wild flatternde Palmwedelkronen schoben.

Sie krallte die Finger in die Erde.

Dort ...

Flach, schattenhaft wölbte sich aus der Zerstörung etwas, das ihr im ersten Moment wie ein gewaltiger, lebloser Fisch erschien. Als nun der Regen nachließ, erkannte sie den verdreckten Rot-Anstrich eines Schiffes. Es gab nur ein einziges solches Schiff ...

Das Wasser stand Tama nun bis zur Taille. Und es stieg weiter. Wenn sie noch länger in diesem Loch bleiben mußte, würde sie ertrinken wie ein Ratte. Sie stemmte die Füße gegen die Seitenwand des Erdofens, fand einen Stein, spannte alle Kraft, fand einen zweiten, schob sich hoch, wie draußen – um von der Titanen-Kraft des Sturmes zu Boden geschleudert zu werden.

Dieses Mal war sie nach wenigen Metern im Windschatten der Baumruinen. Sie konnte sich sogar erheben. Gebückt, die Füße bis zu den Knöcheln in tiefem Schlamm, arbeitete sich Tama vorwärts. Scharfkantige Palmenblätter schnitten in ihre Haut. Sie spürte es nicht einmal.

»Owaku ...«

Das Boot lag seitlich, und das Deck, Gott sei Dank, auf der windabgewandten Seite. Zersplittertes Glas, zerrissene Leinen, verbogenes Blech, herausgerissene Ausrüstungs-Teile und Trümmer der Saloneinrichtung, das alles lag auf dem nassen Sand und auf zerschmetterten Korallenstöcken, die die Flutwelle mit herangetragen hatte.

Sie zog sich an einer verbogenen Relingstange hoch. Aber sie war zu schwach. Von irgendwoher kam eine Hand, umklammerte ihren Arm. Und da war eine zweite. Sie fühlte sich gezogen, rutschte über das nasse Deck, wurde festgehalten.

»Afa...« sie flüsterte es. »Afa, Afa ...«

Er schleppte und schob sie wie eine nasse Puppe durch eine Öffnung. Die Geräusche klangen jetzt gedämpft, nur noch das Rauschen des Wassers war zu vernehmen. Benommen sah Tama sich um. Licht drang von oben, drang durch drei kleine ovale Scheiben, über die Wasser lief, und dann endlich fügte ihr Verstand die Eindrücke zusammen: Sie war im Salon. Das Schiff lag zur Seite gekippt. Das Wasser konnte nicht herein. Und der Sturm klang hier in der Abgeschlossenheit wie in einer Regentonne. Sie könnte sprechen, wenn nur die Lippen mitmachen würden.

»Owaku ... Ist er ...« Sie wagte den Satz nicht zu Ende zu bringen.

»Er lebt«, sagte ihr Bruder da.

Sie schloß eine Sekunde die Augen. Dann sah sie Afa an. Sein Gesicht war von Blut verkrustet, Blut sickerte noch immer über die Stirn. Es kam aus einer Wunde, die die nassen Haare verbargen. Seine Lippen waren verschwollen, und mit diesem verzerrten, verformten Mund versuchte er ihr zuzulächeln.

»Aber ... Wie ... Die Paradies ...«

»G'erenge«, sagte er, »G'erenge hat den Himmel und das Meer aus den Angeln gehoben. Er hat eine Welle geschickt. Groß wie ein Berg.« Sie nickte: Nicht nur Himmel und Meer, die Welt war aus den Angeln.

Er kroch an ihr vorbei, kam mit einem Kissen wieder und schob es unter ihren schmerzenden, nassen Rücken. Ihre Zähne begannen zu zittern, schlugen gegeneinander. Sie konnte den Kiefer nicht beherrschen, und nicht den Magen, der sich immer und immer wieder zusammenkrampfte.

»Wo ist er ...«

»Owaku? – Dort.«

Sie sah ein dunkles Deckenbündel in der Ecke. Sie wollte aufstehen.

»Laß ihn. Er ist bewußtlos. Und das ist gut so. Es geht vorüber.«

Ihr Kopf sank nach vorne. Nichts würde vorübergehen. Es war doch schon alles geschehen. Der Regen würde ewig auf sie herabstürzen, und die Welle würde wiederkommen.

»Wa'tau ist tot«, sagte ihr Bruder da leise …

Zweimal bereits hatte der alte Antau die Frau mit dem unförmigen schwangeren Bauch vom Eingang zurück in die Höhle gescheucht. Diesmal rannte sie in den Regen hinein, warf anklagend beide Arme zum Himmel, und ihr Schrei, dieser verzweifelte Schrei aus dem wie in Trance zurückgeworfenen Kopf übertönte selbst Orkan und Regen.

»Mein Kind« schrie die Frau. »Mein Junge. Gib ihn mir! Gib ihn mir!« Sie schrie es immer und immer wieder.

Antau riß sie zurück.

»Du wirst ihn finden«, brüllte er. Hör endlich auf! Der Junge ist in einer anderen Höhle. Geh zurück zu deinem Kleinen. Oder haben die bösen Geister dir den Verstand gefressen?«

Wasser stürzte vom Himmel, ganze Flüsse hatten sich am Berg aufgetan. Die Felsbrocken und Steintrümmer, die sie mitführten, ließen den Boden zittern, aber in die Höhle drang das Wasser nicht.

Ein Art Kanal hatte sich gebildet, führte vom Eingang in einen Felsspalt und von dort wohl in eine noch tiefere Bergkammer, vielleicht in ein ganzes unterirdisches Labyrinth, in dem die Erdgeister hausten. Nein, hier konnte ihnen das Wasser nichts anhaben. Seit Jahren hatten die Menschen der Insel im Bauch des Berges Zuflucht gefunden.

Der Boden war trocken. Lanai'ta hatte Jacky in eine Decke gewickelt und auf diesen wunderbar trockenen

Boden gelegt. Und während die anderen Kinder sich stumm und verstört wie kleine Tiere an ihre Mütter und Schwestern drängten, lag Jacky, die Knie angezogen, und hatte den Daumen im Mund.

»Er schläft«, flüsterte Hendrik überwältigt. »Tatsächlich – er schläft ...«

Er streichelte Lanai'tas Schulter. Sie war es gewesen, die Jack Wilmors Sack in einer unglaublichen Kraft-Anstrengung die Wasser- und Orkanhölle bis hinauf in die Höhle geschleppt hatte ... Und im Sack waren Decken, Windeln, Nahrung, ein Regenmantel, Jack Wilmors Taschenlampe. Lebensmittel für den Kleinen. – Und noch dazu Hendriks Arzttasche. Es war wirklich unglaublich!

Die Tasche konnte er gebrauchen. Er hatte bereits zwei Platzwunden versorgt und einer Frau und drei schreienden Kindern Beruhigungsmittel verabreicht.

Nun ging er hinüber zu Antau.

Am Höhleneingang, der sich wie ein Froschmaul im schwarzen Naß der Felswand öffnete, war das Orkan-und Wassertoben so laut, daß man schreien mußte, wollte man sich verständigen.

»Geht bald vorbei«, schrie Antau.

Bald? Was ist das? Was war nun aus Minuten, Stunden, was war aus der Zeit geworden? ... Wie lange hockten sie schon in der Höhle?

Der alte Mann strich sich mit der Hand Nässe aus den grauen Haaren. Er schüttelte sich. »Bald wird es still sein ... Nicht allzu lange, ... dann wird es wieder anfangen. – Nicht ganz so schlimm ...

Es wird still sein? – Er meint das Auge des Hurrikans, sein Zentrum. Der verdammte Hurrikan brach ja nicht zusammen, er rotierte, und seine Mitte bedeutete einige Minuten trügerischer Ruhe. Vielleicht würde es still werden. Wieviele Minuten konnten es sein? Es hing von der Hurrikan-Größe ab. Vielleicht war dann Zeit genug, um zu sehen, was aus Tama, Ron und den anderen geworden war.

Tama und Ron ... Er konnte nichts anderes denken, seit er sich in Sicherheit wußte.

Antau zog ihn ins Höhlen-Innere. In die nasse braune Haut zogen sich tiefe Falten. »Ich weiß, was G'erenge uns schickt.« Er hob die Faust und ließ einen Finger nach dem anderen aufspringen. »Neun solcher Stürme habe ich in meinem Leben erlebt. Weißt du, was das heißt? Einmal war ich sogar mit dem Kanu draußen auf dem Meer. Der Sturm hat mich wie einen toten Fisch auf die Klippen geworfen. – Aber ich lebe immer noch.«

Hendrik schwieg. – Wo steckten Ron und Tama? Was war mit den Menschen des Dorfes geschehen? – Was gingen ihn jetzt Geschichten von vergangenen Hurrikans an?

»Das ist kein großer Sturm«, rief Antau. »Und der ist schon alt. Du wirst sehen, bald wird er keine Kraft mehr haben.«

Vielleicht war es kein großer Sturm – aber ihm reichte er ...

Es waren nur wenige Minuten vergangen, als das Heulen sich tatsächlich abschwächte. Dann aber, ganz so, als wäre hinter der Katastrophe ein unsichtbarer Regisseur am Werk, hellte der Himmel auf, der Regen ließ nach, aus Dunkel wurde Licht, und es gab nur noch ein einziges Geräusch: das Rauschen und Gurgeln der Wasserströme, die sich ihren Weg zum Meer brachen ...

Die Nebelfront hatte sich vollkommen aufgelöst. Was zuvor verwischt und undeutlich gewesen war, erhielt nun klare, kantige Umrisse: Das Dorf war weggefegt, die Trümmer verstreut, als habe ein Bombardement stattgefunden. Dieser Trümmerhaufen jedoch war umgeben von zersplitterten und abgebrochenen Palmen. Mitten in diesem Wirrwarr von verbogenen Stämmen und Baumstümpfen lag ein Schiff. Das Schiff lag auf der Seite. Der Bauch war mennigrot. Darauf jedoch glänzte – ja, das war tatsächlich Sonnenschein!

Es gab nur ein Schiff von dieser Größe auf Tonu'Ata: die »Paradies«.

Diesmal hatte es auch den alten Antau gepackt. Er stand neben Hendrik und stieß einen heiseren Tierlaut aus, etwas, das nach Überraschung und Staunen klang. Dann sagte er ein paar Worte, aber sie gingen im Geräusch des herabschießenden Bergwassers unter.

Antau schlug ein Kreuz. Wo hatte er nur gelernt, ein Kreuz zu schlagen? fragte sich Hendrik. Das heißt – hatte ihm Ron nicht irgend etwas von einem Missionar erzählt? Vage erinnerte er sich ...

Ron ... Falls Tama recht gehabt hatte und Ron sich doch auf dem Schiff befand ... Vielleicht war sie selbst dort? Aber wer konnte diese Strandung überlebt haben?

»Hendrik!« Lanai'ta rief es erregt aus. »Das ist die ›Paradies‹! Himmel, wie ist denn ...«

Ja, wie war das möglich? Lanai'ta klammerte sich an seinen Arm.

»Antau, gehst du mit?« fragte Hendrik den Alten.

»Was denkst du denn?« sagte Antau.

»Ich auch.« Lanai'ta ließ los.

»Geht nicht. Denk doch an Jacky ...«

»In der Höhle sind genug Frauen, Hendrik.«

»Trotzdem«, sagte er.

Er hatte bereits die ersten Schritte getan – und den ersten Rutscher.

»Hendrik! – Deine Tasche!«

Wenigstens sie behielt einen klaren Kopf! Mann, wenn du diese Frau nicht hättest ... Dr. Merz, die bewährte Fachkraft des RK-Notarzt-Teams, international anerkannt, mit Verdienstorden ausgezeichnet – und was tut er? Vergißt sein Besteck gleich beim ersten Einsatz! Hoffentlich braucht er es nicht ...

Er nahm die Tasche und nickte ihr zu. Dann begann die Rutschfahrt. Eine Rutschfahrt war's nicht allein, auch ein Waten in Dreck und Schlamm. Dreimal sackte er bis zu den Knien ein, und Antau mußte ihn herausziehen.

Sie hatten den falschen Weg gewählt. Nur hundert Meter weiter rechts gab es ein Felsband, das sich zwischen den Gemüsegärten und Pflanzungen bis zum Rande des Dorfplatzes zog. Nur, daß es keine Gemüsegärten und Pflanzungen mehr gab. Nichts mehr gab es.

Auch keinen Dorfplatz.

Aber als sie auf Fels stießen, ging es besser.

»Achtung, Hendrik!«

»Gottverdammich ... Die Erde hatte sich geöffnet und schickte einen Geysir braungurgelnden Wassers in die Luft. Als sie es trotz allem geschafft hatten, das Dorf zu erreichen, blieb Hendrik keuchend stehen. Das einzige, was sich aus der graubraunen Masse der Fale-Reste erhob, die alles bedeckte, waren die zementverfugten Basaltmauern, die Ron für die Krankenstation und die Werkstatt errichtet hatte.

Antau hob den Arm und ließ seinen Finger kreisen. Das Gesicht war traurig.

»Das bauen wir alles wieder auf, Antau.«

»Ja.« Er zeigte seine wenigen Zahnstummel. »Und größer als zuvor.«

Hendrik legte den Kopf in den Nacken und sah zum Himmel. Nun lief ihm ein Schauer über den Rücken: Dunkle, graue Wolkenmauern - Wolkentürme, wohin man auch sah. Wie die Wände eines Höllengefängnisses umschlossen sie selbst hinter den Bergen das bißchen Ruhe, das bißchen Licht, das der Sturm ihnen nun ließ.

Das Auge des Orkans ... Aber die Wolken näherten sich, um erneut über sie hereinzubrechen. Dreißig Kilometer - er erinnerte sich, daß er das irgendwann aufgeschnappt hatte - dreißig Kilometer kann der Hurrikan-Kern betragen. Das hier war weniger, viel, viel weniger ...

»Weiter!« brüllte er.

Sie liefen. - Weiter! hämmerte es in ihm. Na, wird's schon, los! Gleich fängt der Zirkus von neuem an!

Er sah ertrunkene Schweine, tote Hühner, tote Hunde. Und alle vom gleichen Braun eingefärbt, umschlossen von einem Panzer aus Lehm und Schlamm. Aber keine Menschen, keine Lebenden, und - Gott sei Dank - auch keine Leichen.

Wahrscheinlich war diese Anstrengung vollkommen sinnlos. Was auch geschehen sein mochte, eine Flutwelle, die die Kraft besaß, eine Yacht wie die »Paradies« bis in den Palmenhain zu schleudern, hatte alles mitgenommen, fortgespült, was noch atmete. Und deshalb ...

»Hendrik!«

Eine Stimme. Sie hing schrill wie ein Vogelschrei über dem allgegenwärtigen Rauschen.

Es war Tamas Stimme!

»Tama!« Er rannte an Antau vorbei, strauchelte, lief weiter. Schlamm troff aus seinen Haaren. »Komm, Antau! Sie lebt!«

Ja, sie lebte. Doch wo war sie? Als er sich schweißüberströmt und keuchend durch das Pflanzengewirr gearbeitet hatte und der Rumpf der »Paradies« schon zum Greifen nahe schien, sah er etwas, das lebte, leben mußte, weil es sich bewegte, weil es auf ihn zugekrochen kam, etwas, das aussah wie eine braune Schlange im Lehm. Jetzt erhob es sich, entfaltete Arme und Beine und besaß als Gesicht nur eine braune Schlammaske, in die Augenschlitze geschnitten waren. – Tama! Mein Gott, Tama ...

Er ging zu ihr. Sie hustete. Er fuhr ihr mit der Kante der Hand über die Wangen, versuchte sie zu säubern wie eine Mutter ihr Baby.

»Owaku ist dort, Hendrik ... Im Schiff. Auf der anderen Seite kann man rein ...«

Auf der anderen Seite war auch Afa'Tolou. Und Afa sah nicht viel besser aus als seine Schwester.

»Wo!« schrie Hendrik ihm zu.

»In der Kajüte.«

»Was ist mit ihm?«

Das Schlammgespenst, zu dem Afa geworden war, sah ihn nur an.

Über einen abgebrochenen Palmenstamm kletterte der Arzt an Deck. Und von dort suchte er sich halb kriechend einen Weg in den Salon der »Paradies«. Und dort, im Dunkeln, in einem Winkel und auf einer aus den Angeln gerissenen Tür, die Afa ihm wohl untergeschoben hatte, lag Ron.

Es gab keine Fragen zu stellen. Jede Untersuchung erübrigte sich. Die Verbände hatten sich gelöst. Die Armschiene mußte er irgendwann und irgendwo verloren haben. Der Arm hing nutzlos, schlaff und bläulich verfärbt in seinem Gelenk.

»Ron ...«

Ron rührte sich nicht. Er stöhnte auch nicht. Die Augen aber waren geöffnet. Er mußte fürchterliche Schmerzen haben, doch auf seinem Gesicht stand jener Ausdruck maskenhafter Ruhe, den Hendrik Merz so oft bei Schwerverletzten erlebt hatte, wenn die Grenze des Erträglichen überschritten war.

»Ron, geht dir gleich besser.«

Es kam keine Reaktion.

Hendrik öffnete seine Tasche, nahm die Morphiumspritze, ertastete sich an dem angezogenen Unterschenkel eine passende Stelle und stach ein. Auch jetzt kein Zucken. Er ließ die Hand liegen, wo sie war, und wartete. Und er spürte, wie sich die Muskeln entspannten.

Jemand drückte an seinem Rücken. Und dann kam Tamas Stimme aus dem Halbdunkel: »Hendrik ... Sag doch, Hendrik, wird er ...«

»Natürlich wird er. Ich bring ihn schon durch. Einer wie Ron kommt immer durch. Ich habe ihm Morphin gegeben ... Aber jetzt, Tama, jetzt geht's um jede Minute, verstehst du? Wir können nicht hierbleiben. Und wir können Ron auch nicht hierlassen. Wir müssen ihn hinauf in die Höhle bringen. – Wo ist Afa?«

»Unten. Bei Antau.«

Und dann sagte sie: »Wa'tau ist tot ...«

Wa'tau? – Er versuchte sich vorzustellen, was es bedeutete und was alles vorausgegangen sein mußte, wie es kommen konnte, daß ein Schiff von der Größe der »Paradies« gleich einem Spielzeug in den Palmenwald geschleudert wurde.

Doch da sagte sie: »Er ist schon in der Bucht gestorben ... Ron war mit ihm in der Bucht. Die Haie haben Wa'tau zerrissen ...«

In der Bucht? Sie waren in der Bucht? Sie mußten doch gesehen haben, welch ein Unwetter sich zusammenbraute! Nur ein Irrer wie Ron konnte auf diesen Einfall kommen.

Der alte Zorn erwachte wieder. Aber wenn er je fehl am Platze gewesen war, dann jetzt. Wa'tau war Tamas junger Bruder gewesen. Einen hatte sie bereits verloren, den ältesten. Um so wichtiger war es, Ron durchzubekommen ...

»Es muß schnell gehen, Tama. Was ich jetzt brauche, sind Stricke oder Gurte oder so etwas Ähnliches. Ich werde ihn auf dieser Türe festbinden. So kann ich einigermaßen seinen Körper stabilisieren. Und mit der Schlepperei wird es dann vielleicht auch einfacher werden.«

Sie nickte und verschwand. Sie kam mit zwei breiten Ladegurten mit Bügelverschlüssen zurück. Sie hatte sie im Handumdrehen gefunden. Nun kroch auch Antau in die Kabine und brachte weitere Stricke.

Sie arbeiteten schweigend und in fliegender Hast. Ron hielt die ganze Zeit die Augen geschlossen, doch Herzschlag und Atmung schienen weiterhin stabil.

Hendrik fragte sich, ob Ron wach war oder ob er das Bewußtsein erneut verloren hatte. Auch das war jetzt nicht wichtig. Nichts war wichtig, nur eines: Ihn hier rauszubekommen und dann den Berg hochzuklettern, ehe der Hurrikan erneut begann ...

Es war ein Traum, was sonst?

Ron schwebte. Er schwebte durch einen langen

Korridor. Die Wände wuchsen in endlose Höhen, es waren Wände aus glattem, poliertem Stahl; ja, er schwebte, fühlte sich völlig schwerelos. Er trug zwar Schlittschuhe an den Füßen, aber er schwebte wie ein Lufthauch über das Eis. Es war das Eis des Rotberg-Sees, das Eis, auf dem er in den langen Eifel-Wintern seiner Jugend Schlittschuh gelaufen war. So wie jetzt – einfach nur so hinwegschweben, sich drehen ...

DU HAST ES SO GEWOLLT, OWAKU!

Ja. Oh ja, mein Alter ... Ich habe es so gewollt! Ruf mich nicht. Du hast recht ... Nur, daß ...

Ein Knistern übertönte die Metallstimme. Nein, das will ich nicht ... Nicht die Risse, die sich schwarz auftaten, nicht das schwarze Wasser, das aus den Rissen hervorquoll ... Ins Eis brechen, das – nein ... oh nein ... Aber die Risse konnten ihm nichts anhaben ... Er schwebte ja.

»Verflucht nochmal!« rief eine Stimme, und der Ruf hatte seltsamerweise ein Echo. »Verflucht nochmal! – Verflucht nochmal ... nochmal«, hallte es. Und dann: »Antau ... Paß auf ...«

ANTAU? – Wer war Antau? Paß auf. Ja, paß auf ...

Er fiel jetzt, schlug auf und spürte nicht das Geringste. Es war so, als wäre sein Körper eine Hülse aus Ton, eine zerbrechliche Hülse vielleicht ... zerbrechlich, aber ohne jede Empfindung.

Seine Lungen zogen sich zusammen. Der Magensaft, der in seine Mundhöhle schoß, hinterließ einen leichten, fast unmerklich bitteren Geschmack.

Ron schlug die Augen auf. Über ihm – Schatten. Um ihn ein auf- und abschwellendes Geräusch. Das kannte er, dieses Rauschen, es hatte ihn ewig begleitet und würde immer sein ...

»Hier kommen wir nicht weiter. So geht das nicht, gottverdammich!«

Die Stimme dröhnte, sie füllte seinen Schädel. Wie die Stimme Gottes ... Doch Gott würde niemals sagen: »So geht es nicht weiter«. Gott wußte stets den richtigen Weg ...

»Owaku? – Hast du Schmerzen? Paß auf jetzt ...«

Owaku! ... Owaku ... Owaku ... Das war er selbst. Und wer da rief – Tama!

Die Erinnerung nistete sich in sein Bewußtsein, schob ihre Fühler aus, und dann wurden die Dinge klar: Owaku! – Er wußte, woher das Wasser kam, und er wußte, was das Rauschen bedeutete. Er wußte alles ...

Für den Rückzug zur Höhle hatten sie sich zu einem anderen Weg entschlossen.

Wie ein Wall verschloß ein Gewirr aus abgebrochenen Ästen und umgefallenen oder abgeknickten Stämmen das Wrack der »Paradies«.

Afa'Tolou hatte eine Schneise gebahnt, durch die sie den breiten Ziehweg zur Lagune erreichen konnten. Antau und Hendrik Merz trugen die Türe mit der Last des reglosen Körpers. Tama half, wann immer die beiden Männer rutschten oder ein neues Hindernis auftauchte, auch dann, als die Last für Antau zu schwer wurde.

Sie hatten bereits den westlichen Dorfausgang erreicht, befanden sich am Fuß des Hanges, als Antau endgültig in die Knie ging. Er keuchte und schüttelte den Kopf. Tama packte zu. Sie wußte selbst nicht, woher ihr die Kräfte zuwuchsen, aber sie trug minutenlang die Last alleine – bis Afa zurückkam, um sie ihr abzunehmen.

Der Weg war unter den Schlamm- und Geröllmassen kaum zu erkennen. Trotzdem boten die auf der Hangseite vorspringenden Felsen einigermaßen Schutz.

Es war der Weg, der hinauf zum Paß führte. Von oben würden sie die Höhle erreichen ...

Die beiden Götterbildnisse blickten seit Menschengedenken über Bucht und Meer. Niemand auf der Insel wußte zu sagen, wer die Köpfe von G'erenge und seiner Schwester Onaha aus dem Stein geschlagen hatte. Auch in den ältesten der vielen Legenden, die auf Tonu'Ata erzählt wurden, wurde der Name des Mannes nicht genannt. Wie alles andere war er längst selbst zu Erde und Staub geworden.

G'erenge und Onaha aber bewachten weiter die Insel, beschworen Unheil oder Glück, und damit dies für ewig so bleibe, kamen die Menschen, brachten ihre Gaben und Opfertiere, lauschten die Priester den Stimmen des Himmels und sprachen ihre Gebete.

Der letzte dieser Priester war Nomuka'la gewesen ...

Aber weder die Menschen von Tonu'Ata noch Nomuka'la hatten bemerkt, daß die Wölbung des Steins, die wohl die Schulter der Götter andeuten sollte, einen Sprung aufwies. Und wäre dieser Riß gesehen worden, wer weiß, vielleicht hätten viele darin ein gutes Zeichen gesehen. Mußte Onaha, die Schützerin allen Lebens und die Patronin von Tonu'Ata, sich nicht längst vom Gott der Zerstörung lösen? War es nicht in den Gesetzen des Himmels geschrieben, daß dieser Gegensatz eines Tages sichtbar wird ...

Nun war er es geworden. Das Wasser, das die Erde zittern ließ, das Geröll und Steinsplitter in die Tiefe warf, hinab zur Bucht, hatte den Riß zu einem großen Spalt geöffnet.

Noch immer blickte Onaha wie zuvor hinaus auf die sturmgepeitschte See. G'erenge aber hatte den Kopf geneigt. Und nicht nur geneigt – der Kopf schien sich vom Rumpf lösen zu wollen.

Wer wußte schon davon? Niemand. Nur wenige Minuten hatte der alles zerstörende Wirbel des Hurrikans dem Leben auf der Insel eine Ruhepause gegönnt.

Dann schlug der Orkan erneut zu.

Längst hatten die sintflutartigen Regengüsse die Senke gefüllt, die sich oberhalb des Passes entlangzog, doch eine feste Masse aus Holz, Lehm und Geröll hatten den Abfluß verschlossen. Als nun der Regen wieder vom Himmel brach und neue Sturmböen mit der gleichen unverminderten Gewalt den Berg hochrasten, neigte einer der hohen Tiuna-Bäume, die dort oben wuchsen, die Krone nach vorne. Das Wasser hatte ihm die Wurzeln ausgewaschen, der Halt brach weg, nun splitterte er, stürzte, den Wurzelstock voran, in die Senke, zerschlug den Pfropfen aus Dreck und Trümmern und donnerte von der Flut getragen gleich einem gewaltigen Geschoß den Berg hinab.

Hinter ihm aber tanzte in grotesken, immer höher werdenden Sprüngen ein einziger runder Stein.

G'erenge!

Onaha blickte starr in den Aufruhr. Ihr Bruder hatte sich für immer von ihr getrennt ...

Der Blitz teilte die jäh einfallende Dunkelheit und überzog riesige Wolkengebirge mit Feueradern. Schon folgte der Donner.

Sie hatten die Hälfte des Weges hinauf zum Paß und zur Höhle zurückgelegt. Ihre Glieder waren wie Blei. Der Lufthunger drohte die Lungen zu sprengen, und sie spürten, wie auch der letzte Funken Kraft aus ihnen wich. Die Pausen waren immer kürzer geworden. Die improvisierte Tragbahre, diese gottverfluchte Türe über die Steine zu schleppen, es ging nicht mehr. Sie zogen, schoben, stützten, wie es irgendwie ging, rissen sie an Stricken hinter sich her und vermieden dabei, einen Blick auf das Gesicht des Verletzten zu werfen.

Tama hatte Ron ein Stück Stoff, das sie unterwegs gefunden hatte, unter den Kopf geschoben. Sie hatte ihn geküßt, gestreichelt. Was half das alles? Morphium half. Oder sollte zumindest helfen ... Morphium und das bißchen Hoffnung, das ihnen geblieben war ...

Sie kauerten sich um den festgebundenen Körper. Und der Regen prasselte schon wieder auf ihre Haut, der Sturm prügelte ihre Rücken.

Hendrik versuchte sich zu orientieren. Der Plan, Ron unter diesen Umständen und auf diese Weise hoch bis zur Höhle zu schleppen, erschien ihm nun aussichtslos. Was aber sollten sie sonst tun?

Wenn wenigstens der Regen nachlassen würde! Der Arzt stand auf, um besser sehen zu können, doch eine Böe schleuderte ihn zu Boden, warf ihn neben Tama und Afa, die schweigend an der Kopfseite der Trage kauerten.

»Er wird sterben ... Wir alle werden sterben, Hendrik.« Mit Tamas Selbstbeherrschung schien es vorbei. Kein Wunder! Lange genug hatte sie durchgehalten, jetzt rannen Tränen aus ihren Augen, ihr Körper zitterte. »Wir werden sterben ...«

»Den Teufel werden wir!«

Stumm hob Afa den Arm. Milchigtrübe Regengüsse versperrten den Blick. Doch halt – dort drüben schob sich eine Felsschräge quer über den Weg! Vielleicht half sie nicht gegen das Wasser, doch zumindest vor dem Sturm bot sie Schutz.

Antau kam herangekrochen.

»Dort drüben!« schrie Hendrik. »Los! Das ist nicht weit ... Packen wir alle an. Das ist zu schaffen!«

Taumelnd, unter Aufbietung ihrer letzten Energie erreichten sie den natürlichen Schutz der Wand.

»Antau, Afa! – Wir schichten Steine hoch. Da legen wir Ron drauf. So kann er nicht so naß ...«

Er redete nicht weiter. Ein zunächst beinahe hörbares, dann immer stärker werdendes Geräusch ließ ihn zusammenfahren. »Tama, komm hierher! – Antau!«

Wasser brach über den Fels herab. Eine unvorstellbare Menge Wasser. Der Fels schirmte sie ab. Eng aneinandergeklammert, wie hinter einer silberschimmernden Wand standen sie, starrten sich an, suchten eine Erklärung und fühlten sich selbst dazu zu erschöpft.

Dann schrie Tama auf. Sie schrie seinen Namen: »Hendrik! Hendrik!«

Es dauerte einige Herzschläge, bis er begriff! Er war wie betäubt: Die Türe mit Ron – verschwunden!

»Owaku ...«, wimmerte Tama. »Lieber Himmel ... nein ... Owaku ...«

Ihr Bruder sah sie an. Er hob beide Arme, die leeren Hände waren nach außen gewendet. Es ist passiert, hieß das. Was sollen wir noch machen? – Nun gibt auch noch Afa auf, dachte Hendrik. Er hat ihn abgeschrieben. Womöglich zu recht ...

Dann holte er tief Atem. Etwas tun! Nur was? – Vielleicht war es eher Reflex oder Routine als Überlegung, die ihn nach der Notarzttasche greifen ließ. Das Bild der anderen, ihrer wie zu Stein erstarrten Gesichter nahm er in seinem Bewußtsein mit, als er sich, die Tasche fest umklammert, hinaus in den Aufruhr warf.

Der Vorhang war verschwunden. Woher auch die Flut gekommen sein mochte – nur noch breite, silberne Wasserfransen troffen von der Steinkante herab. Aber der Sturm zerrte an seinen Haaren, wollte ihn zurückdrücken, war so stark, daß er den Oberkörper weit nach vorne beugen und die Füße gegen den Boden stemmen mußte.

Der wirft dich nicht um, nicht länger ... Er betete es fast.

»Ron!« Seine Augen tasteten den Hang ab, versuchten dieses Gebräu aus Wasser, Sturm und Nebel zu durchdringen. »Ron!!«

Er kletterte über Steine, schnappte nach Luft – blieb stehen. Sein Herz schlug schnell und hoch, ein Hämmern in den Schläfen wie am Hals.

Die Türe lag seitlich hochgekantet. Ein Teil der Türe ... Nichts weiter als ein Rechteck, das sich kläglich unter dem gewaltigen, runden, naßschimmernden Stamm ausnahm, der seinen unteren Teil begrub.

Hendrik schluckte. Er rutschte den Hang hinab. Der Irrsinn nahm kein Ende! Mein Gott! – Und jetzt ...

»Ron?« Seine Lippen formten den Namen. »Oh, verdammt nochmal, hat's dich aber erwischt ... Ron!«

Wie sollte Ron noch hören? Wie überhaupt konnte er noch leben?

Hendrik beugte sich über das Gesicht. Ron hatte die Augen weit offen. Über die aufgeschlagenen Lippen rann Blut zum Hals. Nasse, zerrissene Stoffetzen klebten an seinem Leib, Äste und Laub verdeckten den Unterkörper. Die Stricke und Gurte hielten ihn noch immer auf dem Holz fest, sein Brustkorb aber war in einem unbegreiflichen und gefährlichen Winkel abgebogen.

Nun begriff Hendrik auch den Grund: Es war der Arm! Der linke, gottverdammich, der linke, der verfluchte, verletzte, geschiente, genagelte Arm! Ausgerechnet ...

Mit seinem Tonnengewicht hielt der Stamm ihn gegen den Fels gequetscht.

»Hörst du mich, Ron?«

Er brachte den Mund an Rons Ohr, sagte es wieder: »Ron! – Kannst du mich hören?«

Das Wasser hatte den Schmutz aus seinem Gesicht gewaschen. Die Augen schlossen sich nun, die Lider zitterten. Tiefe Furchen zogen sich von den Augenwinkeln zu den Schläfen. Aber der Mund war nicht zusammengepreßt, und in der Farbe der Lippen konnte er keine Anzeichen eines beginnenden Sauerstoffmangels entdecken. Und darauf kam's an. Auch der Brustkorb hob und senkte sich im Rhythmus des Atemholens.

Nein, nichts von einem Todgeweihten, nichts Moribundes war zu entdecken. Ron hatte kein Trauma, keinen Schock erlitten. Das Morphium? Vermutlich. Es wirkte weiter. Vielleicht hatte die Bewußtseinstrübung, die er wohl haben mußte, ihn abgeschirmt?

»Gleich, Alter«, flüsterte Hendrik. »Laß mal sehen ...«

Seine nassen Fingerspitzen tasteten nach der Halsschlagader. Elender, verdammter Scheiß-Stamm! Beinahe hätte er Ron erschlagen. Aber er schirmte ihn, schirmte sie beide wenigstens etwas vor dem Sturm ab. Selbst den Regen hielt er einigermaßen ab. Hier – der Puls. Und noch immer beachtlich. Was für eine Konstitution hatte dieser verrückte Bursche doch! Was weiter? Wie ihn rauskriegen? Nein, das war ausgeschlossen. Aber die Lösung? – Welche?

Nur eine gab's: An die aber mochte Hendrik Merz nicht denken ... Doch während seine innere Abwehr gegen das Wort »Amputation« stärker und stärker wurde, spulten sich wirr in seinem Gehirn, wie im Speicher eines defekten Computers, tausend verschiedenste Gedanken ab: Fachwissen, eigene Erfahrung, Worte, Berichte von Kollegen, Informations-Splitter, Operationsbilder – und vor allem Zweifel, Zweifel, Zweifel ...

Den Arm abtrennen? Was für ein Eingriff in dieser Situation! Obwohl – machbar wäre es.

Was jetzt? – Ruhe vor allem, Junge! Nur Ruhe. Nicht auf den Sturm hören, den Atem beruhigen, dich ganz auf die Situation konzentrieren ... Und dann handeln. Was bleibt schon anderes?

Hendrik! Das war überhaupt kein kräftiger Kerl. Der Mann war über siebzig. Und soll ich dir noch was sagen? Seit über drei Tagen lag der ganz allein, ohne einen Tropfen zu trinken, in diesem verdammten, zerschossenen Afghanen-Bunker verschüttet. Ihn rauskriegen? Fehlanzeige. Unmöglich ... Ich konnte nur eines: ihm den Arm durchtrennen. Und du wirst lachen: Er hat überlebt.«

Das zum Beispiel als Beweis, daß es geht. Und Otto Redwitz, dieses alte Chirurgen-Schlachtroß von MSF-Kämpfer, hatte nie geflunkert. Immer war Redwitz an Orten gewesen, wo es Leute portionsweise rauszuschneiden gab. Und das noch unter Beschuß. Manche hatten überlebt. – Manche ...

Erneut brachte er sein Gesicht ganz nah an Rons, als könne er ihn durch seine Gedanken zwingen, ihm zu folgen: Du auch! Du auch, verdammt, Ron. Was ist schon ein Arm? Du hast zwei …

Jemand stieß ihn am Rücken, wollte ihn wegdrängen. - Tama.

»Er ist tot.«

»Nein, er ist nicht tot, verdammt nochmal!«

Da war auch Antau.

»Antau, schieb mal die Tasche her. Und Tama, mach sie auf. Hör auf zu flennen! Paß auf, in der Tasche ist ein graues Band. Eine Staupresse zum Aufpumpen. Siehst du sie?«

»Ja.«

»Dann gib sie her. Nein, leg sie bereit.«

Er mußte Rons Kreislauf schonen, solange es irgendwie ging. Das war der schwächste Punkt.

Wieder betete Hendrik es sich vor: Redwitz' Afghane hat überlebt … Alles. Selbst den Durst. Und eine Infusion hatte Redwitz nicht dabei gehabt. Du hast sie. Eine zweihundertfünfziger Flasche ist zwar nicht viel, aber besser als gar nichts … Was weiter?

Operationsfeld-Desinfektion? Entfällt. Sinnlos … Tetanus-geimpft ist er. Na, das wenigstens. Er hat es mir schon in Pangai gesagt. Kreislauf-Unterstützung? Heparin. Das hast du dabei … Ein weiteres Analgeticum für den Arm … Es darf nicht zu stark sein. Könnte Auswirkungen auf Atmung und Herz haben. Er ist ohnehin mit Dolantin vollgepumpt. Aber das hat er inzwischen ausgeschieden …

Die Checkliste war durch. Und es war gut so, denn all die Überlegungen hatten bewirkt, daß er die Situation objektiv sah: Dies war kein OP-Saal, Ron lag auch auf keinem Tisch, Ron lag eingeklemmt unter einem Stamm. - Wenn schon ... Sag dir einfach: Da ist kein Unterschied. Bet es dir vor! Vielleicht hilft's ...

»Die Taschenlampe, Tama. Hast du die Taschenlampe?«

»Ja.«

»Gib sie Afa. Er soll leuchten.«

»Was willst du tun, Hendrik?«

»Reich mir jetzt die Staubinde.«

»Was willst du tun, Hendrik? Sag's!«

»Und nun die Tasche.« - Seine Hand glitt hinein, fühlte die vertrauten Formen der Behälter, öffnete, strich über die Instrumente.

»Die Antwort, Hendrik!«

»Na, was schon?« Er fuhr herum. Und dann begann er zu brüllen, brüllte gegen den Sturm an: »Der Arm muß ab! Zerstört ist er sowieso! Diesen Arm flickt dir keiner mehr zusammen. Soll er daran verrecken? - Los, die Staubinde!«

Sie sah ihn nur an, und sein Gehirn betete schon wieder die Reihenfolge der Schritte herunter.

Da war wieder Tamas Gesicht, waren Tamas Augen.

Hendrik Merz kämpfte um ein Lächeln, um das berühmte, um Vertrauen bittende Arzt-Lächeln: »Glauben Sie doch, glauben Sie es mir, ist gar nicht so schwierig ...«

Dann war es damit vorbei. »Ich bring ihn durch!« schrie er.

Sie nickte.

»Na also! Wär ja noch schöner! Ron und abkratzen - das wollen wir doch mal sehen ...«

Zwei der alten Frauen waren in der Höhle zurückgeblieben. Der ewige Singsang ihrer Stimmen ließ ihn schläfrig werden. Doch es gehörte zum Fließen der Zeit, zum Fließen der Stunden und Tage und seiner Träume.

Antau und Afa hatten ihm aus den Trümmern des Fales ein Bett gebaut. Es besaß einen soliden Rahmen und bequemes Flechtwerk. In den wachen Stunden sah Ron zu der feuchten Steindecke der Höhle hoch, die meist ein grünlich glimmernder Glanz bedeckte. »Fly Wing«, dachte er, »– Schwarzer Perlmutt«, um dann das Wort sofort wieder zu vergessen …

Hendrik Merz kam alle paar Stunden, wickelte Verbände auf, streute Puder, gab ihm eine Spritze oder legte eine neue Drainage.

»Ich sag dir, Ron: ausgezeichnet! Da kann man ja zusehen, wie das zuwächst. Wirklich prima!« – Und dann verschwand er wieder …

Nur einmal hatte er sich bei Hendrik aufgelehnt: »Was soll ich als Dauerkrüppel? Zu was bin ich mit einem Arm noch zu gebrauchen?«

»Zu allem«, hatte Hendrik gesagt. »Der rechte Arm ist dir schließlich geblieben. – Und außerdem: Du hast noch deinen Kopf.«

In den Nächten schlüpfte Tama ins Bett. Sie erzählte ihre Geschichten. Wie sie den Dorfplatz freiräumten. Daß Hendrik meine, man könne das Radio vielleicht wieder in Ordnung bringen, und daß die jungen Männer bereits oben am Wald seien, um für den Hausbau neue Bäume zu fällen, daß selbst einige der Auslegerkanus wie durch ein Wunder heil geblieben seien …

Die »Paradies« erwähnte sie nie. Sie berichtete, daß sie unter den Trümmern, im Schlamm begraben, eine zerschlagene Schublade gefunden habe. – Und darin noch neun der Perlen.

Aber von Perlen wollte er nichts hören ...

Viel wichtiger war, daß außer ihm auf der Insel niemand verletzt oder gar getötet worden war. Sie hatten sich alle noch rechtzeitig in ihre Höhlen geflüchtet.

Nur eines blieb, wiederholte sich ohne Ende: Die Erinnerung an Wa'tau und an die Sekunden, als sich der Käfig aus dem Wasser hob ...

Wieder ein Morgen. Der wievielte nach dem Weltuntergang? Der Stumpf näßte und juckte. – Das gehöre dazu, hatte Hendrik gesagt. Und es gehe vorbei.

Stimmen wurden vor der Höhle laut. Jemand rief: »Owaku!«

Ron sah hoch. Tapana stand vor ihm. Sein tiefer schwingender Baß füllte den Raum: »Tama, mach Licht. – Wie geht es Owaku?«

Ja. Da war auch sie. Aber der warme, unruhige Schein der Öllampe schälte nur das breite, zerklüftete Gesicht Tapanas aus der Dunkelheit. Es ließ die schwarzen Augen glänzen und warf den Schatten des Häuptlings groß und verzerrt an die Steinwand. Die breiten Lippen waren zu einem Lächeln geöffnet.

»Dreimal war ich schon hier, Owaku ... Du hast immer geschlafen. Und wecken wollte ich dich nicht. Was macht die Wunde? Bald wirst du aufstehen können. Wir brauchen dich, mein Sohn.« – »Mein Sohn«, das Wort traf Ron wie ein Stich ...

»Ich bin gekommen, weil ich dir sagen will, daß du dich nicht mit nutzlosen Gedanken quälen sollst. Solche Gedanken sind der Feind der Gesundheit. Auch Hendrik, der Heiler, sagt es.«

»Ja, Tapana ... Ich weiß, aber ...«

»Nichts aber, Owaku. – Was geschehen muß, geschieht. Was geschieht, ist gut – immer ...«

Hör ihn dir an ... Ron dachte es ohne Ironie. Wie hatte Gilbert gesagt: Tapana ist ein großer Philosoph ...

»Was geschieht, geschieht«, wiederholte Tapana. »Wir haben es erlebt. Der Sturm ist gekommen, und als er sich vollgefressen hatte, ist er wieder fortgezogen. Auch Stürme brauchen Nahrung, Owaku. Und wenn man sie ihnen nicht gibt, dann holen sie sie sich. Auch G'erenge muß zufrieden sein. Denn auch er ist fortgegangen. - Für immer.«

Es hört nie auf, dachte Ron verzweifelt. Gleich würde noch ein Name fallen. - Nomuka'la.

»Meine Schuld«, hörte er sich sagen. »Es war alles meine Schuld.«

Schwer und warm legte sich Tapanas Hand auf sein Haar, und unter dieser Berührung sah er sich in einen früheren Tag versetzt, sah sich wieder am Strand knien, zum erstenmal und halb ertrunken, zerschlagen, wie sein Boot. - Und da war dieser Mann und legte ihm, wie jetzt, die Hand auf den Kopf ...

»Nein! Willst du etwas nehmen, das mir gehört, Owaku? - Meine Schuld ist es. Ich war es, der sagte, daß du bei uns bleibst. Und ich war es, Owaku, der dir meine Tochter gab und der auch das Tabu aufgehoben hat. - Sprech ich die Wahrheit?«

Ron konnte ihn nur ansehen.

»Und dann der Morgen, Owaku ... Erinnerst du dich, als ich zu dir ins Haus kam und wir Bier tranken? Und wir über Perlen und Geld sprachen? - Ich habe gesagt, daß sich Nomuka'la in der Nacht zuvor verleugnet hat ... Aber es war nicht die Wahrheit. Ich habe gelogen. Sein Geist sprach zu mir. Er hat mich gewarnt. Ich habe es nicht gehört, habe es nicht hören wollen ... Ich wollte, daß der Heiler sein Werkzeug bekommt ... Und so ist dann alles gekommen. Nicht durch dich, durch mich.«

Auch dieses Mal gab Ron keine Antwort. Er spürte, daß ihm Tränen in die Augen stiegen und wußte, daß er sich nicht dagegen wehren konnte.

»Das nur wollte ich dir sagen, Owaku«, sagte Tapana. – Und dann war die Höhle wieder leer.

Es war am Abend dieses Tages, an dem Ron Edwards zum ersten Mal aufstand, um die Höhle zu verlassen.

Tama begleitete ihn. Sie wollte ihn stützen, aber er schüttelte den Kopf: »Bitte laß mich. Es geht doch! Es geht sogar wunderbar. Marschieren kann ich ja noch wenigstens allein ...«

Vor dem Eingang der Höhle war er stehengeblieben. Vom Tal, vom Dorf herauf vernahm man Hämmern und das Kreischen der Sägen. Der Platz war bereits freigeräumt. Und über dem Boden erhoben sich schon die ersten Baugerüste.

»Es sieht aus wie in einem richtigen Ameisenhaufen, findest du nicht?« Fragend sah er Tama an.

»Das ist es auch«, lächelte sie. »Wir sind jetzt lauter kleine Ameisen. Hendrik hat bei Lanai'ta schon die Rückwand hochgezogen, und er will auch uns helfen. Und mein Bruder, die ganze Familie, die auch. – Komm.«

Er küßte seinen einen verbliebenen Zeigefinger und legte ihn ihr auf die Stirn. »Nein, Tama. Wir gehen woanders hin.«

Sie sah ihn an. Sie hatte verstanden. Sie seufzte. »Na gut, wenn du willst.«

Und so gingen sie wieder zum Paß. Ron vermied den Blick auf die Zerstörung, auf das helle, verwundete Holz der zersplitterten Bäume, auf die tiefen Furchen, die das

Wasser gezogen hatte, auf die braunen Flächen der Schlammlawinen. Aber die Hibiskusbüsche blühten, leuchtend rot und rosa … Und dort drüben …

Er blieb stehen.

»Ich hab's dir doch erzählt: Es gibt ihn nicht mehr«, sagte Tama, als könne sie seine Gedanken lesen.

Nein, es gab G'erenge nicht mehr! Es gab nur noch seine Schwester. Und die Strahlen der untergehenden Sonne umhüllten ihren glattgeschliffenen, dunklen Kopf mit einem zarten, rosafarbenen Hauch.

Dann waren sie an der Bucht.

Es schien alles so unbegreiflich! – Derselbe Himmel, eine goldgehämmerte Kuppel, durch die einzelne Wolken schwebten. Und die schwarzen Felsen. Das Rauschen der Brandung, das zu ihnen hochklang. Und es war nicht die Brandung allein, lauter als das Meer waren die Wasserfälle, die in weißen Strähnen, von Nebel umweht, in die Tiefe schossen.

»Komm, Tama. Komm.«

Sie setzte sich neben ihn. Lange saßen sie schweigend nebeneinander. Und lange brauchte es auch, bis in sein Bewußtsein das ganze Ausmaß der Veränderung eindringen konnte, das der Sturm gebracht hatte.

Der Steilhang an der Ostseite der Bucht schien sich wie ein unförmiger Bauch nach vorne zu wölben. Die Steinlawine, die sich vom mittleren der drei Vulkane abgelöst haben mußte, hatte die Hälfte der Bucht unter sich begraben. Wie eine schwarze glänzende Sichel drängte der Geröllrand das Wasser zurück.

Es gab keine Perlen mehr zu tauchen. Und es gab auch nicht die Wächter, die es ihnen verwehren sollten: die Haie.

Aber wieder hatte sich das Meer mit einem tiefen Purpur, nein, mit tiefem Blutrot gefüllt. Und wieder sandte die Sonne ihre breite weiße Lichtstraße darüber hinweg. So wie damals, als selbst die Haischatten sich rot zu färben schienen.

Es gab sie nicht mehr. Sie waren verschwunden …

Tonu'Ata *16. September*

Lieber Gilbert, mein guter, alter Copain!

Es ist überflüssig, ich weiß, Du hast es ja selbst erlebt, und wir haben Dich hier genug gefeiert – trotzdem will und muß ich es Dir nochmals sagen: Wir danken Dir! Die Freude über Dein unverhofftes Auftauchen steckt uns allen noch in den Knochen. »Schibe, Schibe!« – man hört es, wo man auch hinkommt. Sie werden Dir auf der Insel noch ein Denkmal setzen! Ich aber möchte meinen Arm um Dich legen und Dir sagen: Sieh, sieh dich um, was wir mit Deinem Saatgut gemacht haben! Siehst Du, wie es überall blüht? Wie schon die ersten Früchte reifen?

Hendrik und Afa überbringen Dir den Brief mit der »Paradies«. Die wirst Du zwar kaum wiedererkennen, so sonderbar sieht sie aus, wir haben sie nun mal zusammengeschustert, so gut es ging. – Wir? Das ganze Dorf! Hendrik voran …

Aber sie schwimmt. Und darauf kommt es an. Hendrik wird Dir zeigen, was an ihr in Neiafu in Ordnung zu bringen ist, und ich bin sicher, Du wirst ihm helfen. Die Kosten? Auch für die paar Werkzeuge und Radio-Ersatzteile, die wir noch brauchen … Lieber Schibe, wir werden sie, wie immer, mit Perlen begleichen. Nimm das in Deine Hände. Du kannst es unbesorgt: Es sind nicht Perlen aus der Bucht, das ist für ewig vorbei … die

Frauen haben sie uns gegeben. Was wir sonst noch brauchen, ist wenig. Wie hast Du mir mal gesagt? »Der Mensch ist nichts anderes als eine Funktion seiner Wünsche, und je mehr er sie reduziert, desto größer ist seine Chance, glücklich zu sein.« Nicht nur Du, auch der Hurrikan hat mich die Wahrheit dieses Gedankens gelehrt.

Tapana, Tama und Lanai'ta lassen Dich grüßen. Ich wäre so gerne mitgekommen, doch es gibt einen Grund, der mich hier festhält. Er ist stärker als alles andere: Tama erwartet unser erstes Kind!

Gestern nacht hab' ich wieder das Buch über die »Bounty« in die Hand genommen, das Du mir geschenkt hast und darin den Brief gesucht, den John Adams, einer der Meuterer, im Jahr 1819 von der Pitcairn-Insel an seinen Bruder in England schrieb: »Dreißig Jahre lebe ich nun auf meiner Insel. Ich habe eine Frau und vier Kinder. Und wenn ich mein Leben überdenke und die Umstände, die mich hierhergebracht haben, vermag ich nur eines zu sagen: Ich danke Gott für Seinen Plan. Und ich danke Ihm für den inneren Frieden und die Gesundheit, die mich all diese Jahre glücklich werden ließen.«

So soll es sein ...